# ショアあるいは破滅のリズム

## 現代思想の視角

—エポック……1—
première époque

山下尚一 著
Shoichi YAMASHITA

ナカニシヤ出版

# まえがき

本書は映画『ショア』(1985)を取り上げ、現代社会の諸問題、とりわけ戦争やホロコーストの問題について考えようとするものです。フランスの映画監督クロード・ランズマン(1925–2018)が発表した映画『ショア』は、第二次世界大戦のさなか、ドイツやナチス占領下で実行されたユダヤ人大量虐殺についての映画です。本書は『ショア』を解説しながら、関連文献を参照しつつ考察を進めていきます。

本書の特徴は下記のとおりです。

①映画『ショア』を知ることができます。二〇二三年一月現在、『ショア』のDVDやブルーレイは入荷見込みがないようで、鑑賞しにくい状況にあります。また映画のフランス語テキストを邦訳した本(『ショアー』高橋武智訳、作品社)がありますが、こちらも絶版になっているようです。本書はこの邦訳書を多く引用しており、映画『ショア』の内容をよく理解できるようにしています。

②本書は「エポック1」(前半、上巻)と「エポック2」(後半、下巻)にわかれています。『ショア』という映画は前半が「エポック1」、後半が「エポック2」となっており、本書のそれぞれに対

応していきます。なお「エポック1」から「エポック2」に進むにつれて、本書の議論も少しずつ深めていくつもりです。

③本書は映画の紹介にとどまらず専門的研究でもあります。『ショア』は一般的な雑誌で散発的に紹介されたことがありますが、詳細な研究がおこなわれたとはいえないように思います。本書は日本語文献だけではなく英語やフランス語の文献も取り上げていますし、それもかなり新しいものについても分析しています。そのため本書は『ショア』についての専門研究書として読むことができると思います。

④文章は講義形式で書かれています。本書のもとになったのは、駿河台大学において私が担当している講義科目「現代思想」のメモです。本書でも講義をしているつもりで執筆しました。ですからいくらか読みやすくなっているのではないかと思いますが、その反面やや冗長になってしまったところがあるかもしれません。しかしだからといって簡単な紹介で終わらせているわけではなく、本書独自の分析の視点を含めているつもりです。

⑤本書の視点は現代思想です。先ほど述べた科目「現代思想」の内容から出発し、さらなる検討を加えることで本書ができ上がりました。『ショア』を思想の観点から見ていくことによって、戦争やホロコーストの問題を根源的なレベルにおいて考察できるのではないかと思っています。

⑥この視点から浮かび上がってくる問いは以下のようなものです。これらの深刻な問いが本書全体をつらぬいています。

・ホロコーストを理解できるのか

・他者を理解できるのか
・過去と現在はどのような関係にあるのか
・虐殺に加担しないでいることはできるのか
⑦これらの諸問題を省察するために、本書は「リズム」という概念を使用しています。リズムというとまずは音楽や詩などの領域が思い浮かびますが、私としては、思考を深めるためのひとつの哲学的概念としてリズムをあつかってみたいと考えています。それによって、戦争やホロコーストの問題に対して新たな角度からせまることができないだろうかと思っています。
⑧参照文献はなるべくそのまま引用しています。〔 〕や［ ］もそのままです。ただし、文章のつながりの都合上やむをえず変更したところもあります。ご寛恕を請う次第です。二重キッコウ〘 〙は著者による補足です。
⑨本書の刊行にあたり、駿河台大学出版助成費を受けています。大学教職員のみなさまにはさまざまな面でご協力いただきました。記して感謝いたします。
⑩「エポック1」「エポック2」をとおして書き下ろしです。ただし以下の回は初出論文を大幅に加筆修正したものです。
第8回：「ナチス絶滅収容所における人間性とリズムについての試論――ランズマン『ショア』の元SS伍長の話から出発して」『駿河台大学論叢』六〇号、二〇二〇年七月、四一―五三頁。
第10回：« Rhythm of Extermination and Ambiguous Perception: Considering Hilberg's

Explanation in Lanzmann's *Shoah* »,『駿河台大学論叢』六二号、二〇二二年三月、三一五一頁。

それではさっそく、ショアあるいは破滅のリズムについて、みなさんといっしょに考えていきたいと思います。

ショアあるいは破滅のリズム
——現代思想の視角——（エポック1）

＊

目次

まえがき　i
01 イントロダクション……3
02 理解不可能な出来事……19
03 死体を埋めて掘り出す……39
04 ユダヤ人移送を見るポーランド人……61
05 複数の真理……81
06 過去の再構成……102
07 虐殺の痕跡を消すこと……127

08 加害者の人間性 147
09 死のベルトコンベアー 170
10 最終解決 190
11 ガス・トラックへの誘導 213
12 ユダヤ人のイメージ 233
13 ユダヤ人生還者を囲んで 254
索引 276

## 【続巻エポック2・目次】


14 絶滅収容所の歌
15 証言と沈黙
16 ガス室のドアを開けるとき
17 ギリシアから移送された人々
18 絶滅収容所への列車の運行
19 無力感と屈辱感
20 女性の証言
21 みずからガス室に入る
22 ゲットーという世界
23 ユダヤ人評議会
24 ひとつの措置から次の措置へ
25 ゲットー蜂起後の夜
26 コンクルージョン

ショアあるいは破滅のリズム

——現代思想の視角——（エポック1）

# 01 イントロダクション

## 1 「現代思想」の講義の目的

この講義のタイトルは「現代思想」です。「現代思想」という言葉は、一般的には、二〇世紀以降の哲学のことを意味します。ですがここでは「現代思想」という言葉そのものに注目してみましょう。「現代」という言葉と「思想」という言葉があります。「思想」とは、考えるということ、思考するということです。ですから「現代思想」というのは、現代について考える、現代について思考することだというふうにとらえることができます。

それでは「現代」とは何か。現代とは私たちが暮らしている時代のこと、今この時代のことですね。具体的にいえば二一世紀だし、もっとくわしくいうと今年のこと、そして今日のこと、さらにはこの今、この現在のことです。だから「現代思想」というのは、私たちが生きているこの現在について考える、今私たちはどんなふうに生きているのかということを考える、このようにとらえることもできます。

じゃあ、どういうふうに考えていけばよいのか。たんに現代について考えるといっても、なんだかあいまいで漠然としていますね。考えるにあたって、何か手がかりがなければうまく考えていくことはむずかしいように感じます。

そこでこの講義では映画を見ていきながら、現代について考えたいと思います。それが『ショア』という映画です。監督はクロード・ランズマンという人で、一九八五年に公開されたフランスの映画です。この映画はナチスによっておこなわれたユダヤ人虐殺、つまりホロコーストについて取り上げています。

ナチスによるユダヤ人の虐殺、ホロコーストがいつ起こったかというと、だいたい一九四〇年くらいから一九四五年までのことです。一九四〇年と聞くと、だいぶ前のことで現代なんかじゃないよって思うかもしれません。だけど、ユダヤ人虐殺の問題は、殺戮《さつりく》が終わったからといって問題が解決されたというような出来事ではありません。つまり過去の出来事ではないということです。むしろこれから講義で見ていくように、過去であると同時に現在であるような、そういう出来事です。『ショア』という映画をとおして、ユダヤ人虐殺の問題を取り上げながら現代について考えてみる、それがこの講義の目的です。

## 2　芸術作品としての『ショア』

次の**引用1**を見てください。『ショア』についての紹介文です。DVDについているブックレットのなかの文章です。少し長いですが読んでみましょう。

**引用1**　『SHOAH ショア』は第二次世界大戦のさなかドイツやナチスの占領下の地域で実行されたユダヤ人の強制収容、ホロコースト（大量虐殺）の全貌を復元したと言われる野心的な傑作ドキュメンタリー映画。三年半、一四カ国にわたる予備調査を経て、監督のランズマンはナチスの収容所から生還したユダヤ人、収容所の元ナチス親衛隊員、収容所の近くにいたポーランドの農夫ら膨大な数の証言者を訪ね歩き、彼らの言葉（肉声）や沈黙を一一年の長きにわたって収録。一九四二年という過去に起こった出来事を現在の私たちの前に再出現させた、映像による〝世界遺産的芸術作品〟です。説明調のナレーション、音楽、記録映像等を一切排し、関係者の証言のみで作られた本作は、全編が体験者によるホロコーストのオーラル・ヒストリーという斬新な構成。全編九時間二七分の破格とも言える上映時間、それにともなう興行的な負担、多言語による証言をもとにした字幕制作の困難さなど映画の常識を大きく逸脱した『SHOAH ショア』は、商業性に背を向けた〝純粋芸術〟と言っても過言ではありません。二〇世紀の歴史をぬり変えた〝ひとつの事件〟であるこの映画は、全人類が共有すべき必須のアーカイヴ映像です。*1

ここでは「世界遺産的芸術作品」とか「純粋芸術」とか「全人類が共有すべき必須のアーカイヴ」といわれていますが、そこまでいわれると、なんだかちょっとポジティヴにとらえすぎではないか、一面的に称賛しすぎなのではないかとも思います。でもまあ、重要な映画みたいだなということはわかりますね。

この引用について、三つの点に注目します。

①まず、『ショア』は非常に長い映画だということです。**引用1**のうしろのほうに、「全編九時間二七分」といわれています。一日で見るのはちょっとむずかしいですね。講義では毎回少しずつ見ていきますが、九時間半のすべてを見ることはできません。

②次に、思い出して語るということです。**引用1**の真ん中あたりですが、「説明調のナレーション、音楽、記録映像等を一切排し、関係者の証言のみで作られた本作は、全編が体験者によるホロコーストのオーラル・ヒストリーという斬新な構成」とあります。ここで「オーラル・ヒストリー」とありますが、「オーラル」というのは「口」ということですね、つまり「口で伝える」「口頭でおこなう」ということです。で、オーラル・ヒストリーだから、「口で伝える歴史」「口頭で伝える歴史」だということです。関係者が自分の声で伝える歴史だということです。この映画にはたくさんの人が出てきて、戦争の時代について、あのときはどうだったかなと、思い出しながら語っています。そういうふうに思い出して過去を語るという行為を重視しているわけです。

③最後に、『ショア』は芸術作品であるということです。**引用1**の最初のほうに、「ドキュメンタリー映画」とありますね。たしかにこの映画はフィクションではな

い。ホロコーストにかかわる人たちが自分の体験について証言している、そういう映画です。なので、たしかにドキュメンタリーのように思える。本当の事実、客観的な事実を描いている、そういうふうに思えるわけです。だけどそんなことはない。そうではなくて、『ショア』という映画は芸術作品です。つまりこれは、ランズマンという人の見方、ひとつの考え方を示したものだということです。実際ランズマンは、大事なのは歴史にそった説明ではなく芸術作品であるといっています。[*2]またランズマンは、自分の映画はドキュメンタリーではなく芸術作品であって、歴史的に公平な説明をしたいわけじゃないと話したこともあるそうです。[*3]今後の講義で見ていきますが、ランズマンは人々にインタビューするときに、自分の求めるものを実現できるような演出をしています。また編集をして、自分の求めていないものをカットしています。つまり、ランズマンなりの観点から、あるところを強調して別のところを省略している。だからこの映画で語られていることがそのまま客観的な事実だというわけではありません。考えてみれば、本当に客観的な事実とか、本当の事実とか、そういうものがはたして存在するのか、そういった問題もあります。これはむずかしい問題ですが、講義をとおして考えていければいいなと思っています。ちなみに、映画のもつ編集可能性という機能がきわめて重大な意義をもつということを指摘したのは、ドイツの思想家であるヴァルター・ベンヤミンという人です。[*4]

ここでちょっと難点があります。本来なら芸術作品というものは、まるごとそのまま受け止めるべきものですよね。みなさんも、好きな音楽とか好きな映画があると思います。それをちょっとずつ区切って見ていくというのは、なんだか興ざめしちゃいますよね。だからこの『ショア』という作品にしたって、本来ならその全体をそのまま見ていくべきなんだろうと思います。だけど、講義でそんなことはできません。九時間半もあるんだから。なので少しずつ区切りながら見ていきます。だけどそういう見方は、作品をばらばらに切り刻んでしまうということです。それに私が説明をすることというのは、監督が伝えたいこととはちがうかもしれない。でも作品を論じるということは、たんに作品を鑑賞することではなくて、自分自身で考えながら見ていくということです。

この講義では、監督のランズマンの見方をそのまま受け入れるというだけではなく、批判的に見るということもしていきます。つまり、みなさんの自分自身の見方、自分自身の考え方を引き出すということです。

## 3 タイトルについて

ユダヤ人絶滅のことを示すのに、普通は「ホロコースト」という言葉をつかいます。ではなぜランズマンは「ホロコースト」という言葉をつかわずに、「ショア」というタイトルにしたのか。そもそも「ショア」っていうのは、何を意味しているのでしょうか?

この「ショア(Shoah)」というのはヘブライ語です。ヘブライ語は現在ではイスラエルで話されている言葉ですが、もともとは旧約聖書でつかわれた言葉です。旧約聖書というのはユダヤ教の聖典のことで、このなかで「ショア」という言葉が、どうやら何回か出てくるみたいです。どんな意味かというと、「災厄」「破壊」といった意味です。ユダヤ人におそいかかる破滅的な出来事、それを「ショア」といっているわけです。じゃあ、なんで監督のランズマンはヘブライ語の「ショア」という言葉をタイトルにしたのでしょうか? 次の**引用2**は、ランズマンの回想録からの文章です。またちょっと長いですが、読んでみましょう。

**引用2** それ《試写会》までのあいだ、真剣に検討するタイミングを先延ばしにして、私はタイトルなしの作業を続けてきた。「ホロコースト」はすでに他で多く使われていたし、そもそも《神への》供え物の含意があるところから私には受け容れがたかった。「出来事」と呼ぶことさえもためらうようなこの事態に名前などないというのが本当のところだった。自分のうちでは秘かに「ラ・ショーズ《la chose》」［そのこと］と呼んでいた。名前をつけられないものを呼ぶための便法だった。人間の歴史においてまったく前例のない事態を呼ぶ言葉などありえただろうか? タイトルなしですむものなら、そうしていただろう。「ショア」という言葉は、ある夜、ヘブライ語のわからない私には意味不明ながら、まるで自明のことのように現われた名前だった。これもまた名前をつけない一つの方法にちがいない。だが、ヘブライ語を話す人たちにとっては、ショアもまた十全な表現ではなかっただろう。この言葉は聖書のなかに何度も現われ、「災厄」「破壊」「滅亡」の意味で使われている。それは地震であり、洪水であり、嵐である。ラビ〘ユダヤ教の宗教的指導者〙たちは戦後、「ラ・ショーズ」を表わす言葉としてこれを勝手に使っていた。私にとってそれは記号内容《シニフィエ》のない記号表現《シニフィアン》である。短く、不可解な発語、うかがい知れない、壊すことのできない言葉。[*5]

ランズマンはこの映画をつくっているあいだ、それらしいタイトルをつけずに、フランス語の la chose「そのこと」というふうに呼んでいた。chose というフランス語は、「もの」とか「こと」という意味です。英語でいうと thing です。それに la というフランス語がついています。la というのは「その」とか「あの」とかいう意味で、定冠詞です。一度出てきたこととか、すでにわかっていることを示す言葉ですね。英語の単語でいうと the のことです。だから la chose というのは、英語でいうと the thing です。

また、フランス語の chose という単語は、「あれ」とか「あの人」とかいう意味もあります。たとえばものの名前とか人の名前を覚えていないときとか、あるいは覚えているんだけどその名前をちょっと口に出したくないときにつかうことがあります。日本語でも口にしたくないときなんかは、「あれだよ、あのことだよ」とか「あれだよ、あの人だよ」とかいいますよね。そんないい方です。つまりランズマンにとって、ユダヤ人虐殺という出来事は「それ」とか「そのこと」というふうにしかいいようがない、なんともいいようがない出来事だったということです。

**引用2**の最後のほうには、「記号内容《シニフィエ》のない記号表《シニフィ》現《アン》」といわれています。この「シニフィエ」とか「シニフィアン」というのはフランス語の言葉で、もともとはフェルディナン・ド・ソシュールというスイスの言語学者がつくった用語です。「シニフィエ」は signifié と書いて、「シニフィアン」は signifiant と書きます。「シニフィエ」というのは「意味されるもの」のこと、つまり、ある言葉が意味する内容のこと、概念のことです。「シニフィアン」は「意味するもの」のことで、つまり、声に出される聴覚的なイメージのことです。例をあげると、日本人にとって「イヌ（inu）」という音の表現、音のイメージは、「四本足の動物」「人間が飼い慣らしているもの」「散歩が好きなもの」といった内容、すなわち「犬」の概念をあらわしています。いいかえると、「イヌ」というシニフィアンは「犬」というシニフィエに結びついているということです。このように記号というのは、記号表現《シニフィアン》、つまり意味するものと、記号内容《シニフィエ》、つまり意味されるものとが、いつも表裏一体になって作用しています。シニフィアンとシニフィエが、それぞれ別に存在するなんていうことはありません。そりゃそうですよね。シニフィアンとシニフィエがもし切り離されていたら、「イヌ」という音の表現が、「犬」という内容をもたないことになってしまう。つまり、意味がなくなってしまう。だから記号表現《シニフィアン》と記号内容《シニフィエ》は絶対に結び合っていて、それによって意味が成り立っているわけです。[*6]

だけどランズマンは**引用2**で、「記号内容《シニフィエ》のない記号表現《シニフィアン》」といっています。なぜかというと、「ショア」という言葉は、ランズマンにとってよくわからないヘブライ語の言葉だからです。「ショア」という音をいわれても、その意味が不明です。または、Shoahと書かれても、よく理解できません。「ショア」という記号表《シニフィ》現《アン》は、明確な意味、はっきりした意味内容をもっていない、つまり記号内容《シニフィエ》をもっていないということです。その意味でショアは「記号内容《シニフィエ》のない記号表現《シニフィアン》」だといっているんですね。一言でいえば、ショアというのはランズマンにとって「意味のない言葉」「意味不明の言葉」ということです。ランズマンはあえてそういう言葉を選んだわけです。[*7]

ランズマンは映画をつくっている一〇年以上のあいだ、ずっとタイトルをつけられなかった、la chose「そのこと」というふうにしかいえなかったといいます。それは、ユダヤ人絶滅というのがあまりにもむちゃくちゃなことで、どうしてもうまく名づけることのできない、そういうことだったからです。これから講義をとおして見ていきますが、ユダヤ人絶滅という出来事については理解できないこと、表現できないことがたくさん出てきます。そもそもなんでナチスがユダヤ人たちを殺そうとしたのか、根本のところはよくわからない。また、ユダヤ人を殺すという考えがどんなふうにしてナチスのなかで広まっていったのか、そして一般の人々がどんなふうにその考えを支持していったのか、うまくいいあらわせない。虐殺という出来事について簡単に理解することはできないし、表現することもできない。となると、安易にタイトルをつけることもできない、そんなふうにランズマンは思ったのかもしれないですね。

そこでランズマンは、よくわからない言葉をつかおうと思った。理解できない言葉、つまり「ショア」という言葉をタイトルにします。たとえば「虐殺」とか「ホロコースト」とかのようにすでにつかわれている言葉はあるけれど、それではなんとなくわかったような気がしてしまう。でも絶滅のプロセスというのは、これまでの言葉ではいいあらわせないようなことなんだ、うまく理解することのできないことなんだ、そのことを強調するために「ショア」という言葉をつかったわけです。[*8]

ランズマンはこの映画を上映するときには、「世界中のどこであってもタイトルを翻訳したり副題をつけて説明したりしてはいけない」、そういうふうにこだわったみたいです。タイトルにかんするエピソードがあります。中国の映画祭で『ショア』が上映されたとき、ランズマンがフランス語で講演をしたそうです。そのさい、中国人の翻訳者が完璧に通訳をしてくれた。だけどまちがいがあった。ランズマンはすぐには気づかなかったけど、ただひとつのまちがい、しかし重大なまちがいがあった。その翻訳者は、翻訳不可能な名詞である「ショア」を中国語に訳してしまったということです。[*9] ランズマンとしては、「ショア」という言葉は翻訳したり説明したりしてはならない。というのもショアという出来事は、まさしく理解不可能なものだからです。それなのに翻訳や説明がされてしまえば、了解できるものになってしまう。「ショア」という用語をわかるようにしてはならない、わからないままにしておかなければならない、そんなふうにランズマンは考えていたわけです。[*10]

## 4　ショアはリズムである

これまで見たように、ユダヤ人絶滅のプロセスというのは理解しがたいものです。だけど、だからといって理解しなくてよいかというと、そうではないですよね。ある民族を絶滅させるという事態が起きてしまったということ、これはやっぱり理解しなきゃならない。

この講義ではひとつの仮説を提示します。つまり、「ショアはひとつのリズムである」ということです。

このリズムは二つの特徴をもっています。①ひとつ目の特徴は、私たちを巻き込んでいくものだということです。私たちはいつの間にか絶滅の行為に巻き込まれていく。それは被害者であればもちろんそうなんですが、加害者であってもそうだし、まわりにいた人たち、つまり無関係に思える傍観者であっても絶滅のプロセスに巻き込まれていってしまう。②二つ目の特徴は、私たちはそのリズムに巻き込まれながらも、それでもやはり私たち自身でそのリズムをつくり上げていくということです。絶滅の行為をおこなうのは私たち人間です。加害者であればもちろんそうです。だけど傍観者にしても、被害者であるユダヤ人にしても、実はそのリズムをみんなでつくり上げてしまっている。そんなふうに絶滅のリズムは私たちを巻き込むし、それと同時に私たちはそのリズムをつくり上げている、そういう二重の運動があるように思えます。

次の**引用3**では、戦争がいつの間にかそこにあるということがいわれています。

**引用3**　〈戦争〉は人間の知性がよく制御できるものではないようです。〘中略〙戦争はいつも、人間の平和への努力にもかかわらず繰り返されてきたのです。〘中略〙だから戦争をまともに考えようとするなら、自分が戦争から超越していると、つまり自分が〈戦争〉を免れていると思わないほうがよいのです。戦争はもちろん人間が火付け役になりますが、そしてひとは平和の秩序のなかでは戦争をひとつの考察の対象にすることもできるし、戦争を企てることもできますが、いざ戦争が起こると、ひとはいつも「こんなはずではなかったのに」と思いながら、すでに〈戦争〉のさなかにいてしまうのです。[*11]

その一方で、次の**引用4**を見ると、戦争へと私たちを駆り立てているのは私たち自身なのだということがいわれています。

**引用4** ドイツ人をナチスに変えたのは、たしかに狂気ではなく、ドイツ人の精神性になじんだ思想や信念を集めたイデオロギーへの熱狂的な固執である。それは精神的な病気ではなく精神的な構築物であり、その多くの要素が支流のようにナチズムという破壊的な川に流れ込んでいったのである。[*12]

私たちは、いつの間にか戦争に巻き込まれているし、いつの間にか戦争をつくり上げてしまう。このことは、ユダヤ人絶滅の運動についてもいうことができます。絶滅のプロセスというのは、いつの間にかそこにあるということです。気がつくと自分もそこに巻き込まれ、さらにはいつの間にか自分自身もそれをつくり上げてしまっている。そういう流れのようなもの、リズムのようなもの、それが絶滅の運動なんだろうと思います。これはひとつの仮説にすぎませんが、これからみなさんと考えてみたいと思っています。

だからこの講義のあいだは、みなさん、「自分は戦争とか虐殺とは関係がないんだ」なんて思わないでください。たしかに日常を生きていると、今の日本は戦争とは関係のない時代にいるとか、虐殺とは関係のない国だとか思うかもしれない。でもそうじゃないんです。私たちはいつの間にか巻き込まれ、いつの間にか自分たちでやらかしてしまう。ヒトラーがいたころのドイツだって、自分は虐殺とは関係がない、早く戦争が終わってほしい、そんなふうに考えていた人がたくさんいました。[*13]だけどいつの間にか戦争のただなかにいて、しかもいつの間にかユダヤ人の虐殺をおこなってしまった。あるいは、自分は直接的には殺人をしなかったかもしれないけど、虐殺が可能であるような社会を許してしまった。気がつかないうちにリズムに押し流されて、また知らないうちにみずからそのリズムをつくり上げている、それが戦争であり虐殺なのではないかということです。

## 5 ショアのリズムと『ショア』のリズム

先ほどの「ショアはリズムである」という仮説は、二つの意味をもっています。ひとつは、今述べたように、絶滅という歴史的な出来事がリズムをなしているということです。もうひとつの意味は何かというと、ランズマンの映画作品である『ショア』がリズムをなしているということです。つまり、以下の二つのリズムがあるわけです。

ⓐ歴史的出来事のショアのリズム
ⓑ映画『ショア』のリズム

もちろん、このⓐのショアのリズムとⓑの『ショア』のリズムが完全に重なるということはありません。ⓐのリズムは長い期間をとおして成立してきました。一九三五年にドイツでニュルンベルク法というのが制定され、それによってユダヤ人の公民権が奪われてしまいます。そこから考えると一〇年くらいかけて、歴史的な意味でのショアのリズムはつくり上げられていった。いや、もしかするとそんなに短いものじゃないかもしれません。ヨーロッパの歴史にはずっと以前から反ユダヤ主義というのがあって、そのことを考えれば、一〇〇〇年くらいの時間をかけてショアのリズムは形成されていった、そして最終的にナチスが虐殺を成し遂げてしまったということかもしれません。それと比べてⓑの映画のリズムのほうは、映画としては長いとはいえ、九時間半くらいのものです。そうした時間の長さから見ると、重なるわけがありません。

そうだとしても、ⓑの映画のリズムはⓐの歴史的出来事のリズムを表現しています。つまり、映画を見る私たちは絶滅のリズムを感じとるということです。この映画にはたくさんの人が出演していて、彼らはそれぞれの立場で、虐殺がおこなわれていた当時のことを思い出して語っています。その思い出すという行為がたくさん集まってこの映画を構成しています。つまり過去の思い出が、ⓑの『ショア』のリズムをなしているというわけです。だけどそれだけではなく、思い出すことによって、過去におこなわれていた絶滅の出来事がまさに今よみがえってくる。これはつまり、ⓑの『ショア』のリズムにⓐのショアのリズムが重なってくるということです。このように、過去のことを思い出して語るという行為があるからこそ、ⓐの歴史的出来事であるショアのリズムとⓑの映画『ショア』のリズムが重なり合うことになります。

ランズマンの映画を論じている人はたくさんいるのですが、そのなかには、リズムという語をつかって論じる人がいます。次の引用を見てください。

**引用5**　それ『ショア』が伝えられることが可能になるのは、まさに作品の作用によるのであり、——作品がみずからのリズムで繰り広げられる（elle se déroule *à son* rythme）とともに、みずからのモチーフにしたがって繰り広げられる、そうしたことと同時に——ひとつの全体の構成へと作品を結びつけながら、すべてのシーンをつらぬいているような練り上げによるのだ。この全体のおかげで、分離・分析可能な各瞬間というのは、作品の唯一の関心が作品にされることで運ばれ、均質化されるようになる。[*14]

引用のはじめに、「作品がみずからのリズムで繰り広げられる」というふうにいわれています。『ショア』という作品がみずからのリズムで展開していく、そういうときにこそ、歴史的な出来事としてのショアが観客に伝わるということです。私たちの言葉でいいかえれば、『ショア』という映画が固有のリズムをもつ、そのときそこにはもうひとつのショアのリズムが感じられる、すなわち、歴史的出来事のリズムも感じられてくるということだと思います。ショアの二つのリズムが重なるわけです。

別の人によると、この映画のリズムは列車の音としてとらえることができるといわれています。というのも、映画のなかでは列車が何度も登場し、その汽笛の音や、線路のきしみの音が繰り返し聞こえてくるからです（**写真**[*15]）。

**引用6**　そして《映画》全体は、収容所へと走っていく列車のほとんどたえがたい轟音によってリズムづけられる（rythmé）[*16]。

このフランス語の文では、rythme「リズム」という名詞から派生したrythmerという動詞がつかわれています。この動詞は、「リズムをつける」「リズムをとる」といった意味をもっています。つまり映画の全体は、列車の動く音によってリズムが与えられる、リズムがとられる、というふうにいわれています。たしかにこれから見ていくように、音を響かせて走る列車が繰り返し映像に出てきます。インタビューのシーンの合間に登場したり、インタビューの映像に列車の音が重なってくるときもあります。その列車は実際にユダヤ人を詰め込んでいるわけじゃありません。だけど列車はかなり重さがあるように感じられ、ゆっくりと、しかし確実にどこかに向かっていく、そういうイメージとして提示されています。列車のイメージがもつリズムの作用には、別の人も注目しています。

列車（DVD1-1, 1:14:00）

**引用7**　季節の移行は日常的な時間のなかに組み入れられる。だがこの時間は、今日のこれらの場所のさびついたレールにきてはつまずいている、そうした機関車の移動——そして機関車そのもの——によって永遠に刻まれたリズムで繰り広げられていく（ce temps se déroule à un rythme à jamais scandé par le passage de la locomotive – la même –）*17。

画面に映し出されている機関車はユダヤ人を詰め込んではいませんが、その走っていく様子はユダヤ人を運んだ歴史を思い起こさせます。その意味でこの列車は、一方では映画のリズムをなしているわけですが、それと同時に他方では、歴史的な出来事のリズムを示している。このように列車のイメージにおいて、ⓑの『ショア』のリズムがあらわれてくると同時に、ⓐのショアのリズムもあらわれてくるのではないかと思います。

とはいうものの、二つのリズムが見出されるのは列車のイメージにおいてだけだというわけではありません。むしろこれらのリズムは、映画のさまざまなところにあらわれているように思えます。ある静かで心地よい風景が映されているのに、なんだか居心地の悪いものを感じる。または、ある人がおだやかな口調で話しているのに不穏な雰囲気を感じる。そして、別の人がやさしく黙っているようでありながら、その沈黙のうちに、とても一言ではいいあらわせない壮絶な体験がほの見える。そのようなとき、映画『ショア』のリズムは、歴史的なショアのリズムになっているのかもしれません。

　ここまで二つのリズムを取り上げました。しかし実は、三つ目のリズムも存在するのではないかと思います。以下を見てください。

ⓐ歴史的出来事のショアのリズム
ⓑ映画『ショア』のリズム
ⓒ私たちのリズム

　三つ目のリズムは、ⓑのリズムに立ち会っている私たちのリズム、私たち自身のリズムです。先ほど絶滅の運動についてお話ししたときに、私たちが絶滅のリズムに巻き込まれていくのと同時に、私たち自身がそのリズムをみずからつくり上げてしまうといいました。その意味では、ⓐのリズムとⓒのリズムは連動することがあるわけです。それと同じように、私たちは『ショア』という映画を見てそのリズムに巻き込まれる、と同時に、映画を見ていくうちに、私たち自身がそのリズムにみずからを合わせていく、そういうことがあるのではないかと思います。つまりⓑのリズムとⓒのリズムも連動するのではないかなと思います。こう考えると、三つのリズムが絡み合うようになる。つまり、ⓐ歴史的出来事のショアのリズム、ⓑ映画『ショア』のリズム、ⓒ私たちのリズム、これら三つのリズムというのがあって、それらは連動するときもあれば、うまくかみ合わない場合もある。この三つのリズムの関係については、今後、実際に映画を見ながら考えていくことができればいいなと思っています[*18]。

## 6 まとめ

①映画『ショア』をとおして、ユダヤ人虐殺の問題を取り上げて現代について考える。

②『ショア』は客観的事実を記録したドキュメンタ

リーではなく、芸術作品である。
③「ショア」という語は、理解できない出来事としてのユダヤ人絶滅のことを示す。
④ユダヤ人絶滅をリズムとしてとらえることができる。
⑤歴史的出来事としてのショアのリズムと、映画『ショア』のリズムがある。

＊1　「ＳＨＯＡＨ ショア」『クロード・ランズマン決定版ＢＯＸ（ＤＶＤ）増補版劇場用パンフレット』ポニーキャニオン、二〇一五年、八頁。

＊2　クロード・ランズマン「出会うまでに十年の歳月を要した、日本の読者に」『ショアー』高橋武智訳、作品社、一九九五年、五頁。

＊3　Neal Ascherson, « La controverse autour de *Shoah* » (1986), in *Au sujet de* Shoah (1990), Belin, 2011, pp. 316-317.

＊4　細見和之『フランクフルト学派』中公新書、二〇一四年、七一－七四頁。

＊5　クロード・ランズマン『パタゴニアの野兎（下）』(2009)、中原毅志訳、人文書院、二〇一六年、二七七－二七八頁。

＊6　シニフィアンとシニフィエの結びつきは恣意的で非自然的だといわれている。丸山圭三郎『ソシュールを読む』(1983)、講談社学芸文庫、二〇一二年、二一〇－二一八頁を参照。

＊7　「ショア」という語が含む射程については、たとえば以下を参照。Eric Marty, *Sur* Shoah *de Claude Lanzmann*, Edition Manucius, 2016, p. 37.

＊8　アンリ・メショニックは、shoahという語は自然現象としての災厄を示すので不適切であり、むしろ人間による破滅をあらわすhurbanという語のほうがよいだろうと述べる。また、ランズマンがユダヤ人絶滅は名づけられないと主張するのに対して、メショニックは名づけられないもの、いいあらわせないものなどなく、ナチスの行為にしてもカムフラージュされつつも明瞭な用語で名づけられていると批判する。Henri Meschonnic, « Pour en finir avec le mot "Shoah" », in *Le monde*, le 19 février 2005.

＊9　ランズマン『パタゴニアの野兎（下）』前掲、五五頁。

＊10　ランズマンによれば、映画制作者とのあいだに以下のようなやりとりがあったという。「「ショアだよ」「どういう意味？」」「〝ショア〟が何を意味するのか、知らないんだ」「しかし翻訳してくれなきゃ、誰にも意味

がわからないだろう」「誰にもわからない、か。それこそ私の目指すところさ」」。クロード・ランズマン「監督のことば」遠山純生訳、『クロード・ランズマン決定版ＢＯＸ（ＤＶＤ） 増補版劇場用パンフレット』前掲、一六頁。

＊11 西谷修『夜の鼓動にふれる』（1995）、ちくま学芸文庫、二〇一五年、四七–四八頁。

＊12 Eryck de Rubercy, « Les racines intellectuelles de Hitler et du nazisme », in *Revue des deux mondes*, décembre 2019—janvier 2020, p. 68.

＊13 たとえば一九二〇年生まれのドイツ人女性であるトラウデル・ユンゲは、戦争初期におけるナチス・ドイツの勢力拡張などはどうでもいいことで、早く戦争が終わってほしいと思っていたにもかかわらず、知り合いからの仕事の誘いを受けて気がつくとヒトラーの私設秘書になっていたという。メリッサ・ミュラー「解説1」、トラウデル・ユンゲ『私はヒトラーの秘書だった』(2002)、高島市子・足立ラーベ加代訳、草思社文庫、二〇二〇年、四六頁。

＊14 Michel Deguy, « Sans titre », in *Au sujet de* Shoah, *op. cit.*, pp. 6-7.

＊15 本書に掲載した写真はすべて、クロード・ランズマン『ショア』一九八五年、ポニーキャニオンからの引用であり、ＤＶＤの巻数と時間を示す。

＊16 シモーヌ・ド・ボーヴォアール「恐怖の記憶」、ランズマン『ショア』所収、前掲、一七頁。Simone de Beauvoir, « La mémoire de l'horreur », in Claude Lanzmann, *Shoah* (1985), Gallimard, 2018, p. 11.

＊17 Rachel Ertel, « Le noir miracle » (1986), in *Au sujet de* Shoah, *op. cit.*, p. 72.

＊18 リズムという概念をつかって考察するとはいえ、あらゆるところにリズムを見出しすべての現象をリズムによって説明するといったような姿勢は控えなければならない。すなわち、汎リズム主義におちいらないように注意せねばならない。Pierre Sauvanet, *Le rythme et la raison*, tome 1, Kimé, 2000, p. 11. この講義では、汎リズム主義的にはならないように心がけつつも、リズム概念の可能性を広げることで新しい見方を提示しようと試みる。

# 02 理解不可能な出来事

## 1 強制収容所と絶滅収容所

ナチスの収容所というと、強制収容所という言葉が思い浮かびますよね。実はナチスの収容所には「強制収容所」と「絶滅収容所」という二つのタイプがあります。

強制収容所と絶滅収容所は厳密にはちがうタイプのものです。強制収容所というのは、囚人を監禁して再教育の名のもとに懲罰する、強制労働をさせる、そういうところです。強制収容所の囚人はナチスの政治的な敵対者、ドイツが新しく征服した土地の外国人、あるいは捕虜といった人が多かったみたいです。ここではユダヤ人はそれほど多くなかったといわれています。それに対して絶滅収容所とは何かというと、ユダヤ人の殺害だけを目的にしているところです。*1

では絶滅収容所はどこにあったのか、そこでどれくらいの数のユダヤ人が殺され、どれくらいの数が生き残ったのかを確認してみましょう（**表1**）。*2

これを見てわかるように、絶滅収容所はすべてポーランドにあった。ナチスの施設なんだからドイツにあるのかなと思うかもしれませんが、そうではない。なぜポーランドかというと、ポーランドには昔からたくさんのユダヤ人が住んでいたんです。

表1　絶滅収容所の内訳

| 絶滅収容所（6か所、すべてポーランド） | ユダヤ人殺害者数 | ユダヤ人生存者数 |
| --- | --- | --- |
| アウシュヴィッツ | 90－135万人 | 解放時に生きていたのは20万人（他民族含む） |
| マイダネク | 23万5000人 | 解放時に生きていたのは1000人ほど |
| ヘウムノ | 15－30万人 | 生き延びたのは2人 |
| ベウジェッツ | 60万人 | 逃げたのは2人、戦後まで生きたのは1人 |
| ソビブル | 20－25万人 | 逃げたのは100人、戦後まで生きたのは35人 |
| トレブリンカ | 75－80万人 | 戦後まで生きたのは60人未満 |

**引用1**　一九三九年九月一日、ドイツはポーランドに侵入を始めたが、当時のポーランドは世界で最もユダヤ人が集住している地域であり、ユダヤ人の宗教的、文化的中心地でもあった。[*3]

ポーランドには大きなユダヤ人社会があった。だから、移動させずに殺すことができるように、ポーランドに絶滅収容所をつくったわけです。**表1**を見直すと、アウシュヴィッツという名前は聞いたことがありますが、その名前はあまり知らない名前がならんでいます。だけどそのほかには、あまり知らない名前がならんでいます。それではなぜアウシュヴィッツばかりが有名になって、ほかの名前はあまり出てこないのでしょうか？　最初に思いつくのは、犠牲者が一番多いっていうことですよね。たしかにアウシュヴィッツは九〇万人以上と書かれていて、けたちがいに犠牲者が多い。だけどそれだけが理由じゃないんです。なんでほかのところが知られていないかというと、アウシュヴィッツのほかは何も痕跡が残っていないからなんです。[*4]ナチスは戦争に負けそうになったとき、絶滅収容所があったことを知られちゃまずいと思って、建物を爆破して壊したんです。爆破するとき、生き残っていたユダヤ人を最後まではたらかせて破壊するんですが、その壊す作業が終わったら、最後に残ったユダヤ人たちも殺してしまった。だから建物もないし、生き残った人もいない。なのでアウシュヴィッツ以外の収容所については、ほとんど何も知られていないわけです。情報がないんです。だけど絶滅収容所というのはいくつもあった。これから見ていく『ショア』という映画ではアウシュヴィッツのことも出てきますが、それ以外の絶滅収容所のことも出てきます。
もう一度、**表1**の死者数のところを見てほしいのですが、この数字を見ておそろしいと思うのは、生き残った人の数ですよね。ここに連れていかれたら、もう絶対に出られない。ヘウムノとかベウジェッツというのを見ると、何十万人も殺されて、生き残ったのはひとりか二人というふうに書かれている。映画『ショア』には、ヘウムノに収容されていたユダヤ人が出てきます。表によると、生き延びることができた人はたった二人とありますが、まさにその二人が登場するんです。今回見る部分では、そのうちのひとりが登場します。

## 2　SSとユダヤ人特別労働班

絶滅収容所では、「SS」と「ユダヤ人特別労働班」という二つの役割があります。映画のなかで何度も出てくるので、ここで少し説明しておきます。
SS（Schutzstaffel）というのは、ナチスのなかのひとつの組織のことで、「親衛隊」と訳されています。もともとはヒトラー個人を護衛するためにつくられましたが、だんだんユダヤ人虐殺の業務を担当するようになります。なかでも絶滅収容所を管理して運営する、そしてユダヤ人の大量殺害を実際に進めていく、そういう役割をしていた。なので以下のようにいわれています。

**引用2**　親衛隊《SS》はナチ期のテロと抑圧を体現する組織である。*5

もうひとつ重要な用語で「ユダヤ人特別労働班」というのがあります。これは「労働用ユダヤ人特別班」とか、あるいは「特別作業班」とか「特務班」とかいわれることもあります。ユダヤ人たちが絶滅収容所に送られてくると全員がすぐに殺されてしまうんですが、体が大きくて力がありそうとか、だれかの知り合いだとか、そういう人はSSから声をかけられる。「お前、列から離れてこっちに来い」といわれる。そして労働用としてはたらかされるんですね。**引用3**は、このユダヤ人特別労働班についての文章です。

**引用3**　それぞれの強制収容所で、殺害プロセスにもかかわる肉体労働を実行するため、数百人のユダヤ人が移送されてきた人々の間から抜擢された。このユダヤ人特別作業班《ゾンダーコマンド》は、収容所到着の際に生きているユダヤ人に対応し、彼らの所持品処理（衣服や貴重品の仕分けとドイツ帝国への発送準備）を行い、さらに殺害されたユダヤ人の死体処理を行った。彼らのほとんどは一か月ないし二か月このような仕事をしたのち、殺害された。*6

ここにあるように、ユダヤ人労働班の人たちは、絶滅収容所の手伝いをさせられる。つまり、自分の民族を絶滅するための手伝いをさせられるんです。とはいえ直接手を下して殺す役割ではありません。具体的にいうと、人々がガス室で殺されたあとに、死体がつけていた貴重品、たとえば金歯を抜きとったりする。積み重なった死体を運んで巨大な穴に埋める。穴がいっぱいになったら、死体に火をつけて焼く。残った大量の骨を粉砕する。それを近くの川にばらまく。そういう仕事をナチスは自分たちではやらずに、残しておいたユダヤ人にやらせていたんです。少したつと、労働班のユダヤ人も同じように殺す。そして、移送されてきた別のユダヤ人を労働用に残しておく。こんなふうにナチスは、ユダヤ人を利用してユダヤ人の絶滅を進めていく。とても合理的な絶滅のシステムをつくったわけです。

## 3　『ショア』を見る

それでは映画の最初の部分を見てみましょう。

**映像1**　クロード・ランズマン『ショア』一九八五年、DVD 1-1、ポニーキャニオン、0:00-12:36 (ch. 1-5)

タイトルが映されたあと、文章が流れていました。映画を見るための予備知識みたいなものです。舞台はポーランドのヘウムノです。**1**で見ましたが、ヘウムノには絶滅収容所があった。排気ガスをつかったガス・トラックによって、ユダヤ人が殺されたといいます。説明の文章が終わったあと、シモン・スレブニクさんという男性が登場しました。映画字幕では「スレブルニク」となっていました。彼はヘウムノの絶滅収容所を生き残ることができた人です。ユダヤ人特別労働班としてはたらかされていて、SSのいいなりだった。収容所にいたのは一三歳くらいのときですが、そのスレブニクさんが三五年ぶりにヘウムノにやってきます。

映像を見て驚くのは、すごく静かな映画だということです。戦争とか虐殺ということをあつかっているけれど、とてもおだやかで静かだった。緑の多い風景でした（**写真上**）。音楽もナレーションもない。スレブニクさんは歌を歌っていた。のびやかな歌声でした。そのあとスレブニクさんは絶滅収容所の現場、何もない原っぱにいく。みなさん、そのときの彼の表情を覚えていますか？　なんともいえないような、困ったような、でも少しわらっているような、そんな不思議な表情のように見えました（**写真下**）。そのときにスレブニクさんといっしょにいて、彼に質問をしていた男性がいましたね。あの人が映画の監督、クロード・ランズマンです。

ヘウムノの風景（DVD1-1, 0:05:23）

シモン・スレブニク（DVD1-1, 0:07:23）

## 4　現在と過去の二重性

映像の冒頭では音声がないまま画面に文章が流れていましたが、それについてある研究者は次のように指摘しています。

**引用4**　この冒頭の沈黙では、待機状態のスクリーン上で、書かれたテクストが繰り広げられる。それは私たちに情報を与える。しかしとりわけそれは行を追うごとに、その固有のリズムを私たちに課してくる。この言葉の映画において、それは沈黙において証言し、生命と身体を沈黙に与える。[*7]

文章が静かに進んでいくことによって、映画にはそのはじめから独自のリズムが与えられるというふうにいわれています。では、どのような文からはじまっていたのか。次の**引用5**を見てください。これは映画をテクストにした本からの引用です。先ほど見た映画の字幕とはちがった訳になっているところがありますが、内容は同じです。ちなみに今後、登場する人物や都市などの表記について、基本的にはこの本に合わせることにします。**引用5**は映画のまさに最初の文です。

**引用5**　話の発端は、現代のこと、ポーランドは、ナレフ川沿いのヘウムノが舞台である。[*8]

映画の舞台は現代であるといわれています。フランスの映画ですから、もともとこの部分もフランス語で書かれています。「現代」という言葉は、フランス語では nos jours という言葉です。[*9] これは英語でいうと、our days ということです。つまり、この映画の話は「私たちの日々」においてはじまるということです。私たちが生きているこの現在において、この今においてはじまるんだということです。

この先見ていくとわかると思いますが、この映画は過去の映像資料をつかいません。現在生きている人と現在の風景を映すだけです。映像で見たように、収容所を生き延びたユダヤ人の現在の姿があって、その人が現在のポーランドで歌っている。収容所にいたとき歌っていた歌を思い出して歌っている。だからこの歌は現在の歌声のはずなんだけど、でもこれは過去の歌声でもあった、そんなふうに思えてきます。そんなときこの歌が過去のものなのか、あるいは現在のものなのか、よくわからなくなってしまう。こんなふうに現在と過去が混乱してくるというところに、この映画の特徴があります。もちろん「現在」とはいっても、映画が発表されたのは一九八五年のことなので、たとえば二〇二三年から見れば、すでに三五年以上前の過去のことではあります。だけど、ショアという出来事が起きた「過去」と、その過去を思い出す「現在」があるということ、そうした過去と現在の関係が問題になっているということ、そうした本質的なポイントについては、映画の発表からどれだけ時間がたったとしても変わらないと思います。

このように『ショア』という映画を見ていると、現在と過去がわからなくなる、現在と過去が二重になる。一般的にいうと過去から現在へという直線的な時間の流れがありますよね？　過去は現在へと移り変わる。このとき重要なことは、過去と現在というのは別のものだということです。つまり、過去と現在はちがう時間だとされるわけです。だけどこの映画は、過去から現在へという流れがあるのではなくて、現在からはじまって、そこに過去が重なってくる。私たちは現在の風景を見て、現在生きている人たちを見るんだけど、その現在をとおして過去のことを見る。というよりも、現在において過去を生きる、そういうふうに映画を見ることになります。

次に、**引用6**を見てください。これも最初の文字が流れているところからの引用です。

**引用6**　ここ、ヘウムノに、ポーランドで初めて、ガスを使ったユダヤ人絶滅収容所が、設けられた。その始まりは、一九四一年一二月七日のことだった。四〇万人にのぼるユダヤ人が、ここ、ヘウムノ収容所で、二つの時期に分け、殺害された。一九四一年十二月から、一九四三年春までと、一九四四年六月から、一九四五年一月まで。殺害方法は、最初から最後まで、ガス・トラック［排気ガスを荷台に引き込んだ処刑トラック］だった。[*10]

ナチスがユダヤ人を殺したやり方というと、シャワー室みたいなところに連れていって、閉じ込めてガスで殺した、そんなイメージがありますね。だけど実は、別のやり方もあった。ガスで殺すやり方はだんだん発展していきます。第一段階は一酸化炭素ガス・トラック、第二段階は一酸化炭素ガス室、第三段階はシアン化水素（チクロン）配合装置です。[*11] スレブニクさんがいたヘウムノは、第一段階のガス・トラックをつかっていた。[*12] ちなみにアウシュヴィッツは、第三段階のチクロンをつかったガス室です。[*13] ナチスは絶滅のための手段を効率化し、ガスで殺すやり方も工夫して変えていく。

映像ではスレブニクさんが歌っているのを聞いて、ポーランド人のおじさんが次のようにいいます。

**引用7**　《ヘウムノの村人（ポーランド語）：》今日、あの人の歌声を、改めて聞いてるうちに、心臓が、いつになく、どきどきしたよ。なぜかって、ここで行なわれていたのは、人殺しだったんだからね。あの頃を、まざまざと生き直す思いがするよ。[*14]

ここでいわれているのは、先ほどいったように、現在と過去の二重性です。この人は、スレブニクさんが歌を聞くとどきどきする、過去を「生き直す」かのような感じがするといっています。自分はまちがいなく現在にいるのに、歌を聞くと、過去を生きているかのように思える。みなさん、そういうふうに感じることはないですか？　たとえば中学のときにすごく好きだった歌があったとして、今はまったく聞かないけれど、何かのときにふと耳にしたとする。すると、なぜかそのころのことが思い出される。そのときの通学路のこととか、そのとき以来全然会っていない友達のこととか、ふっと思い出してしまう。その歌を聞いているのは現在のことなのに、その歌をとおして過去のことが感じられる。あたかも過去が現在へと侵入してくるかのようです。これはつまり、現在と過去が二重になるということです。[*15] この映画の時間性については、以下のように論じられています。

**引用8**　《映画冒頭のスレブニクの歌によって》二重化がはじまる。時間は分裂し脱臼する。引き裂くような断絶が起こり、それはもはや最後にいたるまで、しっかりした空間、安定した大地に私たちをおいてくれるということは一瞬たりともないだろう。[*16]

スレブニクさんの歌によって映画の時間は二重化する、時間は過去と現在に分裂して、その分裂が映画の最後までつづくといわれています。ユダヤ人虐殺、ホロコースト、ショアという出来事を語るには、過去から現在へというふうに客観的に順序立てて説明するとか、冷静に整理して説明するなんてことはできない。そのころの歌が聞こえると、今でも胸がどきどきする、ざわざわする。もうずっと昔のことなのに、すんなりと受け入れることができない、そして、距離をとって冷静に理解することができないということです。ある人によれば、スレブニクさんの歌というのは過去でも現在でもないもの、新しい時間の尺度というものを証言しているともいわれています。[*17]

## 5　理解不可能な出来事

そのように、ある出来事を思い出すことで現在と過去が二重化するわけですが、このことは、その出来事が理解不可能だということにつながっていきます。映画のなかでスレブニクさんが話していた部分を見てみましょう。

**引用9**『シモン・スレブニク（ユダヤ人男性、ヘウムノ収容所からの生還者、ドイツ語）：』あれ、あれ、あれはね、言葉にするわけにはいきませんよ（Das … das … das kann man nicht erzählen）。どんな人にも、ここで行なわれたことは、想像できません。無理です。だれにも理解は、不可能です。今、考えたって、ぼくにももう、わからなくなっているんですから……。[*18]

この**引用9**の言葉よりも少し前のシーンで、スレブニクさんは立ち止まって、「そう、ここです」といっていました。「ここで人を焼いた、たくさんの人が焼かれた、まさにこの場所だ」といいます。そのときスレブニクさんは、なんともいえない表情をしていました。悲しんでいるようだけれど、怖がっているようでもある。だけど少しわらっているようにも見える。ひとつの感情にはおさまらない表情です。[*19] ユダヤ人虐殺という出来事を思い出そうとするとき、時間が現在と過去に引き裂かれてしまう、だからこそ感情も、そして表情も分裂してしまうのかもしれない。悲しいのか苦しいのか、なんともいいようがない。そうして**引用9**にあるように、あのことは伝えることはできない、だれにも理解できないんだ、といいます。こういうふうに、ショアの体験というのは時間の二重性をもたらすのであって、そのために理解可能な言葉で伝えることができないということです。たしかにそれは理解できないことなんだけど、でも忘れたというわけではない。そのことをちゃんと覚えているんです。

**引用10**〘スレブニク：〙ここにいるのが、信じられません。そうです、戻ってきたことが、信じられないのです。いつでもここは、静かでした。いつだって。毎日、二〇〇〇人を、二〇〇〇人のユダヤ人を焼いたときも、やはり静まりかえってました。[*20]

この引用では、ちゃんと昔のことを思い出している。くる日もくる日もユダヤ人を焼いた、そのときもここは静かだった、そういうふうに覚えているんですね。この場所は現在おだやかで、それと同じように、虐殺が起こっていたときもおだやかだった。それはよく覚えているんだけど、うまく伝えられない、そういう出来事だったんだといわれています。このように言葉にできないものをランズマンはとらえようとします。ランズマンはあるインタビューで次のようにいっています。「私はまさしくこの物語を語る不可能性のことから話を始めたわけですからね。そういう不可能性を私は出発点に据えたのです」[*21]。こうした語ることのできないもの、言葉にできないものについて、ランズマンは「ショア」という言葉をつかったわけです。

ここで考えてほしいのですが、みなさんにはそういう出来事はありますか？　理解不可能な出来事。忘れていないし、ちゃんと覚えている。だけどうまく言葉にならない、そういう出来事です。「そういう出来事はない」という人もいるかもしれません。もしないとしたら、それは幸せかもしれません。あるとすれば、それはたぶん、かなりつらい出来事だったんじゃないかなと思います。そのことはたしかによく覚えているんだけど、うまく理解できないといった出来事です。たとえば、だれかが死んでしまったということだったり、立ち直れないくらいに深く傷つくようなことだったり、そういうことではないかなと思います。外から見れば一言でいいあらわせることかもしれないけど、自分で納得するためにはどう表現したらいいかわからないし、ちゃんと理解するためにはどうしたらいいかわからない。そのことを思い出すとなんだかもぞもぞする、苦しくなる、落ち着かなくなる、そして自分のことがいやになってしまう、そういう出来事です。もちろんこの映画に出てきたスレブニクさんは、私たちとは比べものにならないほどの、とてつもない経験をしている。それを思い出すとき、スレブニクさんは「言葉にできない」「理解できない」といっている。

ランズマンは回想録のなかで、はじめてスレブニクさんに会って話したとき、スレブニクさんのいうことをほとんど理解できなかったといっています[*22]。ランズマンはそれ以前に、別の収容所にいたユダヤ人生還者にも会っていましたが、その人はちゃんと語ることができて、ランズマンもその話を理解することができた。だけどスレブニクさんの場合、何をいっているのかわからなかったといいます。ランズマンは次のようにいいます。

**引用11**　スレブニクとの会話で私が拾い集めた切れ切れの言葉は、壊れた世界のばらばらの記憶にすぎない。世界は現実に、同時にその世界が彼に与えた恐怖によって、壊されたのである。[*23]

スレブニクさんにとって、世界ははじけ飛んでばらばらになってしまった。その世界の様子を言葉で説明したり理解したりすることはできない。**引用9**のスレブニクさんの言葉にあるように、「あれ、あれ、あれ、あれはね……」というふうに、「あれ」というような言葉、何を指しているのかよくわからない代名詞を何回も繰り返す、そんなふうにしか伝えることができないということです。

そのはじけ飛んだ世界というのは、スレブニクさんにとって過去のものになってはいないようです。というのもランズマンによれば、スレブニクさんは収容所にいたSS隊員の名前をあげるとき、いつもドイツ語の「マイスター」、つまり「マスター」という敬称をつけていたからです[*24]。ランズマンがスレブニクさんにインタビューしたのは、戦争が終わって三〇年くらいたっています。スレブニクさんは収容所にいたころ一三歳だったけど、もう四〇歳をすぎている。けれど、それでもなおスレブニクさんは、収容所にいたころの子どものようであったというわけです。スレブニクさんにとって絶滅の出来事は過去になっておらず、ずっと現在でありつづけているのではないかなと思います。

ここで別のユダヤ人生存者の言葉を見てみましょう。次の**引用12**と**引用13**です。これらの文章を書いたのは、アウシュヴィッツに収容されていたユダヤ人であるプリーモ・レーヴィという人です。これらの引用では、収容所で受けた被害の記憶というのは、ずっとあとになっても残るということがいわれています。

**引用12**　私たちにとっては、解放の時さえも、重苦しく、閉ざされたものになった。〔略〕冒瀆《ぼうとく》の印は私たちの中に永遠に刻まれ、それに立ち会ったものたちの記憶に、それが起きた場所に、これから語られる物語の中にずっと残るはずだった。〔略〕人間の正義がそれ〔冒瀆の癒しがたい性質〕を根絶するなどと考えるのは愚かなことである。それは無尽蔵の悪の根元なのだ。それは収容所に入れられた犠牲者の体と心をずたずたにし、打ちのめし、破滅させた。[*25]

**引用13**　私たちは、他の現象と同様に、犠牲者と抑圧者の逆説的な類似という現象に直面する。〔略〕犠牲者も苦しむのは不公平なことで、実際に何十年、年月がたっても、それに責めさいなまれているのである。ここではいまさらのように、慨嘆を込めて、虐待は癒すすべがないと確認せざるを得ない。それはのちのちまで持ち越される。[*26]

極限の暴力を受けたこと、人間としてのあつかいをされなかったこと、仲間が次々と殺されたこと、こういった記憶はずっと残る。何十年すぎても残りつづける。その出来事を納得するかたちで理解するということは絶対にできません。どれだけ時間が経過しても、その傷をいやすことはどうしてもできないということです。これらの文章を書いたレーヴィは、別の箇所で、アウシュヴィッツ収容所を同じく生き延びたユダヤ人哲学者について語っていて、その人が一九七八年になって自殺したということを述べています。[*27] そして、レーヴィ自身も、一九八七年に自殺します。こんなふうに三〇年、四〇年といった長い時間がすぎてもその傷はいやせない。レーヴィは知り合いの哲学者の自殺について考察し、虐待の記憶が残りつづけるということをよくわかっていた。だけど、それに対処することができなかった。あの出来事を納得して理解することはどうしてもできなかった。そうして、その出来事に押しつぶされてしまったということかもしれません。

この講義では、そういったうまく言葉にできない出来事とか、理解できない出来事について考えていきたいと思います。だから、答えが出てすっきりするとか、ここで学んだことがすぐに実生活に役に立つとか、そういう講義ではないです。でももしかすると、もっと深いレベルにおいて役に立つのではないか、そうなるとうれしいと思っています。

## 6 表現可能なものを表現しない

これまで見たように、虐殺のような出来事を思い出そうとすると、現在と過去が二重に引き裂かれて、うまく理解できないもの、言葉にならないものがあらわれる。まさにそれが『ショア』という映画の特徴といえるかもしれません。

**引用14** 過去と現在のこの不断の混合、つまり、たんなる並置をはるかに上回るものであるようなこの混合、そして時間の移り変わりを捨て去り、生きられた連続性のようなものを再び創造するためのこのたえざる努力、それは、映画の建築全体の原理であるように思われる。*28

なんだかむずかしいことをいってますね。私の解釈をしてみます。この映画では過去と現在が混ぜ合わせられていて、過去から現在へといった理解しやすい直線的な時間の流れみたいなものはなくなっている。むしろそこには、言葉にできないものが突然わき出てくる。たとえばスレブニクさんのようにいいあらわすことのできない体験がたちあらわれてくる。スレブニクさんが生きたこの体験というのは、虐殺の体験、つまり死の体験です。*29 けれどもそれは同時に、彼がぎりぎりのところで生き抜いた体験であって、その意味では、まさしく生きられた体験です。とても奇妙ないい方なんですが、結局それは死の体験であるとともに生の体験なんだということです。死の体験のなかの生の体験、あるいは、死にながら生きたような体験です。この映画で監督のランズマンは、たくさんの人にインタビューをしています。スレブニクさんに見られるように、死にながら生きた体験というものをたくさん集めて、つなぎ合わせています。この意味でランズマンは、**引用14**にあるように、「生きられた連続性のようなものを再び創造する」ということをしたのではないかなと思います。

そのように言葉にならない壮絶な体験というものを、ランズマンはどんなふうに表現するのか。みなさんがもし監督だとしたら、どうしますか？ まずなんとなく思い浮かぶ方法としては、絶滅収容所における残虐な出来事を再現するというやり方です。スレブニクさんのような生存者に聞く、あるいは資料で調べる、それを踏まえて収容所らしいセットをつくったり、SSの残忍な行為を強調したりして再現する。つまり、表現できないものを表現するというやり方です。たとえば、アウシュヴィッツ収容所の出来事を描いている映画で『サウルの息子』という作品がありますが、これはそういった方法で表現しているように思います。残虐で極限的な状況が描写されていて、見ていてけっこうきついです。[*30]

でもランズマンは残酷な場面を見せることはしません。映画を見ていただいてわかるように、現在のおだやかな風景が映し出されている。そして静かな風景のなかで、ユダヤ人特別労働班だった人間が過去を思い出すところがそのまま提示されている。そもそもタイトルにしても、「絶滅」とか「殺戮《さつりく》」とか「ホロコースト」といったように、残酷さを感じさせるような言葉をつかわずに、「ショア」という言葉、簡潔ではあるけど理解しがたい言葉をつかっています。そう考えるとランズマンは絶滅収容所でのおぞましい出来事を表現しようとするのではなく、むしろ表現しないようにしているわけです。

**引用15**　ランズマンは、計画の対象が「収容所生活の残虐な行動」ではありえないことを理解している。収容所の生活の人類学に入っていくこと、常識で我慢できるようなどんなことも、彼にとって重要ではありえなかった。バルトをパラフレーズするならこんなふうに言えるだろう。「ショア」が記号として、普遍的に記号をなす名として基礎づけられるとすれば、それは、この語とともに、そしてその不可解さ、その翻訳不可能性、その無味乾燥さそれ自体において、表現しうるものを表現しないことが重要であるからだ。こうしたことがそのタイトルの使命である。つまり、「言葉でいえないものをあらわす」とか、沈黙を言葉にするとかを望むのではなく、まったく逆に、極端な暴力をある種禁欲することにおいて、言語のなかのおしゃべりなものすべてを黙らせるのだ。[*31]

引用の途中にある「バルト」というのは、二〇世紀のフランスの思想家ロラン・バルトのことです。バルトによると、作家の目標というのは「表現しえないものを表現する」ことではなく、むしろ「表現しうるものを表現しない」ことであるといいます。[*32] 作家が目指すべきなのは、世間に満ちあふれている言葉、すでにでき上がった言葉をなくしていくことであり、別の言葉を生み出すことだといわれています。たしかにランズマンはそんなふうに実践しているかもしれません。というのもランズマンは絶滅という出来事を映画にするとき、暴力や残酷さによって表現するということをしないからです。つまり、表現できない出来事を表現するということはしないわけです。むしろランズマンは現在のおだやかな風景を映し、「あれは言葉にはできない」というユダヤ人生存者の言葉をそのまま聞かせます。つまり暴力的に表現できるものを表現しないようにするということです。あるいは別のいい方をすると、「表現しない」というやり方でしか、絶滅という事態は表現できないということかもしれません。このようにランズマンは、表現しないことを目指している。[*33] そういったこともあって、映画のタイトルには「ショア」という言葉を選んだのだと思います。

ユダヤ人虐殺は理解できない出来事であるという考えについては、さまざまな意見があります。たとえばイタリアの思想家ジョルジョ・アガンベンは、収容所について「言語化できない」とか「理解できない」ということは危険だといっています。

**引用16**　アウシュヴィッツは「言語を絶する」とか「理解不可能である」と言うことは、euphēmein、すなわち沈黙のうちにそれを崇めることに等しい。神にたいしてそうするがごとくにである。すなわち、そのように言うことは、その人の意図がどうであれ、アウシュヴィッツを讃えることを意味する。[*34]

ここに出てくるeuphemeinという言葉はギリシア語です。この単語を、リデル＝スコットのギリシア語辞書で調べてみると、次のように書いてあります。「吉兆の言葉をつかう」「聖なる儀式のあいだ、不吉な言葉を避ける」。どういうことでしょうか？　神秘的で神聖なもの、おそれ多いもの、たとえば神様といったものに対して、私たちは「言葉にできない」とか「理解することができない」と表現することがあります。これはつまり、その対象を崇めている、崇敬しているわけです。だから、何かに対して「言葉にできない」とか「理解できない」というとき、その何かには、私たち人間には到底うかがいしれないような神秘的な力がある、そんなふうに考えているわけです。となると、「アウシュヴィッツは言語ではいいあらわせない」ということは、そのつもりはないとしても、アウシュヴィッツをいわば神聖なもの、神秘的な力をもつものとしてあつかってしまっているということです。ちなみに英語ではeuphemismという言葉があって、フランス語にもeuphémismeという言葉がありますこれらは「婉曲語法」「遠回しの表現」といったことを意味します。

このようにホロコーストを神聖化してしまうことの危険性について、ランズマンはちゃんとわかっていたようです。というのもランズマンはあるところで、自分が『ショア』によってやろうとしたのは神聖化ではなく脱神聖化なんだといっていて、言葉にならないようなところに言葉を復元しようとした、そして、あらゆるeuphémismeを拒絶しようとしたんだ、というふうにいっているからです。[*35]とはいっても、収容所の出来事というのは、やはり普通の言葉で語るのはむずかしいように思えます。実際スレブニクさんは「言葉にできない」といっているわけです。では、どうしたらよいのか。アガンベンは次のようにいいます。

**引用17**　すべてを納得してしまう者のようにあまりにも拙速に理解しようとするのでもなく、安直に神聖化してしまう者のように理解を拒否するのでもなく、そのへだたりのもとにとどまりつづけていることが、著者には唯一の実践可能な方途であるようにおもわれた。[*36]

重要なのは、理解可能と理解不可能のあいだに身をおきつづけるということです。ショアをすぐに理解するのでもないし、だからといって、理解しがたい聖なるものとみなすというのでもない。簡単に「こういうことだ！」と理解してしまうわけでもない、かといって、「よくわからないからもういいや」と放っておくわけでもない、それらのあいだにとどまるということです。だけどこれを実行するのは、かなりむずかしいことではないかと思います。

**引用18**　《アウシュヴィッツは》比類のない出来事であり、その出来事を前にすれば、証人は語ることの不可能性の試練に、みずからの言葉を何らかの仕方でゆだねなければならない[*37]

この引用には、「語ることの不可能性の試練」という言葉があります。絶滅という出来事について伝えようとしても、スレブニクさんのように、語ることがどうしても不可能になる。あのことを語らなければならない、だけど語ることができない。だからといって、そこで語る努力を放棄してはいけない。語ることができないというまさにその状態においてこそ、語らなくてはならない。そのように「語ることの不可能性の試練」がある。スレブニクさんが「言葉にできない」というとき、まさにそのむずかしい試練を受けているのだと思います。となると、その言葉を聞いている私たちにしたって、スレブニクさんの言葉をすぐに理解してしまうわけにはいかないし、逆に理解を放棄してしまうわけにもいかない。語ることができないなかで語っているこのスレブニクさんの試練というものに、私たちもどうにかついていかないといけない。スレブニクさんは、「あれ、あれはね、言葉にするわけにはいきませんよ」といっていましたが、私たちはその言葉に立ち止まる必要がある。その言葉を何度も取り上げ、深め直し、理解可能と理解不可能のあいだにとどまるようにしなければならないということです[*38]。

## 7　まとめ

①絶滅収容所は強制収容所とちがって、ユダヤ人の殺害だけをおこなう。
②絶滅収容所を支配していたSSは、ユダヤ人特別労働班に虐殺の手伝いをさせた。
③虐殺のような出来事を思い出すとき、時間は現在と過去に二重化してしまう。
④そうした出来事は言葉にできず、理解不可能である。
⑤ショアをあらわすのにあたり、ランズマンは表現可能なものを表現しない。

＊1　芝健介『ホロコースト』中公新書、二〇〇八年、一六四－一六五頁
＊2　ウォルター・ラカー編『ホロコースト大事典』(2001)、井上茂子ほか訳、柏書房、二〇〇三年、一四頁、三一九－三二三頁より作成した。ちなみに、ユダヤ人死亡者数を正確に出すことはむずかしいとされている。ラウル・ヒルバーグ『ヨーロッパ・ユダヤ人の絶滅（下）』(1961)、望田幸男ほか訳、柏書房、一九九七年、三九七－三九八頁や、ラカー編『ホロコースト大事典』前掲、xvi頁などを参照。
＊3　レイモンド・シェインドリン『ユダヤ人の歴史』(1998)、入江規夫訳、河出文庫、二〇一二年、二八五頁。
＊4　マイダネクはガス室をのぞいて施設のほとんどが破壊されたという。ラカー編『ホロコースト大事典』前掲、五七四頁。
＊5　前掲、二六〇頁。
＊6　前掲、三二〇頁。
＊7　Anny Dayan-Rosenman, « *Shoah* : l'écho du silence », in *Au sujet de* Shoah, *op. cit.*, p. 256.
＊8　ランズマン『ショアー』前掲、二九頁。
＊9　Lanzmann, *Shoah*, Gallimard, *op. cit.*, p. 21.
＊10　ランズマン『ショアー』前掲、二九－三〇頁。
＊11　ラウル・ヒルバーグ『ヨーロッパ・ユダヤ人の絶滅（下）』前掲、一七一頁。
＊12　前掲、一五四頁。
＊13　前掲、一六五－一七一頁。
＊14　ランズマン『ショアー』前掲、三四頁。
＊15　「過去が現在に入り込んでくる」とか「現在と過

去が二重になる」という表現は、現在と過去が区別されて存在しているという想定から出発している。だがその想定はまちがっているかもしれない。というのも、哲学者アンリ・ベルクソンのいうように、私たちが現在においてとらえることができるのは過去だけだと考えることもできるからである。「光についての可能な限り最も短い知覚が持続するほんの一瞬の間に、何兆もの振動が生じていたのであり、その最初の振動は最後のものから、桁外れに多く分割される間隔によって区別されている。あなたの知覚はどれほど瞬間的であろうと、このように、数え切れないほど多くの思い出された諸要素から構成されているのであり、実を言うと、すべての知覚はすでに記憶なのである。われわれは、実際には、過去しか知覚していない。純粋な現在は、未来を侵食する過去の捉え難い進展なのである」。アンリ・ベルクソン『物質と記憶』(1896)、合田正人・松本力訳、ちくま学芸文庫、二〇〇七年、二二五頁。

＊16　Bernard Cuau, « Dans le cinéma une langue étrangère », in *Au sujet de* Shoah, *op. cit.*, p. 20.

＊17　Dayan-Rosenman, « *Shoah* : l'écho du silence », *op. cit.*, p. 258.

＊18　ランズマン『ショアー』前掲、三五頁。Claude Lanzmann, *Shoah*, Aus dem Französischen von Nina Börnsen und Anna Kamp, Rowohlt Taschenbuch Verlag, 2011, p. 26.

＊19　スレブニクさんが少しほほえんでいるように見えることについては、たとえば以下を参照。鵜飼哲・高橋哲哉・岩崎稔「徹底討議／『ショアー』の衝撃」、鵜飼哲・高橋哲哉編『「ショアー」の衝撃』未來社、一九九五年、八六－八七頁。

＊20　ランズマン『ショアー』前掲、三五－三六頁。

＊21　クロード・ランズマン「場処と言葉」(1985)、下澤和義訳、『現代思想』二三巻七号、一九九五年七月、八四頁。

＊22　ランズマン『パタゴニアの野兎（下）』前掲、一九七頁。

＊23　前掲、一九八頁。

＊24　前掲、一九七頁。

＊25　プリーモ・レーヴィ『休戦』(1963)、竹山博英訳、岩波文庫、二〇一〇年、一六－一七頁。

＊26　プリーモ・レーヴィ『溺れるものと救われるもの』(1986)、竹山博英訳、朝日文庫、二〇一九年、二七頁。

＊27　前掲、二七－二八頁。

＊28　Marcel Ophuls « Les trains »（1985）, in *Au sujet de* Shoah, *op. cit.*, p. 242.
＊29　ランズマンによると、映画のテーマは生還ではなく死そのものである。ランズマン『パタゴニアの野兎（下）』前掲、一七九頁。
＊30　ちなみにランズマンは『サウルの息子』を称賛したという。Arnaud Desplechin, « Encore », in *Claude Lanzmann, un voyant dans le siècle*, sous la direction de Juliette Simont, Gallimard, 2017, p. 22.
＊31　Marty, *Sur* Shoah *de Claude Lanzmann*, *op. cit.*, p. 42.
＊32　ロラン・バルト『エッセ・クリティック』（1964）、篠田浩一郎ほか訳、晶文社、一九七二年、二〇頁。
＊33　ある論者によると、スレブニクさんが歩いている空き地の映像は美しいし、さらには美しい以上であり、涙が出るほどの力と感動をそなえているが、それは地獄からもち帰った資料映像ではなく、むしろ、「いかなる映像も見るべく与えることのないもの、いかなる映像も見るべく与えることのできないもの、こういったものを見せるような、今日に思考され、構築され、実現された映像」である。Gérard Wajcman, « À la gloire de l'image », in *Claude Lanzmann, un voyant dans le siècle*, *op. cit.*, p. 54.
＊34　ジョルジョ・アガンベン『アウシュヴィッツの残りのもの』（1998）、上村忠男・廣石正和訳、月曜社、二〇〇一年、三九頁。
＊35　Claude Lanzmann, « Réponse à Jacques Henric et Philippe Forest »（2005）, in *La tombe du divin plongeur*, Gallimard, 2012, p. 549.
＊36　アガンベン『アウシュヴィッツの残りのもの』前掲、九頁。
＊37　前掲、二一一－二一二頁。
＊38　スレブニクさんの歌を分析したものとして以下のものがある。ショシャナ・フェルマン『声の回帰』（1992）、上野成利ほか訳、太田出版、一九九五年、一三八－一四七頁。

# 03 死体を埋めて掘り出す

## 1　場所と声と表情

前回覚えたことを二点確認します。ひとつ目は、絶滅収容所と強制収容所はちがうということです。絶滅収容所は殺害するためだけの場所であり、『ショア』はこちらに焦点をあてています。二つ目は、SSとユダヤ人特別労働班についてです。SSというのは「親衛隊」と訳されるナチスの組織で、収容所を管理してユダヤ人を殺していた人たちです。ユダヤ人特別労働班というのは、SSの手伝いをさせられた人たちです。ユダヤ人は絶滅収容所に到着するとすぐに殺されてしまうのですが、絶滅のための労働につかえそうだとなると、運よく労働班に選ばれることがある。でもこの人たちも最終的には殺されてしまう。この映画ではユダヤ人の生存者がたくさん出てきますが、その多くが特別労働班としてはたらかされていた人たちです。

この映画ではユダヤ人だけじゃなくいろいろな立場の人たちが出てきて、ユダヤ人虐殺について語ります。ナチスのSSだった人も出てくるし、あるいは収容所の近くに住んでいた一般のポーランド人も出てくる。つまり、被害者も加害者も出てくる、そして虐殺をまわりで見ていた傍観者も出てくるということです。こうして『ショア』という映画は、さまざまな人の証言を見せてくれます。それによって私たちはいろんな立場について考えることができる。複数の見方を比較しながらユダヤ人虐殺、つまりショアについて考えることができるわけです。

そのときに監督のランズマンが重要視するものが三つあります。それが、場所と声と表情です。**引用1**を見てください。これはランズマンの友人であるフランスの哲学者、シモーヌ・ド・ボーヴォワールが『ショア』について書いた文章です。

**引用1** フィクションでもドキュメンタリーでもないが、『ショア』は、場所と声と表情という驚くほど節約した手段をもって、過去の再創造をやってのけた。場所をして語らしめ、声を通じて場所をよみがえらせ、言葉を越える表情によっていわく言いがたいものを表現したことこそ、クロード・ランズマンの卓越した技術であった。[*1]

この映画でつかわれている手段は「場所」「声」「表情」だけだといわれています。時代背景や土地についてのくわしい説明はありません。戦時中の映像資料もつかわない。むしろ現在目の前にある場所と声と表情によって過去をよみがえらせるということです。今回見る映像でも、ポーランドの深い森が出てきて、その静かな場所では過去に大虐殺がおこなわれていたことがわかります。そして、収容所を生き延びたユダヤ人が何人か登場して、うまく話すことのできない声、つまってしまうような声を出します。その声は、過去の出来事がどんなものだったのかをあらわしている。さらに独特の表情があります。前回のスレブニクさんもそうですが、ユダヤ人生還者たちのなんともいえない表情があって、その顔つきには、死ぬようにして生きていたというおそろしい体験が刻み込まれています。

この映画は、**引用1**の最初にあるように、フィクションでもドキュメンタリーでもない。出演者が自分の体験を話しているんだから、フィクションではないですよね。でも、ドキュメンタリーでもない。客観的な記録でもないんです。自分の体験は主観的なものかもしれない。同じ体験でも、ほかの人にとってはちがったふうに見えるかもしれない。だから、話している体験が客観的に真実なのかというと、それはわからないわけです。監督のランズマンはたくさんの人の話を聞いていますが、別にそれによって絶対に正しい真実を知りたいというわけじゃないんです。そうじゃなくて、絶滅を見た人たちはそれをどんなふうに記憶しているのか、絶滅と現在どういうふうに向き合っているのか、そういうことを知りたい。だからこの映画はフィクションじゃないし、ドキュメンタリーでもない。うそでもないし、客観的な事実でもない。

だけど、これがむずかしいところですが、話している当人にとってはやっぱり本当のこと、真理なんです。だから話していることは、みんなにとっての真理じゃないけど、その人にとっての真理なんです。これはちょっと変な表現かもしれないけど、「個人的真理」というふうにいえるかもしれないですね。この映画は、そうした個人的真理をたくさん集めたものだということができます。ランズマンは戦争とかユダヤ人の破滅ということを、客観的真理ではなくて個人的真理として見ていくのです。だからこそ映画に記録映像はないし、ナレーションの説明もない。あるのは場所と声と表情だけです。そのことがおこなわれた場所、そのことを体験した人の声、そのことを思い出すときの表情、これらの三つだけが、個人的真理としてのホロコーストを表現できるということです。

ランズマンは記録映像をつかわないというだけではなくて、新たに映像が見つかったとしてもつかわないだろうというふうにいっています。

**引用2**　もしここに不確かな数分の無声映像があって、三千人におよぶ人の死をSSが密かに撮ったものだと言われても、私はそれを『ショア』には使わないだけではなく、破棄しているだろう。〔略〕私の映画から湧き起こるユダヤ人の、ポーランド人の、そしてドイツ人の大合唱が、真の記憶の再構築のなかで証言する事実で十分なのだ。*2

ここには「真の記憶」という言葉がありますが、これは客観的真理のことではなく個人的真理のことだろうと思います。殺戮《さつりく》についてひとりのユダヤ人が思い出すこと、別のユダヤ人が思い出すこと、ポーランド人やドイツ人が思い出すこと、それぞれの記憶があります。もちろん一般的に歴史を考えるときには、そういった個人的な記憶よりも、写真や映像のような客観的な資料のほうが本当のことだとされますよね。つまり、多くの人は写真の画像を重視し、それが真実の唯一の尺度であると考えるわけです。[*3] だけどランズマンにとって重要なのは個人的なレベルでの「真の記憶」であって、それを獲得するためにはひとりひとりがいる場所、ひとりひとりが発する声、ひとりひとりが思い出すときの表情、そういったものから出発しなければならない。だからランズマンは記録資料をつかわずにいくつもの場所を訪れ、さまざまな人の声と表情をつなぎ合わせることで、『ショア』をつくり上げていくわけです。[*4] こうして場所と声と表情によって、この映画固有の理解可能性がもたらされるし、[*5] さらにいえば、この映画固有のリズムがあらわれてくるのだろうと思います。

モルデハイ・ポドフレブニク（DVD1-1, 0:15:31）

## 2 『ショア』を見る（映像1）

映像1 『ショア』DVD 1-1、12:36-22:06 (ch. 6-9)

見ていただいたように、この映画は、いろんな人の話をつなぎ合わせてつくられている。過去の記録映像はつかわずに、現在生きている人に話を聞く、虐殺の現場となったところの現在の様子を映す、そうして現在の場面だけをつないでつくっています。まず、前回のスレブニクさんと同じく、ヘウムノの絶滅収容所にいたユダヤ人であるポドフレブニクさんの証言です。その表情はなぜか少しわらっているようにも見えます（**写真**）。そのあとには別のユダヤ人たちが出てきました。さらに虐殺を外から見ていたポーランド人男性が出てきました。

## 3　被害を思い出すときの表情

それでは証言の内容を見てみましょう。

**引用3**　《ランズマン：》ヘウムノ収容所にいた時、あなたの心の中で、死に絶えたものは何でしたか？《モルデハイ・ポドフレブニク（ユダヤ人男性、ヘウムノ収容所からの生還者、イディッシュ語）：》何もかもです。心のすべてが死に絶えました、でも、やはり人間ですから、生きていたいと思います。そのためには、忘れなければなりません。心の中に残ってしまったものも、忘れられるというのは、神様のおかげです。わざわざそれを話題にしてほしくありません。《ランズマン：》話をするのは、よいことと思いませんか？《ポドフレブニク：》よくない。私には、よくありませんね。《ランズマン：》じゃあ、それでも、話すのは、どういうわけです？《ポドフレブニク：》今は、そうせざるをえないから、話しているんです。*6

ポドフレブニクさんは、自分と同じユダヤ人の虐殺を見ていた。おそらくはユダヤ人特別労働班としてはたらかされていたんだと思います。その出来事はあまりにひどい体験で、生きるためには忘れなくちゃいけない。忘れることで、生きることができたということです。逆に思い出すことは、何もかもが死に絶えていたあのときに戻ること、死ぬことにつながる。だから思い出したくない。本当は現在だけを見ていたい、過去を忘れて生きていたい。だけど過去を思い出して語らなくちゃならない。彼は自分の証言が大事だということをわかっています。もし自分の話が重要でないと考えているなら、話したくないだけですから、証言者として映画に出ることも断っているはずです。でも出演している。だから自分が話さなくちゃならないというふうに考えているわけです。自分のほかはだれも収容所から生きて出られなかったんだから、自分が話そうと決心した、だけど実際カメラの前でインタビューされてみると、やっぱり思い出したくない。そんなふうに、「私は話さなければならない」という気もちと、「私は話したくない」という気もちが両方あって、そのあいだで揺れ動いているわけです。

これは前回にお話しした時間の分裂、現在と過去の二重性につながっています。ここではそれが、「生きること」と「死ぬこと」の分裂になっています。一方では現在だけを見て、生きていたい。だけど他方では、過去を思い出さなくちゃならない、つまり死ななくてはならない。こんなふうに生きることと死ぬこと、生と死というのが重なっている。*7

**引用4** 〘ランズマン：〙生ある者の気持をもって、あの日々を生き延びましたか、それとも……？〘ポドフレブニク：〙現場にいた時は、死者のように、あの出来事を生きてました。なぜって、生き残れるなんて、思いもしませんでしたからね。でも、今は、こうして生きています。〘ランズマン：〙話しながら、いつも微笑《ほほえ》んでいますね。それはなぜですか？〘ポドフレブニク：〙どうしろ、とおっしゃるんです？ 泣けとでも？ 微笑むときもあれば、泣くことだってありますよ。でも、生きている以上、微笑むほうが、ましというものでは……。*8

映像で見ると、**引用4**の最後のあたりで、だれかの手が、ポドフレブニクさんの左の腕をさすってなぐさめています。画面はポドフレブニクさんの顔のアップなのでわかりにくいんですけど、おそらく監督のランズマンではないかと思います。ランズマンとしては、「つらい話をさせてすまない、でも話してもらいたい」という感じかもしれません。この部分でも、生きることと死ぬこと、現在と過去が二重になっている。そのためか、ポドフレブニクさんの話すときの表情はなんともいえないものになっています。一見するとほほえんでいるように思える、だけど、一瞬どこか遠い目をして無表情のようにも見える。わらっていてふと冷たい顔になる。苦しそうで明るい顔をする。これは喜怒哀楽というのでは表現できません。ある人がいうには、それは笑顔であるとはいえないような笑顔であり、見えないハンガーに引っかかったかのようにその顔に引っかかった永遠の笑顔、非時間性と等しいような笑顔であるといわれています。*9もしかするとショアの出来事それ自体が顔にそのまま引っかかってとれなくなってしまい、それでこのような表情になるのかもしれません。[*10]ポドフレブニクさんが話している日や口を見ると、彼にとっての真理がたしかに語られている、そのように思えます。[*11]ひどい体験というのは、話そうとしてもちゃんと言葉にできないというだけではなく、表情も泣いたらよいのかわらえばよいのか、わからなくなってしまうものなのかもしれません。

ポドフレブニクさんのあと、ハンナ・ザイドルさんという女性が話します。

**引用5**〘ハンナ・ザイドル（ユダヤ人生還者モトケ・ザイドルの娘、ヘブライ語）：〙〘ヴィリニュス収容所から生還した父に〙何度も、何度も、質問を繰り返したんです。やっと、聞き出せるようになりはしたんですが、真実の断片ばかりで、すべてを語ってはくれませんでした。だって、重い口を開いても、じつのところ、半分ぐらいで口ごもり、細かいことは、文字通り、父の口からもぎとらねばならなかったんですものね。結局、ランズマンさんが、初めて来られた時にあのことを、すっかり聞くことができたのだと思います。[*12]

ここでいわれているお父さんは、ポドフレブニクさんとは別の収容所にいました。だけど、うまく言葉にできないというのは同じみたいです。虐殺について話すのはすごくむずかしい。話さなくてはと思っても口ごもったり、出来事の全体というより一部分ばかり話してしまう。この**引用5**では、うまく話すためにはランズマンのような他者が必要だったといわれています。家族ではなくだれか別の人、まったく関係のない人にこそ話すことができるということです。その意味でランズマンの役割というのは証人ではないし、また裁判官でも陪審員でもない。そうではなくてむしろ証人の助手というか、書記のようなものだといえます。[*13]

次に**引用6**を見てください。これは**映像1**の最後に出てきたポーランド人男性の話です。この人は、ソビブルというところの絶滅収容所の近くにある駅に勤めていた人です。深くて静かな森が映っていた場面です。

**引用6**〘ヤン・ピヴォンスキ（ポーランド人男性、

ソビブル駅元副転轍手、ポーランド語）：』この静けさ、この美しさ。これこそ私たちの森の魅力です。でも、この静けさが、いつもあたりを支配していたと、申し上げるわけにはいきませんね。今、私たちのいるこの地点に、叫びや、銃声や、犬の吠える声ばかり、響きわたった時期があったからですよ。そして、当時、このあたりに暮らしていた人たちの記憶に、深く刻み込まれているのは、何よりも、あの時代のことなのです。ユダヤ人の蜂起《略》のあと、ドイツ軍は、収容所を、跡形もなくつぶすことに、決めました。[*14]

森は静かで美しい。画面に映し出されている深い森は音もなく、どこまでもつづいているように見えます。だけど過去には叫びと銃声が響きわたり、まったくちがうものだった。前回見たユダヤ人のスレブニクさんは、今も昔も静かで平和だといっていました。あれはヘウムノという別の場所でした。ヘウムノにしてもソビブルにしても、現在の風景を見ると、まさか絶滅収容所があったところだとは思えない。このように、現在と過去がきれいにわかれてしまっている。現在の風景、静かで美しい風景がある、だけどそれと同時に、過去の風景、叫びと銃声が響く風景がある。これらの分裂した二つの時間が描かれているわけです。

## 4　『ショア』を見る（映像2）

ここでは、**映像1**のつづきの部分を見ていきます。

映像2　『ショア』DVD 1-1、22:06-31:20 (ch. 10-11)

先ほどの**映像1**に登場した人たちが出てきました。ポドフレブニクさん、ザイドルさんとドゥギンさんです。先ほど見たように、ポドフレブニクさんがいた収容所と、ザイドルさんとドゥギンさんがいた収容所はちがうのですが、やらされていた仕事は似ていたようです。つまり、ガスで殺されたユダヤ人の死体を穴に埋める作業、さらに信じられないことに、その死体を再び掘り起こして焼くという作業、こうしたことをさせられていた。

三人とも壮絶な体験を語っていました。ポドフレブニクさんのインタビューからザイドルさんとドゥギンさんのインタビューに移るときに、森のなかの大きな空き地のようなところが撮影されていました。あれはポドフレブニクさんがいたヘウムノ収容所の跡地です。ここでカメラはトラッキングショット、つまり移動しながら撮影しています。カメラは草でおおわれた敷石のように見えるもの、その石の長い列にそって直線的に移動し、撮りつづけています（**写真**）。カメラは石の列の端まで進んで、また戻ってきます。移動を見ながら私たちは、「このとなりには何があるのだろうか」と思うのですが、結局は何もないままトラッキングショットはつづいていき、さらに停止していきます。この長い石の列の場面について、ある人は次のようにいっています。「これらの石、カメラが執拗に問いかけ、そして答えることのないこれらの石は、それらの存在そのもののために、それらの存在そのものだけのために証言して終わっている」[*15]。石は何もいわない、となりの石に問いかける、石は答えない。こうしてランズマンは私たちに石を見せつづけます。石というのはたんなるもの、たんなる物質です。だけどもしかすると、この石こそがショアの大事な何かをあらわしているのではないか、そんなふうに考えることもできるかもしれません。こうした考え方については後半の議論で取り上げます。

ヘウムノ絶滅収容所跡（DVD1-1, 0:24:55）

## 5　収容所のリズム

**映像2**のはじめに出てきたポドフレブニクさんの話を見てみましょう。

**引用7**　『ランズマン：』初めて、ガス・トラックの扉が開けられ、死体降ろしの作業をした時、どんな気持ちになりましたか？〖ポドフレブニク：〗私に何ができた、というんです？　泣くだけでしたよ……。三日目に、妻と子供たちを見つけました。妻を、穴の中に、そっと横たえてやり、自分も殺してほしいと、申し出ました。ドイツ兵が私に言うにはね、お前は、まだ、働く力があるから、今のところは、殺しはしない、って。[*16]

トラックからいくつもの死体を降ろす。するとそこには、自分の妻と自分の子どもが死んでいた。それらを巨大な穴に埋める。ポドフレブニクさんは思い出しながら涙があふれてきて、声がふるえていました。それに、通訳の女性の声も少しふるえているように聞こえます。話を聞いて、通訳も悲しみにたえきれなかったのかもしれません。ポドフレブニクさんは死にたくなった。ですから**引用4**で見たように、「死者のように生きた」といっているわけです。死んでいるように生きている。たしかにこれを思い出すことは、死ぬことをやり直すということです。

この**引用7**のあと、雪が地面に残っている寒々とした風景が映されて、「それは一九四二年の一月だった」といわれていました。ちなみにポーランドの一月というのは、かなり寒いです。東京の一月の平均気温はプラス五・四度です。ポーランドのワルシャワはというと、マイナス一・五度です。映像でカメラは、ポドフレブニクさんがいたヘウムノ収容所の跡地らしきところを進んでいきます。

シーンはポドフレブニクさんの話から、ザイドルさんとドゥギンさんの話へと変わるのですが、実はここでランズマンは編集をおこなって、二つのインタビューをスムーズに移行させています。それが次の引用です。ここでは画面の変化についても補足しておきます。

**引用8**　〖画面はヘウムノ収容所跡地の石の列〗〖ポドフレブニク：〗私たちは、その穴に死体を投げ込んでは、缶詰の鰊《にしん》のように、頭と足を互い違いに、並べなければならなかったのです。〖画面はそのままで、音声だけがザイドルとドゥギンとの会話に移る〗〖ランズマン：〗すると、ヴィリニュスの森に埋められていたユダヤ人の死体を、残らず、掘り出して焼いたのは、あなた方なんですね？〘イツハク・ドゥギン（ユダヤ人男性、ザイドルとともにヴィリニュス収容所からの生還者、ヘブライ語）：〙そうです。一九四四年一月の初めです、死体の掘り出し作業を始めたのは。最後の穴を、掘り返したとき、私の、家族全員の姿に、気づいたのです。〘画面は家のなかの、ドゥギンとザイドルとその家族の姿に変わる〙〘ランズマン：〙家族のどなた、のですか？〘ドゥギン：〙ママと姉妹です。[*17]

ユダヤ人たちはさまざまな収容所ではたらかされていたが、みんな同じように自分の家族の死体を見つけた。おそらくこのことを強調するために、ランズマンは二つのインタビューを編集してつないだのだろうと思います。たしかに悲惨さが伝わってきます。だけど映像を見ている側としては、それ以上のつながりを感じてしまいそうになります。つまりポドフレブニクさんはヘウムノにいて、ザイドルさんとドゥギンさんはヴィリニュスにいたわけなんですが、映像を見ていると、彼ら全員が同じ収容所で作業していたかのようにも感じてしまうんです。もっといえば、ポドフレブニクさんが埋めた死体を、その後ドゥギンさんたちが掘り起こして焼いた、そんなふうにとらえることもできるのではないかと思います。

もちろんそれは想像上のつながりです。これらのシーンには通訳がいて、登場人物たちの声と声のあいだに微妙な時間があります。そのため、想像上のつながりがさらに強く感じられるようにも思います。具体的には、ポドフレブニクさんの答える声、ランズマンの質問の声、ドゥギンさんの通訳の声、ランズマンの質問の声、ポドフレブニクさんの通訳の声、ドゥギンさんの声があって、それらの声のあいだには特徴的な長短の時間があります。たとえばポドフレブニクさんの通訳の声を聞いてからランズマンの質問の声までには少しあいだがあります。まるでランズマンがちょっと考えているかのようです。なので見ている私たちとしては、少しあいだがあっても、ランズマンの質問は相変わらずポドフレブニクさんに向けられているようにも感じます。私たちはドゥギンさんたちの通訳の声、つづけてドゥギンさんの声が聞こえてきてはじめて、ランズマンの質問がドゥギンさんたちに向けられていたのだと気づくわけです。

このように、ランズマンは**引用8**のあたりにおいて、収容所の垣根を越えた絶滅のあり方を示そうとしています。もちろんそれは絶滅の普遍的な様相とまではいきませんが、少なくない人が体験したひとつの典型的な様相として紹介されているように思えます。この典型的な様相を見せるのにあたり、ランズマンは細部について質問します。「家族のだれがいたのか」という彼の質問は、ショアという巨大な出来事の中心からずれた、いわば側面的な問いであるかのようにも思えます。だけど、こういったこまかいこと、ささいなことに注目するおかげで、ショアという出来事はさまざまな様相、具体的な様相を見せるようになります。これによって、ショアはたんに「ユダヤ人絶滅」といったような単純な知識にはならないし、概念や観念みたいなものにならなくて済むわけです[*18]。こうした細部のなかにこそ、ランズマンは絶滅の典型的な様相を見ようとする。この典型的な絶滅の様相というのは、以下に見るように、収容所に特徴的なリズムをなしています。

インタビューのつづきで、ザイドルさんとドゥギンさんは、穴から死体を掘り出して焼くという作業について語っています。彼らはヘブライ語で語っていますが、それを通訳者がフランス語にするときに「リズム」という言葉が出てきます。

**引用9** 《モトケ・ザイドル：》《穴の》底へと掘っていくにつれ、死体は平べったくなり、しまいには、スライスとでもいったらいいほどの、ぺちゃんこでした。死体をつかもうにも、見るかげもなく、ぼろぼろと、崩れてしまうのです。手でつかむのは、不可能でした。穴の掘り返し作業を、これからさせられるという時のことです。道具の使用を禁止されました。こう言われたんです、「慣れなくちゃだめだ。素手で、仕事をしろ！」とね。《ランズマン：》素手だって！《ザイドル：》そうです。初めのうちは、穴を掘り起こすたび、こらえきれず、だれもが、泣き崩れてしまったものです。けれど、そうすると、ドイツ兵が近づいてきて、死ぬほど、殴りつける。二日間というもの、気も狂わんばかりのリズムで（à un rythme dément）、働かされました。殴られどおしで、しかも、道具はつかえません。*[19]

最後のところに「気も狂わんばかりのリズムで」とありますね。私はヘブライ語を理解できないので、ザイドルさんがどんな言葉をいったのかは残念ながらわからないのですが、ここで通訳者は、à un rythme dément というフランス語をつかっています。rythme は「リズム」のことです。そして dément という単語は、「痴呆の」「心神喪失の」とか、「ばかげた」「とてつもない」といった意味です。ちなみに dément の語源は dé、つまり「逸脱した」という部分と、mens、つまり「精神」「知性」という部分からなっています。なので、à un rythme dément というのは、「ある狂気じみたリズムで」「あるとてつもないリズムで」ということであり、そういうリズムでユダヤ人ははたらかされたということになります。注目すべきことに、アウシュヴィッツ収容所にとらえられていた別のユダヤ人も、その著書のなかで、「ラーゲル《収容所》の日々のリズム」といった表現をしています。*[20]

ここに収容所の独特のリズムを見ることができます。それは狂気のリズムです。もちろんこのリズムは、先ほど述べたように、すべての収容所に見られる普遍的なものというのではなく、ひとつの典型といったものです。収容所のリズムは、典型的には以下の三つの特徴をもっているようです。

ⓐ気の狂うようなリズム。ぼろぼろの死体を掘り返す、素手で何体も掘り返すという作業は常軌を逸しており、精神を錯乱させるものである。

ⓑおそろしい速さのリズム。ユダヤ人労働班はできるかぎりのスピードで動き、多くの死体を処理しなければならない。

ⓒ暴力的なリズム。ドイツ兵は何かにつけてなぐってくる、死ぬほどなぐってくる。

これら三つの特徴は結びつきます。つまり、ⓐの狂気は、ⓑの速さとⓒの暴力によってさらに異様なものになり、本当の意味で狂気のリズムになっていくわけです。

もちろんザイドルさんたちは、現在はそうしたリズムに巻き込まれてはいません。だけど、過去に体験したことを思い出そうとすれば、その狂気のリズムが内側から押し寄せてくる、そういう気もちになるのではないかと思います。インタビューで話しているところを見ると、彼らは取り乱してはいませんが、どこか不安そうな様子がうかがえます。過去の狂気のリズムは、数十年後の現在でも彼らのなかに残っているということかもしれません。

## 6　死体をあらわす言葉

収容所における狂気的なリズムは、死体をあらわす独特の用語によってさらに強められます。

**引用10**『ザイドル：』〈死者（mort）〉とか、〈犠牲者（victime）〉という言葉は使用禁止だ、とまで、ドイツ兵から言い渡されました。まさしく丸太（billot de bois）と同じだ、ろくでもないくそ（merde）だ、まったく何の役にも立たない。何の値打ちもないものだからな、というわけです。〈死者〉だの、〈犠牲者〉だのの、言葉を口にしたものは、殴られました。ドイツ兵は死体のことを、フィグーレン（Figuren）、つまり……、操《あやつ》り人形（marionettes）とか、木偶《でく》（poupées）とか、シュマッテス（Schmattes）、つまり、ぼろくず（chiffons）とか、呼べと、強制したのです。*21

ここでは、ユダヤ人の死体を「人形」と呼べ、「ぼろ」と呼べという命令があったといわれています。ドイツ兵にとってユダヤ人というのは、人間のように心をもったものではなく、自分の考えや精神をもたないもの、たんなるごみくずだったということです。

だけど考えてみると、言葉を変えるということは、もう少し深い意味があるのかもしれません。もしかするとドイツ兵としても、「自分たちは人間を殺して埋めたり焼いたりしている」というふうに意識するのは、やっぱりつらいものがあるのかもしれない。そこで言葉を変えて、ユダヤ人の死体を「人形」「ぼろくず」と呼ぶようにすれば、「自分は人間ではなく、ごみを埋めたり焼いたりしているのだ」というふうに自分にいい聞かせることができます。姑息ではあるけど、いいわけができます。

さらにその呼び方をユダヤ人特別労働班にも命令することで、そのいいわけをユダヤ人たちにも押しつけることができます。それによって、この作業がなんだか正当なもののようにも感じられてくる。そうして収容所のリズムは、どんどん常軌を逸したものになっていきます。ナチスは、だれよりもまず自分に向けていいわけをするために、つまり、自分の犯罪を意識しないようにするために別の言葉をつかうということです。

　このように言葉を置き換えるというナチスのやり方は、今後の講義でも出てきます。もちろん、ある出来事を別の言葉に置き換えたからといって、おこなわれたこと自体は変わらないはずなのですが、それでも、その出来事についての考え方とか、その記憶というものは変わってしまう。ですから言葉を変えるというのは、軽く見過ごすことのできない重要なことなんです。

**引用11**　『ランズマン：』で、作業を始めたとき、全部の穴の中に人形《フィグーレン》がいくつある、と言われましたか？『ザイドル：』「ここには、九万体が埋められているが、どんな痕跡も、絶対残らないようにしなければならん」というのが、ヴィリニュスのゲシュタポ［ナチ時代の秘密国家警察］責任者の話でした。[22]

　ナチスは一度埋めた死体を掘り起こして焼く、そして痕跡を消す。みなさん、なんでそんなことをするんだと思いますか？　ナチスは戦争がはじまったころは調子がよくて勝っていたんですが、時間がたつとだんだん負けてくる。敵が攻めてくるかもしれない。するとどうなるか。自分たちがユダヤ人を虐殺していたことがばれちゃいますね。自分たちの犯罪が明るみになる、それが怖い。なので一度埋めた死体を掘り出して、ばれないように死体を焼きつくそうとするんです。[23] 実際に映像で見たように、現在は何も残っていません。静かな森、深い森だけしか残っていない。絶滅収容所の建物も、そこでの気も狂わんばかりのリズムも、もう残っていない。今あるのは静かな森のリズムだけです。

　ナチスは自分のしていることが犯罪だとわかっているから、言葉を変えて自分にいいわけをする。だけど自分をだましおおすこともできず、これは犯罪だとやっぱりわかっている。わかっていて虐殺して、ばれちゃまずいとなって隠そうとする。卑劣ですね。だけどよく考えると、人間はだれでもこういうところがあるのではないかと思います。少なくとも私はそういうところがある。もちろんこんなに巨大な犯罪じゃないけど、でもやってしまっているときがある。そういう意味では、私たちとナチスというのは同じです。同じ人間だということです。このようにナチスの犯罪を自分の問題として見ていく必要があるのではないかなと思います。

言葉を変えるということについて、パトリス・マニグリエというフランスの哲学者の議論を見てみたいと思います。マニグリエは、人間の死体のことを「人形」とか「ぼろくず」というふうに表現することの意味にかんして、さらに掘り下げて考察しています。

一般的に私たちは、意識とものをわけて考えています。同じように魂と身体、精神と事物、こんなふうに区別しています。そして、もの、身体、事物というのは生気がないもので、受動的なものだと考えています。だけど実は、そういう区別はないんじゃないかというような考え方があります。事物が事物にすぎない、ものがものにすぎないということはありえないんじゃないか、そういう考え方があるということです。

たとえば画面に大きな三角形と小さな三角形があって、まず大きな三角形が小さな三角形に近づくように動く、そのあと小さなほうが大きなほうから遠くなるように動く、さらに大きな三角形が小さな三角形に近づくように動く、そういう一連のイメージを見るとき、多くの人は、「大きなほうが小さなほうに攻撃を仕かけている、いじめようとしている」、そんなふうに感じます。このとき私たちは、大きな三角形の「精神」と、小さな三角形の「精神」を見ています。しかも直接的、感覚的にそれらの「精神」を見ているんです。かたちの動きから魂のようなもの、意志のようなものが見えてくる。まるで大きなほうが意志をもって小さなほうを追いつめているように見える。こういうことがあるからこそ、線の集まり、色の集まりがアニメーションになるわけです。このように事物は私たちにとって、すでに魂や精神をそなえている。マニグリエのいい方にしたがえば、「本当に私たちは、自発的にかつ正当に、アニミズムを信じている」ということです[*24]。そう考えると、事物は精神とちがって事物にすぎないとか、魂とちがってものにすぎないとか、そういうことはいえなくなります。たんなる事物とか、まったくの事物とか、そういうものは存在しない。純粋な事物とか純然たる事物とか、そんなものはないということです。

　これについてマニグリエは次のように述べています。「私たちはまず生命化（animation）を知覚する」[*25]。ここではanimationというフランス語を、「生命化」というふうに訳してみました。事物は私たちに生命あるものとして、すなわち、魂や意志をそなえたものとしてあらわれてきます。だけどふと冷静になって考え直すと、ちがったふうにも思えてくる。「大きな三角形が小さな三角形をいじめているように見えたけど、いや実は、三角形は三角形にすぎないし、二つの三角形がさまざまな仕方で配置されていたにすぎない」というふうに思い直すわけです。だけどこんなふうに思えるのは、生命化よりもあとのことです。生命化がいつの間にかおこなわれていたけど、それを反省の作業によって取り除いてはじめてそういうふうに思えるんです。マニグリエはそれを「脱生命化（*désanimation*）」と呼んでいます[*26]。脱生命化という作業は、事物にはじめからそなわっているように見える生命や精神といったものを否定します。それも反省というか、抽象的な思考によって否定するわけです。この脱生命化という作業、抽象的な否定の作業によって、事物は事物でしかない、ものはものでしかないというふうに思えてくるわけです。

　マニグリエによると、ナチスがおこなったのはこの脱生命化だということです。しかもそれは、事物にそなわる生命を否定することではなく、人間存在にそなわる生命を否定するということです。そして人間という存在をたんなる事物、純然たる事物にしてしまったということです。ユダヤ人は一見すると人間であり生命をもっているけれど、実はそうではない、やつらはたんなる事物でしかない。生命などそなわっているはずがない。ましてやユダヤ人の死体というのは、まったくの事物そのもの、純然たる事物そのものでしかないということになります。マニグリエは次のようにいいます。

**引用12**　生気のないものに付加されるのが魂なのではなく、脱生命化の操作から生じるのが事物なのである。そういうわけで、ナチスはユダヤ人を事物の地位に追いやっただけにとどまらない。ナチスは、自分たちが熱狂的におこなった身体（corps）の脱-生命化をとおして、おそらくかつてこの世に存在したことがなかったような純然たる事物をつくり出したのだ。事物でしかない事物をつくるためには、まったく形而上学的な残酷さが必要である。[*27]

ここで「身体」という言葉は、原文のフランス語ではcorpsという単語です。corpsという語は、基本的には「身体」「肉体」「体」のことを意味しますが、それだけではなく、「死体」「遺体」ということも意味します。英語のbodyもそうですよね。ナチスはユダヤ人の身体、そしてユダヤ人の死体において生命があることを否定した。事物でさえはじめから生命をそなえているように感じられるのに、それを人間の身体、人間の死体から取り去ったわけです。この脱生命化の作業について、**引用12**の終わりのところでは、「まったく形而上学的な残酷さ」というふうにいわれています。目の前で生命が知覚されているのに、頭のなかで考え直して生命を否定する、あるいは言葉を変えることで生命を否定するということです。こうしてナチスは、ドゥギンさんとザイドルさんに対して、「ユダヤ人の死体を「死体」と呼ぶな、別の言葉で呼べ」と命令したわけです。

**引用13**　人間の身体が別の人間の身体にとって必然的にそうであるように、とてもはっきりと生命のあるひとつの存在を取り上げて、それをまったく生命がないかのようにあつかうということは、実際に、純然たる事物に近い何ものかをつくり出すということである。つまり、ぼろくず（chiffons）、でく（poupées）、くそ（merde）、丸太（billots）といったものは、たしかにいかなる内的な力ももたず、いかなる自発的な活動の原理ももたない存在であり、支えのないときには垂れ下がる、落ちる、すべる、そこにあることだけにとどまる、それ自身の重みでしかない、そういった存在であり、動かされ、捨てられ、ばらばらにされる、もし場所をとりすぎれば焼却され、粉々にされる、そのように定められた存在である。[*28]

このように見ると、ナチスは「ぼろくず」「でく」「くそ」「丸太」という言葉を望んでつかったというよりも、必要にせまられてつかわざるをえなかったのだというふうに思います。ナチスのなかのどれだけ冷酷な人であっても、死体を見れば、「人間の死体だ」というふうに見えていた。今は死んでいるが、過去には魂があった、生命があった、そうふうに見えていた。だけどヒトラーの方針からすれば、ユダヤ人は自分たちナチスの人間と同じであってはならない。ユダヤ人の場合、生きているにしても死んでいるにしても、そこに自分たちと同じ生命があってはならない。その生命を否定しなければならない。だからこそ否定するために、「形而上学的な残酷さ」をはたらかせることになります。つまり「ぼろくず」や「丸太」と表現するわけです。こうした異様な言葉をつかうことによって、「これは事物でしかない事物なんだ、まったくたんなる事物なんだ」と自分にいい聞かせたわけです。これらの独特の言葉は、知覚をねじまげます。そこには何か別の風景、別の世界が見えてくることになります。

こうしてナチスは一種の新しい見方、いやむしろ、新しい世界をつくり上げることになります。「新しい世界をつくり上げる」といったって、ポジティヴな意味ではまったくありません。それは知覚を否定し、また否定し、さらに否定しつくしたあとに出てくるような世界です。そこにいるのは通常の事物でも人間でもない。その世界にあるのは物質だけです。身体でもないし死体でもなく、また、魂でも精神でもない、そういった物質です。いかなる意味ももたない、そういった物質です。それは「ぼろくず」「でく」「人形」といったものです。それはまったくの事物であり、たんなる物質であり、マニグリエの言葉でいうと、「絶対的に物質的な物質」だということです。[*29] このように考えると、ショアというのはひとつの歴史的出来事を指す名前だというよりも、ひとつの物質、ひとつの事物を示す名前だといえるのかもしれません。[*30] そういえば、今日見た**映像2**のなかで、収容所の跡地にある長い石の列が映されていた場面がありましたね。あれはまさにたんなる石です。あのときランズマンは、たんなる物質を見せつづけていたということです。もしかするとその場面は、ショアはひとつの物質だ、たんなる物質なんだということを示しているのかもしれません。[*31]

## 7　まとめ

①『ショア』は場所・声・表情だけをつかって現在と過去をつないでいる。
②『ショア』は万人にとっての真理ではなく個人的真理を集めている。
③ユダヤ人生還者は、ほほえむとも悲しむともいえない表情をする。
④収容所では狂気的なリズムがあった。
⑤ナチスは言葉を変えることで犯罪をごまかし、脱生命化をおこなった。

＊1　ボーヴォアール「恐怖の記憶」前掲、一五頁。
＊2　ランズマン『パタゴニアの野兎（下）』前掲、二三六頁
＊3　前掲、二三三頁。
＊4　ランズマンはユダヤ人生還者の話をよりよく理解するために、歴史を知るとともに場所を見るようにしたといっている。ランズマン「場処と言葉」前掲、八三頁。
＊5　ランズマンによれば記録資料にたよるのではなく、映画の構成そのものによって固有の理解可能性を成立させなければならないという。前掲、八五頁。
＊6　ランズマン『ショアー』前掲、三八－三九頁。
＊7　ある人によれば、この映画は想像できないものを想像させ、「死の生」を創造し直しているという。Timothy Garton Ash, « The Life of Death » (1985), in *Claude Lanzmann's* Shoah, Edited by Stuart Liebman, Oxford Univesity Press, 2007, p. 138.
＊8　ランズマン『ショアー』前掲、三九頁。
＊9　Patrice Maniglier, « Lanzmann philosophe », in *Claude Lanzmann, un voyant dans le siècle, op. cit.*, p. 116.
＊10　ランズマンはポドフレブニクさんについて、次のように述べている。「すべては彼の素晴らしい微笑みと涙の顔に刻まれていた。彼の顔はショアの場所そのものだった」。ランズマン『パタゴニアの野兎（下）』前掲、一九八頁。
＊11　Michel Deguy, « Une œuvre après Auschwitz », in *Au sujet de* Shoah, *op. cit.*, p. 31.
＊12　ランズマン『ショアー』前掲、四〇－四一頁。
＊13　Deguy, « Une œuvre après Auschwitz », *op. cit.*, p.

43.

＊14　ランズマン『ショアー』前掲、四三頁。

＊15　Maniglier, « Lanzmann philosophe », *op. cit.*, p. 128.

＊16　ランズマン『ショアー』前掲、四四－四五頁。

＊17　前掲、四五－四六頁。

＊18　Maniglier, « Lanzmann philosophe », *op. cit.*, p. 125.

＊19　ランズマン『ショアー』前掲、四七－四八頁。「気も狂わんばかりのリズムで」という部分は、日本語訳では「気も狂わんばかりの速いテンポで」と訳されている。Lanzmann, ***Shoah***, Gallimard, *op. cit.*, pp. 32-33.

＊20　レーヴィ『溺れるものと救われるもの』前掲、一四四頁。

＊21　ランズマン『ショアー』前掲、四八－四九頁。

＊22　ランズマン『ショアー』前掲、四九頁。Lanzmann, ***Shoah***, Gallimard, *op. cit.*, p. 33.

＊23　殺戮、巨大な墓穴、墓穴からはい上がろうとするユダヤ人を撮影した写真などの具体的な証拠は破棄する必要があったという。ヒルバーグ『ヨーロッパ・ユダヤ人の絶滅（下）』前掲、二五四頁。また、移動殺戮部隊も同様に、遺体を墓穴から掘り返して焼却したという。ラウル・ヒルバーグ『ヨーロッパ・ユダヤ人の絶滅（上）』(1961)、望田幸男ほか訳、柏書房、一九九七年、二九五頁。

＊24　Maniglier, « Lanzmann philosophe », *op. cit.*, p. 82. このように事物と人間との区別を問い直すような哲学的・人類学的思考は、ブルーノ・ラトゥールの議論によく示されているという。たとえばラトゥールは次のように述べている。「もちろん人間はモノではないが、同じ意味でモノ自体もモノではない」。ブルーノ・ラトゥール『虚構の「近代」』(1991)、川村久美子訳、新評論、二〇〇八年、二三三頁。

＊25　Maniglier, « Lanzmann philosophe », *op. cit.*, p. 83.

＊26　*Ibid.*, p. 84.

＊27　*Ibid.*, pp. 83-84.

＊28　*Ibid.*, p. 84.

＊29　*Ibid.*, pp. 85.

＊30　*Ibid.*, p. 85.

＊31　ハイデガーのいう「もの」はこうしたたんなる事物とはまったく逆の方向性からとらえられている。すなわち大地と天空、神的なものと死すべきものをやどりつづけさせるように集約するもの、それが「もの」だといわれている。マルティン・ハイデガー「物」(1949)、『技

術とは何だろうか』森一郎編訳、講談社学術文庫、二〇一九年三二－三四頁、四二頁。

# 04
# ユダヤ人移送を見るポーランド人

## 1　傍観者であるポーランド人

以前の回で、ナチスがつくった絶滅収容所はドイツではなくてポーランドにあったということを見ました。ポーランドにはとてもたくさんのユダヤ人が住んでいたから、ナチスはポーランドに絶滅収容所をつくってユダヤ人を殺したわけです。

ではポーランド人たちは、ユダヤ人虐殺をどんなふうに見ていたのか。とくに収容所の近くに住んでいたポーランド人たちは、どう見ていたのか。これはとても大事な視点です。つまり、被害者でも加害者でもない、まわりで見ていた人たち、傍観者の人たちはどういうふうに考えていたのかということです。それを見ていくことで、ユダヤ人の虐殺、ショアについてもっとよく知ることができるわけです。

『ショア』という映画の特徴のひとつは、まわりにいたポーランドの一般の人たちにたくさんインタビューをしているということです。ここで考えてみてほしいのですが、みなさんがもし戦争の映画、それもドキュメンタリー映画をつくるとしたらどういう人にインタビューしますか?　私が思い浮かぶのは、まずは被害者の人です。被害者の立場から、戦争に巻き込まれた体験を話してもらう。あるいは、できれば加害者にもインタビューしたい。加害者に聞くことで、「悪いことをした人にも、実はそれなりの理由があったんだ」といったような筋書きを考えます。このように被害者から見るのも加害者から見るのも大事なことです。けれど、被害者でも加害者でもなく、傍観していた人がたくさんいる。となると、傍観者はどのように見ていたのかということが問題になってくる。

映画『ショア』はそうした問題に取り組んでいるわけですが、とはいっても監督のランズマンは、ポーランドの人々やポーランドの風景について、はじめから撮影しようと考えていたわけではなかったようです。ランズマンは、はじめはむしろポーランドにきたくなかった、ポーランドには撮影後数年たってからようやくきたんだといっています。[*1] もしかするとそれまでランズマンは、加害者と被害者という立場だけに注目していたのかもしれません。だけど実際にポーランドを訪れてみて、地元の農家の人が絶滅収容所について詳細に語るのを聞いた。そしてこんなふうに思ったといいます。

**引用1**　自分はいったい何を考えていたのだろう。眼の前にいるこの男、今日目撃した人々、三十五年前とまったく変わらないように見えた村々、石の建物や鋼の鉄路からにじみでる永続性、これらの古い農家で見出した過去への見事な沈潜——こうしたものなしで、どうやってこの映画を作ろうなどと考えたのだろう。[*2]

ポーランドの人々とポーランドの風景なしでは映画をつくることはできない。ランズマンはそう思ったわけです。今回見る映像では、鉄道を走る列車の場面が出てきます。第1回で見たように、この映画には列車の走る場面が何度も登場します。列車がユダヤ人たちを詰め込んで走っていく、そういうイメージです。のちの講義でも紹介するのですが、鉄道というのはユダヤ人絶滅、ホロコーストにとって非常に重要な役割をしています。なぜならユダヤ人はポーランドの特定の地域だけに住んでいたわけではなくて、むしろヨーロッパ中のいろんな地域に住んでいたので、ユダヤ人を収容所に送り込むためには、鉄道をつかって移送しなくてはいけないからです。とくに絶滅収容所は、その立地条件として、鉄道に近いということがあげられます[*3]。鉄道という移送手段がうまくいけば虐殺はどんどん進むし、移送がうまくいかなければ死者も少なくなるわけです。この意味で鉄道は、ショアの大きなポイントになります。そういうこともあってランズマンは、さまざまなところで列車が走る場面を写しているんです。

ちなみにランズマンは、ポーランド語を話すことができません。なのでポーランド人の話を聞くときは通訳者がいます。この映画の大きな特徴のひとつは、通訳者の発言をカットしないということです。なぜかというと、通訳者が発言しているときにも、証言してくれるポーランド人の声や表情や身ぶりがあるからです。ランズマンにとって重要なのは、話し手の内容だけではなくて、その人が思い出すときの声の調子とか、顔つきとか、その独特の身ぶりや手ぶり、そういったものも含まれます。実際に今回見る映像において、ポーランド人たちはさまざまな表情をしているし、その声はわらっていたり泣きそうだったりしています。また身ぶりは、現在のものとも過去のものともいいがたい時間的な特徴をもっています。これらの要素は証言の内容と同じくらい重要だし、もしかすると内容より以上に重要であるようにも思えます。このあたりを意識しながら、映像を見ていただけるとよいかなと思います。つまり、話し手が何を思い出しているのかを見ていくというだけではなくて、その人がどのように思い出しているのかについても見ていくということです。

## 2 『ショア』を見る（映像1）

映像1 『ショア』DVD 1-1、50:15-58:47 (ch. 21-23)

ポーランドのトレブリンカというところです。トレブリンカには絶滅収容所があって、約八〇万人のユダヤ人と何千人かのジプシーがガスで殺されたといいます。この映像では、蒸気機関車が走っている場面があります。そのあとのシーンではユダヤ人男性が出てきて、列車で収容所に連れていかれたことを話していました。最後に、

ヘンリク・ガフコフスキ（元機関士）（DVD1-1, 0:52:10）

収容所の近くに住んでいるポーランド人が出てきました。彼は農業をやっている人で、ユダヤ人が汽車で移送されてくるのを何度も見ていたといいます。

映像のはじめに、機関車が走ってトレブリンカの駅に着く様子が映されていましたね。この汽車の映像は、戦争のころの記録映像じゃなくて、監督のランズマンが一九七八年に撮影したものです。実はこの汽車は、ランズマンが撮影用に借りたものです。ポーランドの国鉄と交渉して、かなりのレンタル料を払って借りたみたいです。それに、鉄道には実際の列車が走っていたので、駅に到着する場面を撮影できるように、鉄道運行のダイヤのなかに組み入れてもらって、ほかの列車とぶつからないようにしてもらったみたいです。[*4] 汽車の機関士さんはポーランド人なのですが、戦争のころ本当にこの路線を運転していた人で、ユダヤ人が詰め込まれた貨車を収容所まで運んでいったとのことです。この機関士さんを探し出すのは、ものすごく大変だったらしいです。[*5] お金も時間もかかったわけですね。そこまでしてランズマンはあのシーンを撮りたかった。つまり、過去と同じ場面を撮りたかったということです。機関士さんに過去と同じことをさせる。過去と同じように運転してもらって、過去と同じように収容所の駅で止まってもらう。ここからわかるように、ランズマンは自分の思い描く撮影を実現させるために演出をしています。[*6] それによって過去と現在は重なる。この映像は現在のことなんだけど、そこに過去が入り込んでいるということです。この現在と過去の重なりについてはランズマン自身も話していて、「トレブリンカ」と書かれた標識を撮影しているとき、現在と過去のへだたりがなくなって、自分にとってすべてがもう一度現実となった、そんなふうにいっています。[*7]

機関士さんは列車を進ませながら外を見ていた。下を見て確認して、うなずいているときがありました。そして列車が止まったあとに、機関士さんが特徴的な身ぶりをしていました。のどに手をあてるしぐさです（**写真**）。二、三回してました。あのしぐさはどんな意味かというと、次回の講義でわかります。これはどうやら、機関士さんが戦争時に列車を停車させたときによくおこなっていたしぐさのようで、過去の習慣がついつい現在に出てきてしまったものだといいます。ランズマンはこの撮影のとき、機関士さんに対して、「乗ってください、トレブリンカへの到着を撮影します」とだけいって、身ぶりについては何も指示しなかったといっています。[*8] ここでもやっぱり、過去と現在が重なっている。ランズマンの機関車の演出に誘われて、機関士さんは気づかないうちに過去の身ぶりをしてしまったわけです。そして注目すべきことに、機関士さんが列車を止めたとき、なんだかそわそわしているような感じでした。列車が完全に止まったあと、うしろをたしかめて、どうも不安そうな表情をしていた。このそわそわした感じも、列車を操作することによって過去が現在に入り込んできたということなのかもしれません。[*9]

## 3　最初のときについて語る、他人について語る

映像では、最初にユダヤ人男性が話していました。自分が運ばれていた列車が停車して、なかから「トレブリンカ」という標識が外に見えた。だけど、そんな場所の名前はまったく聞いたことがなかった、といっていました。たしかに映像でもほとんど何もないような、小さな村でしたよね。

**引用2**　〖アブラハム・ボンバ（ユダヤ人男性、トレブリンカ収容所からの生還者、英語）：〗仮庵《かりいお》の祭り［ユダヤ教でエジプト脱出後の荒野放浪を記念する日］の前日、二度目の移送があり……私はその中に入ってました。心の底には、はっきりと悪い予感がありました。だって、子供や年寄りを連れて行くのが、よい前兆のわけがありませんからね。「あっちへ行ったら、働いてもらうことになる」と連中は言うんです。でも、年老いた女性や、乳飲み子や、五歳の子供が、

働くって、いったい、何をするのでしょう？　馬鹿げた話でしたが、それでも、仕方なく、われわれはそれを信じたんです。[*10]

ユダヤ人は悪い予感があったといっています。今考えると、みんなあっちで仕事をするなんてばかな話だけど、そのときは信じたというふうにいっています。それに対して、現在の私たちはそのあと何があったのかを知っているから、「ユダヤ人は信じるべきじゃなかった」とか「逃げるべきだった」とかいうことができる。あとから判断できるんですね。だけどそのときにはわからない。たしかに子どもや老人まで全員がはたらくなんておかしいです。でも「おかしい」と主張したって、結局は強制的に連れていかれちゃう。抵抗すれば射殺される。それなら仕方ないので、あやしいとは思いながらも、「まあ仕方がない」とついていくわけです。

そのあとに、トレブリンカに住むボロヴィさんというポーランド人が出てきます。ボロヴィさんは農業をしています。最初に登場したとき、馬車をゆっくり進ませて、たくさんのわらを積んでいました。カメラで撮影されているのがちょっと気恥ずかしいような、でもちょっと楽しそうな雰囲気のようでした。ボロヴィさんは、ユダヤ人たちが列車で連れてこられるのを目撃していたといいます。

**引用3**　《ランズマン：》一九四二年の、七月二十二日、ワルシャワから来た、最初のユダヤ人列車が到着した時のことを覚えていますか？《チェスワフ・ボロヴィ（ポーランド語）：》うん、最初の列車のことは、とてもよく思い出せる。ユダヤ人を、あんなに大勢、ここへ連れて来たもんで、わしら、不思議に思ったもんだった。「この連中を、いったいどうしようというんだろう？」[*11]

ここでランズマンは、列車がやってきた最初のときのことを聞いています。そしてボロヴィさんも、最初のときを鮮明に覚えているようです。この映画のテーマは「ショア」、つまり「ユダヤ人大虐殺」ですから、重要なのは、ユダヤ人が殺害されるときのこと、すなわち「最後のとき」のことです。だけど、とても興味深いことにランズマンは、「最後のとき」と同じように「最初のとき」にも注目しています。次の**引用4**はランズマンがインタビューで話したものです。

**引用4** 〔ランズマン：〕私はいつも最後の瞬間、死に先立つ最後の刹那にとりつかれてきました。あるいは私にとっては、「最初のとき（la première fois）」というのも同じようなものなのです。私はいつも、最初のときとは何かを自問しています。私はその問いをポーランド人にしています。あなたは、一九四二年七月二二日、ワルシャワから到着した最初のユダヤ人輸送列車を見たときのことを覚えていますか、と。ユダヤ人が到着したときの、最初の衝撃。*12

ここでは、「自分はいつも、最初のときとは何かを考えている」といわれています。「最初のとき」という言葉は、フランス語では la première fois です。英語でいうと、the first time です。たしかにランズマンのいうとおり、この映画には、証言者たちが「最初」「今」「それ以降」といった表現をつかって話しているところが多くあるように思えます。この「最初のとき」「最初」という時間について、エリック・マルティという人は次のように述べています。長いですが読んでみましょう。

**引用5** こうした「今」「それ以降」「最初」がつかわれている例を増やすこともできるだろう。これらは出来事をとらえうる唯一の時間性となるものであり、この瞬間において出来事はまだ燃えはじめていないしまだ燃え上がっておらず、したがってその時間性を完全にとらえられるようにはできない。というのも、この出来事による苦しみはそれに近づく者に向かうからだし、それだけではなく、すべての火事がそうであるように、この出来事はみずから自身を食いつくすからでもある。そうなると「今」「それ以降」「最初」というのは、出来事がみずからを時間化するための唯一の様式であって、それにより出来事を記述できるようにするものである。〔略〕ナチスによるユダヤ人絶滅の試みという並はずれた出来事は、部分的に見れば、以下のように定義できるだろう。つまり、ナチスが行動している世界からはじまって、絶対に理解不可能な行為の世界へと導いていくプロセスだということである。そしてだからこそ、これらすべての行為は、それがいかなる重要性をもっているのであれ、「転換点」というかたちをとっており、次から次へと「今」「今から」をつくり出しながら時間を壊していく。すべてはつねに新しいのだ。[*13]

ショア、つまりユダヤ人絶滅という出来事は、「最初のとき」をもっている。だけどそれは、それぞれの人にとって異なった様相をもっている。ボロヴィさんにとっての「最初のとき」は、移送されたユダヤ人にとっての「最初のとき」とはまったくちがうし、また、列車を運転した機関士さんにとっての「最初のとき」とはぜんぜんちがいます。そしてそのときには、それが出来事のはじまりだなんていうことは、だれも思わなかった。ボロヴィさんも、「そのときは、ユダヤ人をなんでこんなに大勢連れてくるのか不思議だった」といっていました。だから、それが起きているさなかには、それが絶滅のはじまりだということはわからない。だけどあとから見ると、「たしかにあの時点から何かがはじまったんだ」とわかるような、そうした瞬間があるということです。その瞬間から出発してこそ語ることができる。いやむしろ、その瞬間から出発してしか語ることができないのかもしれません。その意味で、**引用5**の真ん中あたりにあるように、「「今」「それ以降」「最初」というのは、出来事がみずからを時間化するための唯一の様式であって、それにより出来事を記述できるようにするものである」といわれています。

考えてみると、この「最初のとき」というのは、ある音楽の最初の瞬間のように、とても把握しにくい時間のようにも感じます。たとえばベートーヴェンの《交響曲第五番》、いわゆる「運命」と呼ばれる交響曲があります。みなさん、この音楽は、どの瞬間にはじまるのでしょうか？　もちろん、最初の「ソ」の音ですよね。いや、最初の四つの音、「ソソソミ」の音かもしれないです。あるいはむしろ、最初のソの音が聞こえるよりも前、指揮者が棒をふりおろすときかもしれない。いやいや、別の考え方があるかもしれない。こんなふうに、曲の最初の瞬間というのは、演奏者にとってのそれと指揮者にとってのそれでちがっているかもしれないし、また、ある聴衆と別の聴衆でちがってくるかもしれない。だけど最初のときというのは必ずあるし、その瞬間からしか音楽ははじまらない。たしかに最初という時間はいつの間にか過ぎ去ってしまうので、聞いている私たちもその大事さを見逃してしまうことが多いです。だけどあとから思い返すと、そこから何かがはじまったといえるような、そういう瞬間があるはずです。

ショアがはじまる瞬間というのはそれに似ていて、そのときには見過ごされてしまうのだけど、あとから見ると、その瞬間から出発してしか語ることができないといったものです。それはいってみれば、過ぎ去っていくけれど残りつづけるような瞬間です。そのときはなくなってしまうけれど必ず回帰してくるような瞬間です。そうした「最初のとき」というのは、ショアに立ち会った人の数だけ存在している。ランズマンはそうした「最初のとき」を集めています。この瞬間を積み重ねていくことによって、ランズマンはショアを理解しようとしているのかもしれません。

ちなみにランズマンはこの問題について、ポーランド人にちょっと厳しい見方をしています。自分がポーランド人たちに「最初のとき」について質問を向けても、彼らはそれについてちゃんと考えることをしない、いつも決まりきったことにしか目を向けない、そういうふうにランズマンは考えています。[*14] たしかにボロヴィさんは、「最初のことをよく覚えている」といってはいましたが、結局その発言の内容は、「あんなにたくさんのユダヤ人をどうするのだろうと思った」ということだけです。ランズマンとしては、最初の衝撃、最初のショックみたいなものを教えてほしい。だけどボロヴィさんは、それほど大きなショックを受けていなかったのかもしれません。あるいは、先ほど音楽の例を挙げましたが、それと同じように、最初の瞬間というのはきわめて大事でありながら、つい見過ごしやすいということなのかもしれません。

ランズマンはそうした時間をとらえてみたいと考えている。この時間というのは、一般に考えられているような流れとはちがいます。すなわち、はじまり→途中→終わりというふうに進んでいくような、客観的な時間の流れ、論理的に説明できる時間の流れとはちがっていいます。そうではなくて、**引用5**にあるように、はじめてのことが起こりつづける、そういう時間です。

もちろん出来事は、人によって異なった様相をしています。この映画において重要なポイントのひとつは、「他人のことを理解する」「自分とはちがった人のことを理解する」ということです。他人を理解するとはどういうことなのか。それについては、次のボロヴィさんの言葉がヒントとなります。

**引用6** 《ボロヴィ：》なかの様子が少しわかりかけると、今度はわしらの方が、怖くなった。この世が始まって以来、あんなに多くの人間を、ああしたやり方で殺害したためしがあっただろうか。そんな風に話し合ったもんさ。《ランズマン：》そのことが、目の前で進行しているあいだも、ずっと、普通に、日常生活を、続けていたんですか？ やはり、畑を耕していたんですか？ 《ボロヴィ：》もちろんさ。でも、いつものように働く意欲は出なかったね、仕方なく、働いてはいたけど。なかのことを、目にしては、こう、言い合ったもんだ。「ひょっとして、夜になると、家を包囲して、わしらのことも捕まえに来るんじゃないか？」、なんてね。《ランズマン：》あなた方は、ユダヤ人の身も、心配していたんですか？ 《ボロヴィ：》あんたが、指を切ったたって、わしが痛い思いをするわけじゃない、だろ。そうは言っても、ユダヤ人に何が行なわれたか、目撃したことにはちがいないさ。[*15]

この引用の最初のところ、「わしらの方が、怖くなった」というのを聞いて、監督のランズマンは、ボロヴィさんの肩をたたいてなぐさめていました。ボロヴィさんは「自分もつかまるんじゃないか、殺されるんじゃないか」と思って、怖くなったということです。そりゃそうですよね。自分は見てるほうだけど、もしかしたらあのユダヤ人みたいになるかもしれない。自分もあのユダヤ人と同じかもしれない、ということです。ここでは自分と他人の差異がなくなる。つまり、他人の身になって感じている、だから自分も殺されるかもしれないと思って、怖くなっているんです。[*16] ちなみにボロヴィさんの顔を見ると、少し左目が開きにくいようで、その顔のくせによってより不安な様子が感じられるように思えます。

だけど、引用の後半になるとちょっと変わってくる。ランズマンが「あなた方は、ユダヤ人の身も、心配していたんですか?」と聞くと、ボロヴィさんの様子は、少しいいにくそうになるというか、ちょっといいよどむような感じになっていました。で、引用の最後にあるように、「あんたが、指を切ったって、わしが痛い思いをするわけじゃない」というふうにいいます。ちょっと冷たいようにも聞こえるけど、まあ、それはそうですよね。自分は連行されたわけじゃない。自分はユダヤ人じゃないんです。だから、ユダヤ人が痛みを感じたとしても、自分が痛みを感じることはない。ユダヤ人が殺されたとしても、自分は生きている。たしかに他人の身になって怖くなるけど、自分が他人になれるというわけではない。[*17]だけど他人の身になって、怖さを感じるということがある。つまり他人のことを思うと、「うれしい」とか「悲しい」とか、この場面みたいに「怖い」とか、何かしら感情がわいてくるということです。逆にいうと、「うれしい」とか「怖い」といった感情をもてるのはどういうときかというと、自分が他人とつながっているときなんだということです。

私は、これはすごく重要な問題だと思います。つまり、自分が他人のことをどれくらいまでわかることができるのかということです。いいかえると、自分自身のなかにどれくらいまで他人をもち込むことができるのかということです。たしかにボロヴィさんのいうように、究極的なレベルでは、自分は他人になることはできない、他人と合致することはできない。だけど他人のことを思って、少しのあいだだけでも「怖い」と感じることはできる、つまり、他人について少しのあいだわかることができるということです。この「少しのあいだだけ」わかるというのが、私はとても大事なんじゃないかなと思います。ユダヤ人のことを思うと、少しのあいだだけいろんな感情が出てくる。それはずっとはつづかないし、瞬間的なことかもしれない。だけどそのときは、他人の気もちとつながっているように感じるし、コミュニケーションができているように感じる。これが、自分と他人というものの関係なんじゃないかなと思います。[*18]

先ほどボロヴィさんは、自分たちポーランド人もやられるんじゃないかと思って怖くなったといっていましたが、実はドイツ人のほうも、自分たちは報復されるんじゃないかとおそれていたみたいです。

**引用7**　《ユダヤ人移送にかんする》秘密厳守が破られたことはドイツ人自身にも影響を及ぼした。とくにポーランドでは、ドイツ人は神経過敏になり、不安を抱いていた。彼らは報復を恐れていたのである。[19]

たとえば、あるドイツ人新聞支局長は、「ユダヤ人が苦しんでいるように、お前たちの子どもが生涯苦しむように」と書かれたはがきを受けとったといわれています。また、あるナチス高官は、自分の子どもが病気で死んだときに、「これは私の悪行への神の裁きだ！」と叫んだといいます。自分はユダヤ人の子どもを残忍にあつかっていたのだから、自分の子どもがその報いを受けることになるかもしれないとおそれていたわけです。[20] このように暴虐な行為をめぐって、被害者も傍観者も、さらには加害者も、同じように「怖い」という感情を抱いています。もちろん被害者を傍観者と同じだとみなすわけにはいかないし、ましてや加害者と同じだなんて絶対にいえません。だけど、立場がまったくちがっているのに、ほんの少しのあいだだけでも同じような気分になることがある、そのことを見逃してはいけないと思います。加害者は被害者にはならないけれど、被害者と同じような気分になることがあるということです。

この映画ではいろんな立場の人が語っています。だけどたんに語っているだけじゃなくて、どれだけ他人とつながっているのかということを示しているようにも思える。つまり、ポーランド人はどんなふうにユダヤ人を見ていたのか、ちゃんとユダヤ人と信頼し合っていたのか、やっぱり赤の他人として見ていたのかということです。そして、映画を見ている私たちだって、その問題にかかわっている。つまり、映画で語っている人を見ながら、私たちはどれくらいまでその人の話をわかることができるのか、どんな感情をもつことができるのかということです。いいかえると、その人の体験をどれくらいまで自分自身のこととしてとらえることができるのかということです。だから『ショア』という映画は、自分と他人の関係について深く考えさせてくれる、そういう映画なんだと思います。

## 4　『ショア』を見る（映像2）

つづきの部分の映像を見ます。

映像2　『ショア』DVD 1-1、58:47-1:09:57（ch.24-30）

この部分でも、トレブリンカに住むポーランド人たちが出てきました。最初に何人かのポーランド人農民が出てきた。みなさん、彼らの格好というか、身なりはどんな感じだったか、覚えていますか？　きたなくて、よごれていましたね。毎日の農作業でたくさんよごれるのかなと思います。稼ぎもそれほど多くはないような、そんな感じがします。あの人たちは、自分の畑のすぐ近くに絶滅収容所があった。怖いし、変なにおいもした。でも畑ではたらかなくちゃいけなかった、そういう人たちです。

最後にはまたボロヴィさんが出てきましたが、彼はユダヤ人が話していた言葉をまねしていました。「ラ、ラ、ラ……」というふうにまねしていましたね。ポーランド人にとってユダヤ人が話す音というのは独特のものだったようで、収容所をあらわす過去の痕跡、過去の形跡として機能しているようです。[*21] においとか音、こうした感覚は記憶と深く結びついていることがわかります。

## 5　慣れることと慣れないこと

次の引用を見てください。

**引用8**　《トレブリンカの農民たち（ポーランド人男性、ポーランド語）：》《近くの収容所を立ち止まって眺めるのは》禁止されていたんだ。ウクライナ兵が、こちら目がけて、発砲してくるんだぜ。《ランズマン：》収容所から一〇〇メートルの地点でも、自分の畑で働くことは、許されていたのですか？《農民たち：》できたよ、そうさ、できたとも。ウクライナ兵が、こっちを注意していない隙に、ときどき、ちらっと見たもんだ。[*22]

なんでここで「ウクライナ兵」が出てくるのか。実は、ドイツはウクライナを占領して、ウクライナ人を兵士として集めていました。トレブリンカの絶滅収容所には一五〇人の職員がいたのですが、三〇人がドイツ人で、残りの一二〇人はウクライナ人だったということです。[*23]ドイツ人よりもウクライナ人のほうが多かったんですね。トレブリンカにいたウクライナ人兵士は、ユダヤ人に対してものすごく凶悪だったらしいです。トレブリンカを脱出できたあるユダヤ人は、次のように述べています。

「ユダヤ人に対する冷酷な殺戮も、ウクライナ兵にとっては生涯の大きな喜びであった。《略》われわれの悲劇的状況をみると熱しやすい気性のためなのか、うれしさの余り、自分の腿をばんばん叩くように驚くようなことをするのであった」。[*24]これは大げさに書いているのかもしれませんが、それにしてもユダヤ人から見ると、ウクライナ兵士はすごく狂暴だったわけです。

**引用8**の話をしていたのは四、五人の農家の人でした。多くの人はわらいながら、なんということもない思い出話のように、「あんなこともあったなあ」という感じで話しています。だけどそのなかでひとりだけ、わらわずにじっと黙っている人がいました。彼は、ほかの多くの農民とは少しちがった感情を抱いたのかもしれません。次の言葉を話した人も、わらってはいませんでした。

**引用9**　《ランズマン：》叫び声が、そんな間近から聞こえてきても、平気で働けたんですか？《トレブリンカの農民たち：》初めのうちは、ほんとに、やりきれなかった。でも、しばらくすると、慣れるもんでね……《ランズマン：》どんなことにでも？《農民たち：》ああ。今、思うとね、まさか……、あんなことが起こるなんて……。でもやっぱり、ほんとの話なんだ。[*25]

この人のインタビューのとき、近くのにわとりの声が聞こえています。そして、貧しそうな木造の平屋があります。この人は話しながら顔をこすっていますが、その手は農作業でよごれています。絶滅収容所から叫び声が聞こえてきて、最初はがまんできなかったけれど、「しばらくすると慣れた」といっています。たしかに冷たく聞こえるけど、でも、農業をしなければならない。収容所が近くにあるという状況に慣れて、はたらかなければならないわけです。人間はどんなことにでも慣れることができてしまうということかもしれないですね。だけど、それでもやっぱり、慣れることができないこともあります。

**引用10**〘トレブリンカの駅員たち（ポーランド人男性、ポーランド語）：〙彼らは、貨車から、跳び降りるんだね、この目で見ないかぎり、信じられないだろうけど。ある日など、子供を連れた母親が……、〘ランズマン：〙ユダヤ人の母親ですか？〘駅員たち：〙そう。子供を抱いてた。彼女が逃げ出すと、心臓めがけて、撃った。心臓に打ち込んだんだ。〘ランズマン：〙母親の心臓に？〘駅員たち：〙そう、母親の心臓だ。おれは、ずっとここに暮らしているけど、その光景だけは、忘れられなくって……。[涙声][*26]

証言してくれた人と通訳とランズマンは、最初カメラから離れたところで話していました。そこへカメラが彼らのほうに向かっていきます。この人は話しながら泣き出します。それを見てランズマンは、彼の肩をたたいてなぐさめていました。先ほど、「人間はいざとなればどんなことにでも慣れる」といいましたが、それでも慣れないことがある。ちなみに、このシーンが撮影されたのは一九七八年ころです。[*27] 戦争が終わったのは一九四五年だから、この駅員は三三年も前のことを思い出して、泣いている。ずっと前のことだけど、悲しくて泣いてしまっている。そう考えると、すぐに慣れちゃうこともあれば、どれだけ時間がたっても慣れないことがあるということです。

**引用11**〘トレブリンカの農民：〙今になって考えると、人間が、同じ人間に対して、どうして、あんなことができるのか、わからない。ぜったいに考えられないことだよ。どうしても理解できないことだよ。あるとき、こんなことがあった。ユダヤ人が、水を欲しがったんだが、ちょうど、ウクライナ兵が巡回してきて、水をやるのを禁じたんだ。すると、水を欲しがっていたユダヤの女性が、手にしていた鍋を、彼の頭に、投げつけた。すると、ウクライナ兵は、ちょっと後ずさりし、そう、一〇メートルくらいかね。それから、貨車めがけて、発砲しはじめたんだ、めちゃくちゃに。すると、このあたり一面、血が飛び散って、脳みそだらけになってしまった。[*28]

引用の最初のところで、「どうしてあんなことができるのか、わからない」「どうしても理解できない」というふうにいわれています。絶滅収容所でおこなわれたことは理解ができないということ、これは第2回でも見ましたよね。あのときは、ユダヤ人労働班としてはたらかされていたスレブニクさんが、「あれはだれにも理解できないことだ」といっていました。スレブニクさんは被害者の立場から理解できないといっていたんですが、今回の**映像2**では、傍観者であるポーランド人であっても、どうしても理解できないといっています。どうしてそんなことができるのかわからない。だけど、そういうことができてしまう。

どうしてそういう残酷なことができるのか、知りたくなります。なんで人間は、同じ人間に対して暴力をふるうことができるのか、理由を知りたい、そしてできれば問題を解決して、そういうことをなくしたい。だけど**引用11**でいわれているように、わからないし、理解できないんです。なので監督のランズマンは、理由を探るということはしません。「なぜ」というふうに考えることをしない。ランズマンは次のようにいいます。

**引用12**　理解しないことは、『ショア』を推敲し制作しているすべての期間において私の鉄則であった。《略》〝Hier ist kein Warum〟（「ここにはなぜというのはない」）、プリーモ・レーヴィは収容所に到着してすぐ、SS隊員からそんなふうにアウシュヴィッツの規則が教えられたと語っている。「なぜというのはない」、この法則は、同じく伝えるという責任を引き受ける人にもあてはまる。というのも伝える行為だけが重要なのであって、理解できること、つまり本当の知が、伝えることよりも先に存在することなどまったくないからである。伝えることこそが、知そのものなのだ。[*29]

考えるべきなのは「なぜ」ということではない。そうじゃなくて「どんなふうに」ということを考えるんです。どんなふうに残酷なことがおこなわれたのか、どんなふうに殺されていったのか。それをひとつひとつ積み重ねていく。たとえばCという出来事が起きたと仮定すると、「なぜ」という考え方と「どんなふうに」という考え方は、次の**図1**のように示されると思います。

| なぜ | どんなふうに |
|---|---|
| A → B → C | C1<br>C2<br>C3 |

図１

　このように「なぜ」という考え方は、直線的で単純です。Cという出来事について、なんでCが起きたのか、その理由、その原因を探す。それをBとする。じゃあ、Bの理由は何か。それをAとする。そうするとAからBへ、BからCへという直線ができるわけです。単純な図式ですね。そうすると、なんとなくCについてわかったような気がしてしまう。だけどランズマンはそうじゃなくて、「どんなふうに」と考えます。Cという出来事が起きたとすると、いろんな見方がある。それは、ある人が見ればC１のように見える。別の人が見ればC２のように見えるし、他の立場からするとC３のようにも見える。それを複数の層みたいに重ねていく。そうしてCという出来事に厚みをもたせていく。ひとつの出来事について、いろんな見方を突き合わせていく。だから出来事を直線的に説明するのではなく、出来事の複雑さというか、いろんな側面があるということを少しずつ見ていく。[*30] この映画は、ホロコーストという出来事にかんしていろんな立場の人の話を並置するわけです。

　もちろんいろんな見方を積み重ねていくうちに、「あれ、C１でいっていたことと、C２でいっていることがちがうな」みたいなこともある。だけど、それでもいいんです。ランズマンは唯一の正しい事実を求めているわけではなくて、虐殺という出来事が人によって多様な意味をもっていることを示しているわけです。そのために、「どんなふうに」おこなわれたのかということを重ねていく。ですからこの講義では、「なぜ」という質問をするのはなるべくやめておこうと思います。「なぜ」戦争が起きたのか、とか、「なぜ」ユダヤ人が殺されなくちゃいけなかったのか、とか、たしかにすごく知りたいんですが、そんな理由はわからない。なので講義では、ランズマンにしたがって、ユダヤ人が「どんなふうに」殺されていったのか、それを少しずつ見ていくことにします。

## 6　まとめ

①『ショア』は被害者・加害者だけでなく傍観者であるポーランド人にも焦点をあてる。
②ランズマンは「最初のとき」に注目する。
③自分は他人になることはできないが、他人について少しのあいだわかる。
④ある出来事に慣れることもあれば慣れないこともある。
⑤ランズマンは「なぜ」ではなく「どんなふうに」と問う。

＊1　ランズマン『パタゴニアの野兎（下）』前掲、二四一頁、二三七頁。
＊2　前掲、二四二―二四三頁。
＊3　ベウジェッツ、ソビブル、トレブリンカについては、ヒルバーグ『ヨーロッパ・ユダヤ人の絶滅（下）』前掲、一五七頁を参照。またアウシュヴィッツについては、前掲、一六一頁を参照。アウシュヴィッツ収容所長のヘスは、アドルフ・アイヒマンの事務所で鉄道と列車の配備にかんする会議に出席したとされている。
＊4　ランズマン『パタゴニアの野兎（下）』前掲、二五二―二五三頁。
＊5　前掲、二四四頁。
＊6　ランズマンは、自分の映画はたくさんの演出があってドキュメンタリーではないと述べている。ランズマン「場処と言葉」前掲、八六頁。
＊7　前掲、八七頁。
＊8　前掲、八八頁。
＊9　こうしたランズマンのやり方については次のようにいうことができる。「このように非現実化的な反復（*répétition irréalisante*）がある、つまり、登場人物が自分自身の役を演じるべく誘い込まれていくような、そうした状況の再演出がある。古典的なドキュメンタリーと

反対に、『ショア』には完全に「フィクション的な」シーンがある」。Maniglier, « Lanzmann philosophe », *op. cit.*, pp. 123-124.

＊10　ランズマン『ショアー』前掲、六八‐六九頁。

＊11　前掲、七〇頁。

＊12　Claude Lanzmann, « Les non-lieux de la mémoire » (1986), in *Au sujet de* Shoah, *op. cit.*, p. 400.

＊13　Marty, *Sur* Shoah *de Claude Lanzmann, op. cit.*, p. 55. ちなみにマルティによれば、この「今」「最初」という時間は、ハイデガーにおける「つねにすでに」の時間と異なる。*Ibid.*,p .56.

＊14　Lanzmann, « Les non-lieux de la mémoire », *op. cit.*, p. 400. ただし同じポーランド人でも、ソビブル駅の元副転轍手のピヴォンスキさんにかんしては、最初の瞬間についてよく理解しているとランズマンは述べている。第9回を参照。

＊15　ランズマン『ショアー』前掲、七〇‐七一頁。

＊16　ポーランド人が、ユダヤ人につづいて自分たちも犠牲者になるのではないかとおそれていたことについては、ヒルバーグ『ヨーロッパ・ユダヤ人の絶滅（上）』前掲、三九五頁を参照。その背景には、ナチの人種ヒエラルキーにおいてポーランド人は「下等人種」であるということがあった。SSトップのヒムラーはポーランド人について、「連中は奴隷として必要なのであり、われわれの役に立ちさえすればいいのだ」といっていたという。マイケル・ベーレンバウム『ホロコースト全史』(1993)、芝健介日本語版監修、創元社、一九九六年、一三四‐一三七頁。

＊17　注目すべきことに、収容所で被害を受けたユダヤ人も、次のように述べている。「もし私たちがすべての人の苦痛を感じることができ、そうすべきなら、私たちは生き続けることができない」。レーヴィ『溺れるものと救われるもの』前掲、六九頁。

＊18　メルロ＝ポンティにしたがえば、怒りや愛といった感情において他人と出会うときというのは、相手の顔や身ぶりや言葉に対して、思考というものを介することなく応答してしまう。そのとき「私たちは、他者たちの言葉がまだ届いてすらいないうちに、彼らに彼らの言葉を返してしまうことさえあるほどなのだ。それも、私たちがそれを理解して応答するときとおなじくらい確実に、いやそれ以上に確実に、突き返すのである。それぞれが他のすべてを含み、身体的次元において、他者たちによって確固たるものになる」。モーリス・メルロ＝ポンティ「哲学者とその影」(1959)、『精選シーニュ』廣瀬

浩司編訳、ちくま学芸文庫、二〇二〇年、二八〇頁。ここには自分と他人の含み合いがある。

＊19　ヒルバーグ『ヨーロッパ・ユダヤ人の絶滅（上）』前掲、三九六－三九七頁。

＊20　前掲、三九七－三九八頁。

＊21　Dorota Glowacka, « "Traduttore traditore": Claude Lanzmann's Polish Translations », in *The Construction of Testimony*, Edited by Erin McGlothlin, Brad Prager, and Markus Zisselsberger, Wayne State University Press, 2020, p. 162.

＊22　ランズマン『ショアー』前掲、七二頁。

＊23　ベーレンバウム『ホロコースト全史』前掲、二六二頁。

＊24　サムエル・ヴィレンベルク『トレブリンカ叛乱』(1984)、近藤康子訳、みすず書房、二〇一五年、三三頁。

＊25　ランズマン『ショアー』前掲、七三－七四頁。

＊26　前掲、七九－八〇頁。

＊27　ランズマン『パタゴニアの野兎（下）』前掲、二四三頁。

＊28　ランズマン『ショアー』前掲、八〇－八一頁。

＊29　Claude Lanzmann, « Hier ist kein Warum » (1988), in *Au sujet de* Shoah, *op. cit.*, pp. 385-386. このように「なぜ」という問いを強く禁止するランズマンの姿勢を取り上げ、そこに精神分析的な問題があるのではないかと考える論者もいる。ドミニク・ラカプラ「ランズマンの『ショアー』」(1997)、高橋明史訳、『現代思想』二五巻一〇号、一九九七年九月、二二五－二二六頁。

＊30　日付や年代的な手がかりが出てこないことにより、この映画の体験は、直線的な道すじとなって知性的な記憶に向かうのではなく、さまざまな収容所へとゆっくりと進むような逃れられないいらせんとなり、個人的で現在的な痛みからなる知に向かう。Dayan-Rosenman, « *Shoah* : l'écho du silence », *op. cit.*, p. 262.

# 05

# 複数の真理

## 1　複数の見方

これまで見たように『ショア』はさまざまな立場の人にインタビューしています。重要なのはいろいろなものの見方があり、感じ方があるということです。被害者の立場もあれば、加害者の立場もある。まわりで傍観している人の立場もある。それぞれちがうわけです。もっといえば、被害者であるユダヤ人にしても、ひとつだけの見方があるというわけではなくて、個人によってちがった見方がある。同様に加害者にしても、まわりで傍観していた人たちにしても、たくさんの見方がある。たしかに現在の私たちからすれば、「ユダヤ人がポーランドの収容所に移送されて残虐な仕方で殺された」というふうに表現すれば、それだけで理解できたような気がします。でも、ひとつだけの見方があるというわけではない。ホロコーストにかかわった人たち、その人数分の見方と感じ方がある。『ショア』という映画は、複数の見方があるということを重視しています。とくに今回の映像ではそのことが強調されています。被害者のユダヤ人、そしてまわりのポーランドの人たち、それぞれの人がどんなふうに見ていたのかを重ね合わせています。

ここでむずかしいのは、複数の見方がある、いいかえると、複数の真実があって、複数の真理があるということです。かかわった人たちには、それぞれにとっての真実、それぞれにとっての真理があるということです。だから真実とか真理というのはひとつだけではない。複数の真実、複数の真理があるということ、これが、現代について考えていくために重要なポイントになります。

そしてそのことは言語の問題、言葉の問題にもつながっています。今日の映像を見てもらうとわかるのですが、『ショア』という映画にはさまざまな言語が出てきます。監督であるクロード・ランズマンはフランス人で、フランス語を話します。さらにランズマンは、英語とドイツ語とイタリア語を話すことができる。だからフランス語、英語、ドイツ語、イタリア語のときは自分でインタビューする。けれど、ポーランド語を話せないので通訳に頼る。そのとき、さらにやっかいな問題が出てきます。すなわちポーランド人の見方があるのと同じように、その通訳の見方も出てくるということです。ランズマンは回想録で次のように述べています。

**引用1**　ユダヤ人のことを話す時、彼ら《ポーランド人》はほとんどいつもジェッキ（Jydki）という蔑称を使う。「ユダ公（petit youpin）」くらいな意味である。彼女《ポーランド語通訳》はこれを「ユダヤ人（Juif）」と訳した。これは、ポーランド語では「ジェイジ（Jydzi）」というほとんど死語に近い言葉である。[*1]

ランズマンによればポーランド語通訳の女性は、ユダヤ人のことを指すとき、よくつかわれている蔑称をそのままつかうことはせずに、ほとんどつかわれていない言葉で話した。いいかえると、証言しているポーランド人にとってユダヤ人は軽蔑すべきものだということですが、通訳にとってはそうではない。通訳は、さげすんだようなポーランド人の表現をニュートラルないい方に変えて伝えたわけです。証言者であるポーランド人の感じ方と、通訳の感じ方はちがっているということです。

でも内容の点から見れば発言はちゃんと伝わっており、たんにニュアンスが変わっただけだということかもしれません。しかし、言葉のニュアンスを変えることはその人の見方を変える、さらにいうならば、その人にとっての真実を変えることにもつながります。というのも、ユダヤ人を軽蔑して見ているのか、あるいは自分たちと同じだと思っているのかによって、ユダヤ人虐殺という事態をどのようにとらえているのかが大きく変わってくるからです。そのように考えると、その人がつかった言葉のニュアンスというのは大事な意味をもっています。ある出来事についてどういった言葉をつかって話すのかということは、それほどささいなことではない。それはむしろ、その出来事をめぐってどのようなことを真理として考えているのかという大きな問題につながるわけです。

となると、通訳が言葉を変えたことは、もしかすると、証言している人の真理を変えたということになるのかもしれません。この指摘は、「言葉を変えたのは悪かった」というふうに、通訳を責めているわけではありません。そうではなくて、人にはそれぞれの見方と感じ方があるし、それぞれの真実と真理があるのだから、通訳するときにはずれのようなものがどうしても起こりうるということです。そう考えるとこの映画において、通訳の存在が映されていて、その翻訳の言葉も省略されていないということは大きな意義をもっていると思います。なぜなら通訳がそこにいること、そして、通訳により出来事には複数の見方があるということが強調されるからです。このように私たちは、それぞれの人の真理のあいだに生じてくるずれに注目すべきなのかなと思います。

このような言葉の問題は、複数の人たちに同時にインタビューするとき、さらにむずかしいものになります。今回見る映像でも、複数のポーランド人が同時に話している場面があります。通訳の人も翻訳が追いつかなくて、たいへんそうなときがあります。それに、ある人が話しているときに、その横にいる人が「そうじゃないよ」と別の意見をいい出すときもあります。たくさんの言葉が飛び交って、話が錯綜していきます。そうすると、出来事というのはひとつの見方におさまるわけじゃないんだな、ということがあらためてわかってくる。ホロコーストをめぐって複数の言語があって、複数の見方があるということがわかるわけです。

忘れてはいけないことですが、監督のランズマンにも彼なりの見方があり、彼の考える真実があります。こういってよければ、『ショア』という映画は、ユダヤ人虐殺についてランズマンから見た真実だということかもしれません。

## 2　イディッシュ語

言葉についての補足説明です。第4回の**映像2**の最後のところ、ポーランド人の農民であるボロヴィさんとのインタビューで、次のようなやりとりがありました。

**引用2**　〘チェスワフ・ボロヴィ（ポーランド人男性、トレブリンカの農民、ポーランド語）：〙ユダヤ人同士がおしゃべりしていると、ウクライナ兵は、静かにさせようと思ってさ、黙れと、命じたもんだ。すると、ユダヤ人は黙る、そこで、警備兵は立ち去るが、ユダヤ人は、またまたおしゃべりを始めるんだ、自分たちの言葉で、ラ、ラ、ラ、……って。〘ランズマン：〙［通訳に］えっ、ラ、ラ、ラ、……って、この人は何を言おうとしたの？　何の真似をしようとしたの？［通訳の説明］ユダヤ人の言葉の真似だそうです。〘ランズマン：〙［通訳に］いや！　違う！　ちゃんと、訊《き》いてよ！　特別な響きなのかい、ユダヤ人の話し声は？［通訳の説明］彼らは、ユダヤ語で話していたそうです。〘ランズマン：〙［通訳に］〝ユダヤ語〟で話していた、わけか。ボロヴィさんは、〝ユダヤ語〟がわかるの？〘ボロヴィ：〙いや。[*2]

ポーランド人はユダヤ人の言葉がわからないようです。ユダヤ人はもともとヘブライ語をつかう民族で、イスラエルにいました。ですが、いろんなところで迫害を受けたり経済的な理由からポーランドに移住する人が多かった。ユダヤ人は住む場所を変えるとともに、つかう言葉も変えていったようです。ポーランドにいるユダヤ人がつかうのはイディッシュ語です。この**引用2**でいわれているのもイディッシュ語のことですが、ポーランドではそれを「ユダヤ語」とも呼ぶみたいです。[*3] ユダヤ人は独自の生活スタイルや慣習、固有の文学や芸術作品をあらわすのに自分たちの言語をつかっていたようです。

一般的に考えると、移住すればその土地の言語を覚える必要があるのではないかと思いますよね。ポーランドに住むのなら、ポーランド語を覚えて生活するんじゃないか、そういうふうに思います。

> **引用3**『ポーランドの地に移住したユダヤ人がイディッシュ語を維持したことにかんして』大きい意味をもったのは、当地ではポーランド語の習得を不可欠とする事情が存在しなかったことです。一六世紀以来この地のユダヤ人たちは多くの地域にまとまって暮らし、共同体、裁判所、学校、それにさまざまな集まりの網を維持し、自己完結的な社会をなしていて、周囲との交流は経済の分野だけに限られています。*4

ポーランドにはユダヤ人が多く移住したので、ユダヤ人の社会で生活することができた。だからポーランド語を覚える必要がなかったということです。もちろん自分たちだけの言葉、つまりイディッシュ語をもてるということにはメリットがあります。だって、文学や芸術といった独自の表現ができるわけですから。だけどその一方でデメリットもあるように思えます。**引用2**のように、まわりのポーランド人はユダヤ人のいうことを理解できない。そうなると、ユダヤ人とポーランド人はいつまでたっても深いつき合いができないということになります。もちろん、社会や経済がうまくいっているときには問題ないと思います。しかしそうではないときに言葉が通じないとなると、情報のいきちがいがあったとき、そのつもりはなくても相手に不信感を与えることになるかもしれません。このように、ユダヤ人がイディッシュ語という独自の言語をつかっていたことは、ユダヤ人とポーランド人の関係を考えるときに重要になります。

## 3 『ショア』を見る

映像を見てみます。前回のつづきで、場所はポーランドのトレブリンカです。前回登場した人たちも出てきます。

映像1 『ショア』DVD 1-1、1:09:57-1:29:10 (ch. 31-41)

うしろの風景を見ると、トレブリンカはとてものどかなところで、静かです。絶滅がおこなわれていたなんてなかなか想像できません。前回の**映像1**にもありましたが、のどに手をあてるというしぐさが出てきました。あれは印象的でしたね。列車に詰め込まれているユダヤ人に向けて、外にいるポーランド人たちが、「おまえたちは殺されるぞ」という合図を送る。けれど、ユダヤ人はあまりピンときていない。無理やり連れてこられてたしかにおかしいけれど、まあ、全員が殺されるわけじゃないだろう、そんなふうに思っていたのかもしれない。

## 4　複数の真理

この映像から、二つのポイントを考えてみます。

①ひとつ目は、ポーランド人はユダヤ人に対してあまりよくない感情をもっていた、ということです。

**引用4**　〘アブラハム・ボンバ（ユダヤ人男性、トレブリンカ収容所からの生還者、英語）：〙愉快な話ではありませんが、申し上げましょうか。ポーランド人のほとんど、いや九九パーセントまでは、列車の通るのを見て、――貨車の中に、家畜のように積み込まれていたので、外からは、われわれの眼しか、見えないんですが――笑ったこと、笑ったこと。大喜びしてました。ユダヤ人を厄介払いした、というわけでしょう。貨車の中の状態はといえば、押し合い、へし合いで、次のような叫びばかりでした。「私の子供はどこ？」「ちょっとでもいいから、水をください！」[*5]

これはショッキングです。ポーランド人はユダヤ人が収容所に運ばれるのを見てわらっていた、大喜びしていた、そういわれています。もちろんすべてのポーランド人がわらっていたというわけではないと思います。たとえば前回の映像で、あるポーランド人は「自分はドイツ兵に見つからないように、ユダヤ人に水をあげたんだ」と証言していました。でも、ユダヤ人であるボンバさんから見れば、「ポーランド人が自分たちを好んでおらず、邪魔ものだと思っている」と感じていた。ポーランド人は自分たちが移送されるのを見てわらっている、喜んでいるように感じられたということです。だけどその一方で、ポーランド人のガフコフスキさんは、まったく楽しい気もちにはなれなかったみたいです。

**引用5**　《ランズマン：》《ユダヤ人を積んだ貨車から叫び声があがることに》慣れたんですね？《ヘンリク・ガフコフスキ（ポーランド人男性、トレブリンカ収容所にユダヤ人を移送していた機関士、ポーランド語）：》いや、いや。とっても辛かった。うしろにいる人たちが、この私と同じ人間だということが、よくわかっていたからね。けれど、じつを言うと、ドイツ兵は、私にも、同僚にも、飲むようにと言って、ウォッカをくれていた。飲んだ勢いでも借りなければ、私らにあの仕事は、できなかったでしょうよ……。特別手当みたいなもので、現金じゃなく、アルコールで支払われていた。ほかの列車に勤務する者には、この手当は出てなかった。私らはもらったウォッカを、すっかり飲み干したもんです。アルコールなしじゃ、ここに来るたびに感じた、あの嫌な臭いに、耐えられなかっただろうよ。それどころじゃない。酔いにまぎらわそうと、自分から、アルコールを買ったことだってありましたよ。[6]

この話をしているときのガフコフスキさんの顔は、ちょっとつらそうな感じでした。せわしなくあごに手をやって落ち着かないようなそぶりをしていたし、かと思うと最後のほうでは、じっと何かを見つめていました。ポーランド人のなかでも、ユダヤ人の移送について苦しんでいた人がいたということです。それにしても、ポーランド人がユダヤ人に対してよくない感情をもっていた理由はあったのでしょうか？

**引用6**　《ボンバ：》数人のSS隊員が近づいてきて、所持品を尋ねました。「金《きん》やダイヤモンドを持っている者も、いるにはいますが、私たちが欲しいのは水です」と答えますと、「よし、ダイヤをよこしなさい、かわりに水をやろう」と言うのです。けれど、ダイヤを持って行ったきり、水は一滴ももらえない始末でした。[7]」

ここには、強制連行されたユダヤ人のなかに金やダイヤをもっている人がいたということがいわれています。もちろん全員じゃないでしょうけど、そうした金持ちのユダヤ人がいくらかいたんでしょうね。その一方で、ポーランドの農民、トレブリンカの農民たちはというと、映像に見られるとおり、多くの人が着古したような服を身につけているし、顔もよごれています。家もみすぼらしい感じです。農民たちは貧しいのではないかと思えます。そういう農民たちがお金持ちのユダヤ人を見たらどう思うのか。裕福そうなユダヤ人たちが列車で運ばれていくのを見てどう思うのか。もしかしたら、ポーランドの農民からすれば「ざまを見ろ」と、わらいたくなったのかもしれない。たしかに「ユダヤ人はお金持ちだ」というイメージは広まっていましたが、実際のところ、多くのユダヤ人はそれほど豊かではなかったといわれています。

**引用7**　ほとんどのユダヤ人は傑出してもいなければ豊かでもなかった。ユダヤ人はロスチャイルドのような富豪だという社会通念とは裏腹に、大半のユダヤ人は慎ましく暮らしていた。多くの者は貧しく、たとえばギリシアのサロニカでは、ユダヤ人の港湾労働者が大勢働いていた。ポーランドのウッジには工場労働者、アムステルダムには商店主、リトアニアのコヴノ（カウナス）にはイェシバの学生、そしてベルリンには大学教授が多かった。彼らはみな、家を建て家族を養うために、地道に働いていたのである。[*8]

イェシバとは、ユダヤの法律と伝承の集大成本であるタルムードを学ぶための専門学校です。ユダヤ人にはお金持ちもいればそうでない人もいる。だけど多くのポーランド人にとっては、ユダヤ人はお金持ちだというイメージがあった、だからユダヤ人が痛い目を見るのはうれしいことだった。ポーランド人はユダヤ人に対してあまりよくない感情をもっていたということです。このことは今後も出てきますので覚えておいてください。

②次に、二つ目のポイントですが、ひとつだけの真実をとらえるのはむずかしい、ということです。次の引用は、ユダヤ人生還者であるグラツァールさんの話です。

**引用8**　〘リヒャルト・グラツァール（ユダヤ人男性、

トレブリンカ収容所からの生還者、ドイツ語）：》車両は普通の車両、つまり客車でした。どの座席も、ふさがっていて、好きなように、選べません。席には全部、番号がふられ、すべて指定ずみだったんです。私の車室には、一組の老夫婦がいました。今でも憶えていますが、人のよい亭主は、しょっちゅう、ものを食べたがっては、奥さんにたしなめられていました。「そんなに食べてたら、先行き、何も残らなくなっちゃう」。そう、彼女は言ってたもんです。[9]

ここでは、移送列車のなかの様子について語られていますが、先ほど別のユダヤ人であるボンバさんが**引用4**でいっていたこととは、様子がちがっています。ボンバさんによると、「貨車の中に、家畜のように積み込まれていたので、外からは、われわれの眼しか、見えないんですが」といっていました。だけどグラツァールさんの列車は、窓のある普通の客車だったし、ボンバさんの列車とちがって、乗客もいくらか余裕のある雰囲気だったことがわかります。トレブリンカ収容所に移送されるということでは同じですが、そこにはさまざまな状況があったということです。そして、それぞれのユダヤ人にとって移送についての感じ方も変わってくるわけです。

**引用9**　《グラツァール：》車室の老人が、人を一人、見かけました……。あたりには、牛が草を食《は》んでいた……。それで、その若い男に尋ねたんですね、といっても、手振りでですよ。「ここは、どこ？」と。すると、相手が、おかしな仕種をするじゃありませんか。こんなふうに！　喉に、手をあてて。《ランズマン：》ポーランド人でしたか？《グラツァール：》ポーランド人です。《略》《ランズマン：》で、あなたの車室の一人が、尋ねたわけですね？《グラツァール：》言葉でじゃない、手振りでですよ。「いったい、ここでは、何が行なわれているのです？」って。すると、相手は、こんな仕種をしたんです。ほら、こんなふうな。「喉元に手をあてて、首を絞めるジェスチャー」けれども、私たちは、特別には、注意を払いませんでした。つまり、意味がわからなかったんですね。[10]

のどに手をあてるというジェスチャーがどういう意味

リヒァルト・グラツァール（DVD1-1，1:18:58）

トレブリンカの農民たち（DVD1-1，1:20:50）

をもっていたのか、そのときはわからなかった（**写真上**）。グラツァールさんはそのことを、重みをもって話しています。声はそれほど大きくありません。でも、まちがいがないようにじっくり考えながら発言しているようです。この話し方からすると、ユダヤ人がポーランド人のジェスチャーを理解できなかったということは、グラツァールさんにとってきわめて重大なことだったわけです。他方で、ポーランド人の農民たちは次のように話しています。

**引用10**　〔トレブリンカの農民たち（ポーランド人男性、ポーランド語：〕一度なんて、外国から来たユダヤ人が乗ってたっけ。こんなにも、まるまると太っててさ……。〔ランズマン：〕そんなに？〔農民たち：〕客車に乗っててね、食堂車もついてたから、酒も飲めたし、車内を歩き回ってもいた。これから、工場に働きに行くんだ、とか話してたね。それで、森の中まで入った時に、わかったのさ、工場ってものの、正体が！　彼らに、こういう手振りをしてやったよ。〔ランズマン：〕どんな？〔農民たち：〕首をかっ切られるぞ、という手振りでさあ。〔ランズマン：〕ああ、あなた方が、そのジェスチャーをしたんですね？〔農民たち：〕そうさ、でも、ユダヤ人は、信じなかったね。信じてなかったのさ。〔ランズマン：〕けれど、いったいどういう意味なんですか、そのジェスチャーは？〔農民たち：〕死が、お前たちを待ち受けているって、意味だよ。[*11]

ここで話しているのは、第4回の**引用8**と同じ人たちです（**写真下**）。このように文字で書くと、いくらか整然と話をしているようにも感じられます。だけど実際には農民たちはがやがやと話していて、けっこう錯綜しています。とくに、ユダヤ人たちにも工場の正体がわかったというあたりでは、その発言を聞いた人たちが思わずわらい出して、それと同時にいろんな人が発言します。第4回の**引用8**では、まわりの多くの人がわらっているなかで、ひとりだけ黙っている人がいました。そのときその人は、ほかの農民たちとはちがった反応のように見えました。だけど今回のこの**引用10**の場面では、前回見た感じとはちがっていて、ちょっとわらっているようにも見えます。この映像からわかるのは、**引用9**のグラツァールさんのときと話の内容は同じだけど、その話し方が大きくちがうということです。グラツァールさんは重大なことを伝えるように話していましたが、ポーランド人農民たちはわらいながら、軽いことであるかのように話しています。ポーランド人農民たちにとって、ユダヤ人たちが身ぶりを理解できなかったことは、思わずわらってしまうような話なんだということです。さらに、別のポーランド人の農民であるボロヴィさんは次のように話しています。

**引用11**　《ボロヴィ：》外国のユダヤ人は、プルマン（特等車）に乗ってきたぜ。白いワイシャツに、上等な服を着込んでよ。花が活けてある車両で、トランプをしたりしちゃって……。[*12]

**引用12**　《ランズマン：》すると、あなたは、客車の前、あなたの言う、プルマン車両の前を通っては、何も気づかず、安心しきっていたユダヤ人にこのジェスチャーをしたんですね？《ボロヴィ：》そうだよ。［笑いながら］すべてのユダヤ人にさ。まあ、ユダヤ人全員だ。《ランズマン：》《ボロヴィ：》ホームの上は、ふらっと、通れたのですか？《ボロヴィ：》そうさ。道路は、今と同じだったし、監視兵がこっちを見ないで、ぶらぶらしている、ちょうどその隙を狙って、この手振りをしたわけさ……。［笑いながら］[*13]

ランズマンは「ユダヤ人にこのジェスチャーをしたんですね」というとき、ボロヴィさんのまねをして、手で首を切るようなジェスチャーをします。それを見たボロヴィさんはわらい出します。先ほどの**引用10**の農民たちは、わらっていたとはいえ、声を出していたわけではありません。ですがボロヴィさんは、明らかに大きな声を出してわらっています。その様子はとても楽しそうに見えます。ユダヤ人に対してとくに悪意があるという感じではありません。[*14]しかしそれだけになおさら、この出来事をとても軽いものとしてとらえているように思われます。[*15]

ここで話されている内容は先ほどと同じです。つまり、移送されていたユダヤ人がポーランド人の身ぶりの意味を理解できなかったということです。しかし、その同じことに対して、**引用9**のグラツァールさんと、**引用10**の農民たち、そして**引用11**のボロヴィさんとでは、まったくちがう態度が見られます。これはつまり、それぞれにとって見方や感じ方がちがうということ、もっというなら、それぞれにとって真実や真理がちがうということです。というのも、首に手をやるという身ぶりについて重大なものと感じて話すというのであれば、ユダヤ人にとって起きたことは悲惨なものだったということになりますし、話しながら思わずわらってしまうのだとしたら、起きたことはある程度こっけいなものだったということになるからです。となれば、起きたことはそれぞれにとってまったくちがったことになります。このように、ひとつの同じ身ぶりについてさまざまな話し方があるということは、ショアをめぐる複数の見方があり、複数の真理があることを示しているように思われます。起きた出来事が人によってちがったふうに感じられるということは、次の**引用13**の場面でもわかります。

**引用13**　《ランズマン：》しかし私の知っているところでは、外国のユダヤ人が客車で輸送されたのは、かなり珍しいケースです。ほとんどは、家畜用の貨車じゃなかったんですか。《ランズマン：》違うですって？《ガフコフスキ：》いいや、それは違いますよ。《ランズマン：》えっ、奥さんは、何と言ったの？［夫人が横から口を出したので、通訳に］［通訳の説明］夫が何もかも見たわけじゃないでしょう、と夫人は言っています。《ランズマン：》あっ、そう。［通訳の説明］彼の方は、たしかに見た、と言っています。*16

映像では、この引用の最後のあたりで、ガフコフスキさんの奥さんが発言しはじめて内容が少し混乱していました。ガフコフスキさんとしては、自分が移送をしていただけに、家畜用の貨車ではなかったことを伝えたい。だけど奥さんは、「あんたはすべてを見たわけじゃないでしょう」とポーランド語で口をはさむ。このとき奥さんは、ガフコフスキさんのいうことに納得しておらず、何かいいたげな様子です。だけどランズマンがインタビューをしているのは、元機関手であるガフコフスキさんです。なので奥さんは、そのあと口を出したりしないけれど、やはり了解はしていないみたいです。その奥さんの横やりを受けて、今度はガフコフスキさんが納得のいかないような感じになります。彼はちょっと怒った様子で、「いや、おれはたしかに見たんだ」とポーランド語で話し出す。これらすべてを通訳が伝えるわけですから、場面は錯綜します。

このやりとりは、ひとつの真実をとらえるのがむずかしいということをあらわしています。機関手のガフコフスキさんには彼なりの真実がある。でも奥さんにとっては、なんとなくちがう。運ばれてきたユダヤ人たちは、やっぱり家畜用の列車でひどいあつかいを受けていたんじゃないか、そんなふうに見ている。監督のランズマンはいろんな本や資料を読んでいる、そうすると家畜用の貨車でひどい環境だったというふうに書いてある。じゃあ本当はどうだったのか？　私たちとしてはそう聞きたくなります。でも残念ながら、この映像だけではわからない。

重要なのは、ランズマンがこのとき本当はどうだったかを解明しようとするわけではないということです。もし本当のことを知りたいと強く思っているなら、ガフコフスキさんと、その奥さんに対して、もっと突っ込んで聞いていたはずです。けれどそうはしない。**引用13**の最後のほうでも、「そうですか」というふうにいって、ガフコフスキさんのいうことのつづきを聞きます。そしてこのシーンを終わらせています。だからランズマンとしては、本当はどうだったかということを追求するのではなくて、さまざまな人たちがいて、それぞれがいろんな見方をしている、いろんな感じ方をしているということを見せている。それぞれの真実をそのまま見せているということです。

こんなふうに複数の真実がある、複数の真理があるという考え方は、歴史的に見るといくらか新しい考え方だといってよいかもしれません。それまで長いあいだ、とりわけヨーロッパにおいては、真理はひとつであるというふうに考えられていた。そして、真と偽は別のものだと思われていた。そういう真と偽の対立があるからこそ、私たちの生活は価値のあるもの、道徳的なものとなることができるわけです。それがもっとも顕著にあらわれているのはキリスト教という文化です。キリスト教にはただひとりの神がいて、それが真理である。キリストの教えにしたがうことで、私たちの生活の価値も高まる。だけどこうした考え方に強く反発する人が出てきます。一九世紀末のドイツの思想家、ニーチェです。ニーチェによれば、ひとつだけの真理があるとか、真と偽の対立があるとか、そういった考え方というのは、実は人間が勝手につくり出しただけなんじゃないのか、本当はニュアンスや濃淡があるだけで、連続的なひとつの線に位置しているんじゃないのか、そういう疑問を投げつけます。そしてニーチェは、ひとつだけの真理を求めるのではなくて、むしろ小さな、とるにたりない数多くの真理というものを見出そうとします。[*17] そう考えると、いろんな真実があるということです。そう考えると、『ショア』という映画も、このようなニーチェ的な考え方に近いといえるかもしれません。

ちなみにランズマンは、前回と今回に登場した元機関手であるガフコフスキさんの人柄が好きだったみたいです。ランズマンはガフコフスキさんのことを、「トレブリンカのポーランド人農民全員のなかで、人間的態度をもった唯一の人間です」というふうにいっています。[*18] また回想録のなかで、ガフコフスキさんの家をはじめて訪れたときのことを思い出しながら、次のように語っています。

**引用14** 目をこすりこすり〔二階から〕降りてくるヘンリク〔・ガフコフスキ〕をひと目見て、彼に好感を抱いた。まだ眠そうな子供のような青い瞳、素朴で誠実そうな人柄、額に刻まれた苦悩のしわ、底抜けの親切心、私は彼を好きになった。こんな夜中に押しかけたことを詫びると、それほどまでに急がなければならなかった事情を感じとってくれたようにさえ見えた。彼は自分が関わりあった悲惨な過去を忘れるどころか、その傷から立ち直ってもいなかった。自分に向けて発せられる問いに答えることが正しいことだと考えているように見えた。実際のところ、真夜中に幽霊のように現われたこの私は、彼の話を聞くために訪れた最初の人間だった。彼が考えていることなど、気に留める者は誰もいなかったのだ。《略》彼は素晴らしい誠実さを示し、ウォッカのせいもあってのことだろう、感きわまって泣き、私も涙し、何度となく二人で肩を抱きあった。[*19]

たしかに**映像1**では、ガフコフスキさんが落ち込んでいる様子も映されていました。そこでは**引用15**のような話がありました。

**引用15** 《ランズマン：》［通訳に］エヴァ、ガフコフスキさんに、訊いてよ。なぜ、そんなに悲しそうな顔をしてるんです？《ガフコフスキ：》連中が、死へと歩んでいく姿を、見たからだ。[*20]

そういう誠実なところ、そして三〇年以上たっても傷をもっていたところを見て、ランズマンはガフコフスキさんを気に入っている。それはきっとガフコフスキさんの態度や言動が、ランズマンにとってショアという出来事のひとつの真理を示しているからだろうと思います。つまり、ショアに立ち会ってしまうと、何十年たっても傷がいやされることはないということです。もちろん多くのポーランド人はユダヤ人の移送について深刻にはとらえていないようですし、思い出してわらっているときさえありました。だけどその一方で、ポーランド人のなかにも、数は少ないかもしれないけど、ガフコフスキさんのように心を痛めつづけていたポーランド人がいる。このことをランズマンはショアをめぐる真理のひとつとして伝えているように思えます。

しかしながらガフコフスキさんを選んだということには、精神分析の観点から見て問題もある、そのようにドミニク・ラカプラという人は主張する。なぜならランズマンは、ガフコフスキさんのように深く傷を負い、現在も傷ついているような人物をあえて選んでいる、その一方では、英雄的な行為によってユダヤ人を救出しようとしたポーランド人がいるにもかかわらず、映画ではその人のことを完全に省略しているからです。ランズマンは自分の気に入るような存在だけを選んでいる。つまりランズマンが選ぶのは、英雄のごとくふるまいそれを物語のように語る人物ではなく、過去の痛みを今も体験しつづけているような人物です。いいかえるとランズマンには、過去を生き直すような登場人物だけを受け入れようとする、そういう欲望があるということです[*21]。こう考えるとランズマンは、自分にとっての真理に合うような人物だけを選んでいるわけです。

以上のように、ショアについてさまざまな見方、さまざまな真理があるということを見てきました。そして監督のランズマン自身も、彼の見方と彼の真理にとって望ましい人物を配置するということを見ました。ここからむずかしい問題が出てきます。それは、ショアを本当に理解することができるのかという問題です。ショアに立ち会う人によってさまざまな見方や感じ方があるということは、対立する意見や立場が存在するということです。そのとき、専門的な歴史家であれば、自分の依拠する学説であるとか客観性の高い資料であるとか、そういったものを基準にして判断すると思います。ですが、専門家でもない私たちがこの映画を見ているとき、どういうふうに判断するのでしょうか？　対立するような複数の意見がある場合、私たちはどちらかを選ぶことになるのでしょうか？　あるいは、両方とも認めることになるのでしょうか？　こうした理解の問題に対して、すぐに答えることはできません。今後ランズマンの表現をさらに見ていきながら考えることにしましょう。

## 5　間主観性

第4回のときに、『ショア』は自分と他人の関係について考えさせてくれる、そういう映画であることを確認しました。私たちは『ショア』に出てくるさまざまな人の話を聞いて、その人について理解しようとする。だけど少し視点を変えてみると、この映画の特徴というのは、他人について理解することであるというよりも、むしろ、他人とともに理解することではないか、そんなふうにも思えます。たとえば列車に詰め込まれたユダヤ人のことを考えようとすると、「かわいそう」「やはり戦争はいけない」といったような気もちになって終わってしまいがちです。そうではなくて、そうしたユダヤ人といっしょに考えてみる。すると、たんに同情するような気もちになるのではなく、「じゃあ、列車のなかはどれくらいの人がいたのか」とか、「ユダヤ人たちはおたがいにどんな話をしたのか」とか、具体的にこまかいことを聞いてみたくなる。

それは相手と対立するような仕方で聞くのではなく、相手と交差するような仕方で聞くということです。相手と向かい合うのでもないし、かといって相手と同じになるのでもない。相手は自分の対象なのではないし、自分そのものでもないからです。自分は相手のななめにいるような感じです。実際ランズマンは、インタビューするとき相手と向かい合うのでもないし、相手と同じ側にいるのでもない、むしろななめ前のところにいるように見えます。それは他人のことを理解するというよりも、他人といっしょに理解しようとしているかのようです。こんなふうにだれかとともに考えようとすること、それは客観的というのでも主観的というのでもない。それはむしろ、私と他人のあいだにあらわれてくる主観、おたがいのやりとりのなかで登場する主観性だということです。これはフッサール現象学の言葉を借りると、間主観性、相互主観性といえるかもしれません。このとき私と他人は、交互に生き生きと呼び覚まし合い、交互に押しかぶせながらおおい合うようになります[*22]。

そうなってくると、映画の作者はだれなのかという問題が出てくる。ホロコーストを経験し、その経験について証言しているのはユダヤ人たちであり、ポーランド人たちです。ランズマンは彼らが発言するのに立ち会っているだけです。しかし映画の監督はランズマンです。ランズマンが彼らにインタビューして発言をうながします。またランズマンは、スタッフといっしょに編集しています。そうしたことがあるからか、ランズマンは自分がこの映画の作者であり、ほかとは一線を画するスタイルを確立したことを強調しています[*23]。だけどこの映画で重要なのは、ショアを経験した人々のことをランズマンがどんなふうに考えたのかということよりも、人々といっしょにランズマンがどういうふうに考えたのかということです。ランズマンという主観性ではなく、間主観性、相互的な主観性があるわけです。それを考えると、『ショア』という映画、そして映画に登場する人たちのたくさんの証言が、本当にランズマンに属しているといってよいのか、ちょっとわからなくなってきます。[*24] もしかすると、作者という主体を想定することはできないのかもしれません。こんなふうに「主体というのはもはやない」という考え方、これは現代的な考えの特徴のひとつだといえます。[*25]

　そのときに大事になるのは、過去ではなく現在です。たしかに『ショア』に出てくる人たちは自分の過去のことを話しています。だけど彼らは今ランズマンに話しており、今ランズマンとともに考えている。ランズマンが証言者とともに考えているように、証言者のほうも自分だけの力で考えるのではなく、ランズマンという他人とともに考えているわけです。そしてそれは、現在ランズマンがその人の目の前にいるからこそできることです。だからこの映画において重要なのは記憶ではなくて今のことであり、過去ではなくて現在のことです。あるいはランズマン自身の言葉でいうと、過去と現在の距離をなくすということです。

**引用16** 《ランズマン：》この映画は思い出によって出来ているのではありません。私はすぐにそれに気づいた。思い出は私にとって恐ろしいものです。思い出ははかない。映画は過去と現在のあらゆる距離の廃棄なのです。私はこの歴史を現在において生きなおしたのです。[*26]

　ランズマンは証言する人たちと話し合うことにより、ショアを現在において生き直すことができたといっています。ここで彼は「思い出は恐ろしい」といっています。これは、ある人がみずから思い出すような過去、自分の都合のよいように思い出すような過去は信用できないという意味だとも解釈できます。ランズマンが信用するのは、他人といっしょになって思い出すような過去、意図せずその思い出をともに生き直すような過去だということです。

そのさいに重要な役割をはたすのは、身体というものです。ランズマンはホロコーストを理解するのにあたって、文書を読み解いたり映像資料を分析したりするのではありません。そうではなく、みずからの身体をつかって理解しようとします。すなわち、ランズマンはホロコーストを見ていた人に実際に会って話をします。そしてその人の言葉を直接聞く、その表情や身ぶりを直接見る。また、ホロコーストがおこなわれたところに実際にいきます。つまり、ユダヤ人が住んでいたところ、ユダヤ人が到着したところにいく。そういうふうにしてランズマンは身体のレベルで理解しようとします。そして身体において理解するということは、まさに現在においてしかおこなうことはできません。ここでも現在という時間が大事になってくる。ランズマンにとってホロコーストは言葉や観念のレベルで考えるべきものではなく、この自分の身体によってまさに今において理解しようとするべきものだということです。この身体をとおしての理解ということは、次回も取り上げます。

## 6 まとめ

①ホロコーストをめぐる複数の見方がある。
②ポーランドに住むユダヤ人はイディッシュ語をつかっていた。
③ポーランド人はユダヤ人に対してあまりよくない感情をもっていた。
④ひとつだけの真実をとらえるのはむずかしく、むしろ複数の真理がある。
⑤ランズマンは他人とともに考え、現在の身体をとおして理解しようとする。

＊1 ランズマン『パタゴニアの野兎（下）』前掲、二四九－二五〇頁。Claude Lanzmann, *Le lièvre de Patagonie*, Gallimard, 2009, p. 693.
＊2 ランズマン『ショアー』前掲、八二頁。
＊3 フェリクス・ティフ編著『ポーランドのユダヤ人』（2004）、阪東宏訳、みすず書房、二〇〇六年、二二一

頁。
＊4　前掲、二二二頁。
＊5　ランズマン『ショアー』前掲、八三頁。
＊6　前掲、八四－八五頁。
＊7　前掲、八七－八八頁。
＊8　ベーレンバウム『ホロコースト全史』前掲、四二頁。
＊9　ランズマン『ショアー』前掲、八九－九〇頁。
＊10　前掲、九〇－九一頁。
＊11　前掲、九二－九三頁。
＊12　前掲、九四頁。
＊13　前掲、九六頁。
＊14　ランズマンによると、ポーランドの農民たちが首に手をやるしぐさは、「純粋なサディズムの身ぶり、憎悪の身ぶり」であり、今もなお当時のように喜んでいるだけに「絶対的な憎悪の身ぶり」だという。Lanzmann, « Les non-lieux de la mémoire », *op. cit.*, p. 390, p. 391. だが映画発表後一〇年以上たつと、ランズマンは、ボロヴィをはじめとするポーランド人たちに対して以前の自分が不当に攻撃的な態度であったことを認めている。Glowacka, « "Traduttore traditore" », *op. cit.*, p. 148.
＊15　ある論者によると、ボロヴィのこのわらいは出来事に到達するのに適切な媒介がないこと、理解すべきことが何もないことを語っているという。そしてこのことは、映画に出てくるほかの人のわらいについても同様だといわれている。Marty, *Sur Shoah de Claude Lanzmann*, *op. cit.*, p. 21-22.
＊16　ランズマン『ショアー』前掲、九五頁。
＊17　三島憲一『ニーチェ』岩波新書、一九八七年、一一七－一一八頁、一二二頁。
＊18　Lanzmann, « Les non-lieux de la mémoire », *op. cit.*, p. 391. ちなみにガフコフスキが首に手をやるしぐさは、ほかのポーランド農民たちとちがって「絶望の身ぶり」だという。
＊19　ランズマン『パタゴニアの野兎（下）』前掲、二四四頁、二四六頁。
＊20　ランズマン『ショアー』前掲、九七頁。
＊21　ラカプラ「ランズマンの『ショアー』」前掲、二四五－二四六頁。この意味で、ランズマンの主題の立て方にも注意すべきかもしれない。ランズマンは『ショア』においてユダヤ人の問題だけを取り上げており、ナチスの犠牲者になったほかの人たち、たとえば障害者、シンティ・ロマ、同性愛者、エホバの証人についてはまったくふれていない。

＊22　エトムント・フッサール『デカルト的省察』(1950)、浜渦辰二訳、岩波文庫、二〇〇一年、二〇二頁。間主観性に属する個々の主観はたがいに対応し連関する体系をそなえており、それゆえ客観的な世界の構成には、具体性においてとらえられた数々の私のあいだに調和が属しているという。前掲、一九四頁。なおフッサールは具体性をもった私について、ライプニッツの用語であるモナドという言葉をつかっている。前掲、一二五頁。モナドについては第15回を参照。

＊23　Erin McGlothlin and Brad Prager, « Introduction: Inventing According to the Truth: The Long Arc of Lanzmann's *Shoar* », in *The Construction of Testimony, op. cit.*, p. 19.

＊24　*Ibid.*, p. 22.

＊25　たとえばフーコーをはじめ、ラカン、レヴィ＝ストロース、バルト、アルチュセールなどの二〇世紀の思想家たちは、デカルトからサルトルまでつづいてきた主体を中心とする思考を批判し、主体の解体、主体の消滅、主体の限界に目を向けようとする。ミシェル・フーコー／渡辺守章「哲学の舞台」(1978)、『ミシェル・フーコー思考集成7』小林康夫ほか編、筑摩書房、二〇〇〇年、一七八―一七九頁。ちなみにフーコーによれば、バタイユ、ブランショ、クロソウスキーなども主体を破裂させたのであり、そうした考えの淵源はニーチェにさかのぼる。さらにヴァーグナーも主体の解体という観点を提示していたという。

＊26　ランズマン「場処と言葉」前掲、八九頁。

# 06

# 過去の再構成

## 1　映画における再構成

『ショア』の監督であるランズマンはあるところで、スティーヴン・スピルバーグの『シンドラーのリスト』という映画について批判しています。『シンドラーのリスト』のテーマは、『ショア』と同じようにユダヤ人虐殺、ホロコーストです。シンドラーという名前のドイツ人の実業家がいて、彼が「自分の工場にユダヤ人の労働力が必要だ」という口実をもとに、ユダヤ人が収容所送りになるのを救ったという話です。実話なんだけど、ドラマとして見やすいように脚色しています。この映画に対してランズマンは次のように批判します。

**引用1**　『シンドラーのリスト』には事件の全体像の歪曲が、歴史的真実の歪曲があるのだろうか？　そのとおりだ。この映画の中ではだれもが人間的関係をもっているし、ユダヤ人とドイツ人も人間的関係をもっている、しかもたえずそうなのだから。逆に『ショアー』の中では、だれもがだれにも出会わない。そしてこのことは私にとって、一つの倫理的立場だったのである。[*1]

重要なのは、『ショア』という映画のなかでは「だれもがだれにも出会わない」といわれていることです。そこには、人間同士のあたたかい関係なんてものはない。ユダヤ人の絶滅という出来事の前では、だれもがひとりになってしまうということです。以前に見た映像では、ポーランド人のなかにはユダヤ人に水をあげた人もいたという話があったけど、ユダヤ人と人間的なかかわり合いをもつことはできなかった。また、ユダヤ人が特別労働班として生き延びることもあったけれど、もちろんナチスの兵士となかよくなることはないし、まわりにいた同じ労働班員にしても次々に殺されてしまうから、人間的なかかわり合いなんてできない。『ショア』で証言している人たちを見ていると、ユダヤ人絶滅に立ち会った人は、どんな立場であってもひとりでしかないんだなと思います。

もしかすると人間的な出会いがあったかもしれないし、証言者もそうした出会いについてランズマンに語ったかもしれない。そうであっても、ランズマンはそういう話を映画に取り入れることはしなかった。ランズマンの意見としては、ホロコーストにおいて人間的な関係はなかったということです。それに対してスピルバーグの映画では、まるで人間的な出会いがあったかのように描かれている。[*2] ランズマンはそのことを批判しているわけです。またランズマンは、スピルバーグが再構成しているといって非難します。

**引用2**　『ショアー』の中には、記録映像は一秒たりとも含まれていない。それは私の仕事のやり方、考え方ではないからであり、記録映像なるものが現存しないからでもある。そこで次のような問いが提起される。証言するために新しい形式を発明するのか、それとも再構成するのか、という問いである。私は新しい形式を作り出したと思っている。スピルバーグは再構成するほうを選んだ。ところが再構成するとは、ある仕方で記録映像をでっち上げることである。[*3]

ランズマンによると、スピルバーグは歴史を再構成してしまっている、自分はそうじゃなくて、新しい形式を発明したといっています。スピルバーグは実話をもとにしたフィクションをつくっている。過去をつくり直す、歴史をつくり直しているということです。[*4]

ではランズマンのいう「新しい形式」とは何か。これは、現在のいろんな人の話を集めるということではないかと思います。過去をつくり直すんじゃなくて、体験した人たちに過去を思い出して話してもらう。収容所を生き延びた人だったり、まわりで見ていたポーランド人だったり、まだ講義では出てきてないけれど、加害者のナチスの人だったり。それらの人がどんなふうに見たのか、そして、どんなふうに見ていなかったのか。もちろんたくさんの人が話すから、矛盾するところも出てきます。だけどそれを解決したり、ひとつのストーリーにまとめたりはしない。話をどんどん重ねていく。そうするなかで、現在のうちに過去が入り込んでくる。過去から現在へという方向性があるのではなくて、現在と過去が同時にある、現在と過去が重なっている、そんなふうになってきます。

## 2 『ショア』を見る（映像1）

ここでは、ソビブルの絶滅収容所についてインタビューしています。

映像1 『ショア』DVD 1-1、1:29:10-1:35:25 (ch.42)

映像のはじめに、ソビブル駅の待合室が映されていました。うす暗かったですね。外からの光はあるけど、室内に光がないためか、暗かったです。窓際の椅子に女性がひとりいました。そのとなりの椅子にも男性のような人影がありましたが、暗くてよくわかりません。一〇秒くらい映されているのですが、動きがないので、まるで静止画のようにも見えます。音がなく、動きがない、それにうす暗い。ランズマンはあえてそういう印象を見せたかったのかもしれません。

その後、ランズマンと通訳の女性は駅のホームのベンチにいて、インタビューの相手であるピヴォンスキさんと座っていました。ピヴォンスキさんはポーランド人男性で、絶滅収容所に隣接したソビブル駅の副転轍手としてはたらいていた。つまり収容所近くの駅で、列車のとおり道を切り替える仕事をしていたわけです。ピヴォンスキさん、ランズマン、通訳の三人は立ち上がり、線路のほうに歩いていき、ソビブル駅と収容所の位置の関係をたしかめていました。そのとき画面に、一羽のにわとりが線路をまたいでいる映像が差しはさまれます。まるでそのにわとりが、生と死の境界をまたいでいるかのようです（**写真**）。そのあとランズマンたちはさらに歩いて、収容所の場所をもう一度たしかめていました。

## 3　地形と地理についての映画

ソビブル駅ではたらいていたピヴォンスキさんは、次のように述べています。

**引用3**　〘ヤン・ピヴォンスキ（ポーランド人男性、ソビブル駅の元副転轍手、ポーランド語）：〙

一九四二年の二月から、私は、この駅で、副転轍手として、働き始めました。〘ランズマン：〙駅舎も、線路も、プラットフォームも、一九四二年当時と、まったく同じですか？　あの時から、何も、変わっていませんか？〘ピヴォンスキ：〙何ひとつ、変わってませんね。〘ランズマン：〙収容所は、正確には、どこからでしたか？　収容所の境界線は？〘ピヴォンスキ：〙なんなら、行ってみましょうか。正確に、お見せできますよ。[*5]

ソビブル駅（DVD1-1，1:31:25）

ピヴォンスキさんによると、駅の様子はまったく変わっていない。もちろん収容所はないけれど、それ以外は変わっていない。風景を見ると大きな建物や新しい建物はなくて、遠くのほうまで見わたせる。ランズマンはピヴォンスキさんに収容所の正確な位置を何度も聞きます。そして、収容所の境界がどこにあるのか、実際に自分で動いて何度もたしかめます。

**引用4** 《ランズマン：》ほら、ここ、ここにいれば、私は収容所の構内にいることになる。間違いないですね？ 収容所の中ですよね？ 《ピヴォンスキ：》そのとおり。《ランズマン：》今度は、こっちへ来て、ほら、駅から一五メートルほど離れると、私はもう、収容所の外にいるわけですね？《ピヴォンスキ：》そうです。ポーランドの駅員が動きまわれた場所ですよ。《ランズマン：》こちら一帯は、ポーランド側、そして、あっちは、死の側というわけですね？《ピヴォンスキ：》そうです。[*6]

ランズマンの問いに対して、ピヴォンスキさんはすぐに答えています。それはまるで、何日か前の出来事について答えているかのようにも思えます。

**引用5** 《ランズマン：》すると、今、私たちがいる所、ここが、いわゆる〝ランプ〟なんだ。間違いないですね？《ピヴォンスキ：》そうです。ここがランプで、殺戮《さつりく》される運命の、犠牲者を降ろした所です。《ランズマン：》だとすれば、今、私たちが立っているこの場所で、二五万人のユダヤ人が、降りたことになる。……ガス室送りになる直前に……。間違いないですね？《ピヴォンスキ：》そのとおりですよ！[*7]

ランプというのは、ユダヤ人を移送列車から降ろす場所のことです。それはまさに収容所の境界であり、虐殺への入り口です。ランズマンはこのランプの場所についてしつこいくらいに聞いています。彼はこの生と死の境界であるランプの場所について強い興味をもっているようで、別の証言者にもランプでの様子をくわしく語ってもらっています。この**映像1**でランズマンは文献とか資料によって理解するのではなく、その場所で自分の身体をとおして理解しています。ソビブルの駅で、どこから収容所の内部なのか、なかと外の境界はどこなのかを何度もたずね、自分で動いてたしかめる。映画を見た人の反応のなかには、こんなこまかいことをしたってなんにもならない、重要なことじゃない、そういう意見があったようです。それに対してランズマンは次のようにいいます。

**引用6**　『ランズマン：』ではなぜこんなにこまかいことについていうのでしょうか？　こまかいことは何をもたらすのでしょうか？　実際私は、こまかいことこそが重要だと思っています。それこそが事物を生気づけ、事物を見たり感じとったりするように与えるのであって、私にとって映画の全体は、まさしく抽象的なものから具体的なものへの移行なのです。それは私にとって、哲学的な歩みそのものです。[*8]

哲学というものに対するランズマンの考えについては、第15回や第23回で取り上げます。ここでたしかめておきたいのは、ランズマンは抽象的に理解するのではなく具体的に理解したいのであって、そのためにこまかいこと、細部のことを確認するんだということです。だからこそランズマンは収容所の境界がどこにあるのかと線路をいったりきたりして、身体を動かして理解しようとするわけです。たんに「ソビブルで二五万人が殺された」というふうに理解する、つまり、頭のなかだけで抽象的に理解するのではない。そうではなく、「ポーランドの駅員が動きまわれたすぐ近くのところに収容所があった、ポーランド人たちはこのあたりから見ていた」というように、具体的に理解する。そのためにランズマンは収容所があったその場所にいき、「ここ」なのか「そこ」なのか、身をもって確認しようとします。[*9]

ちなみにランズマンは、このように具体的に理解することについて「受肉」という言葉をつかいます。ランズマンにとって、「本当の問題は受肉（incarnation）なのです。情報を伝えることではなく、受肉させることです」。[*10]この受肉という語はもともとキリスト教でつかわれる言葉で、神が人間の姿をしてあらわれてくることを意味します。ですがランズマンにおいてはそうした宗教的な意味合いはあまりなくて、頭ではなく身体をとおして理解すること、具体的に理解することを指しているようです。とくに場所に結びついています。ランズマンはあるインタビューで次のようにいいます。

引用7 〘ランズマン：〙こういうわけで、場所の問題が最重要のものになるのです。私が撮ったのは観念論的な映画ではありません。どうしてあのような歴史がユダヤ人に起こったか、どうしてユダヤ人が殺されたのかということに関する、形而上学的・神学的な省察があるような映画ではないのです。これは地面と同じ目の高さで撮られた映画、地形測量の、そして地理学の映画なのです。[*11]

ランズマンにとって『ショア』は観念論的な映画、形而上学的な映画ではない。すなわち、「なぜホロコーストは起こったのか」といった壮大な問いに取り組むわけではない。ナチスの理念を歴史のなかに位置づけるだとか、ユダヤの宗教や教理といったものの正統性を論じるだとか、そういうことをするのではない。『ショア』はむしろ、地形や地理についての映画である。虐殺がおこなわれた場所にいき、その地形や地理について自分自身の身体でもって理解しようとする、そういう映画だということです。ですから収容所の正確な位置を何度もたしかめ、長いとも思えるやりとりを観客に見せています。

第1回で、ランズマンは映画のタイトルを長いあいだ決定しなかったということをいいましたが、けっこう気に入っていたタイトルが実はあったらしく、それは「場所と言葉」というタイトルだったとのことです。[*12] このことからも、ランズマンが場所というものに強い関心を寄せていたことがわかります。ランズマンは**映像1**の最後のところで、次のように聞きます。

引用8 〘ランズマン：〙今日のように、美しく晴れた日もあったんでしょうね……？ 〘ピヴォンスキ：〙悲しいけど、そうです。今日よりも、もっと、美しい日々もありましたよ！[*13]

このとき画面には、ポーランドに広がる深い森が映されていました。ピヴォンスキさんは、あのときも今と同じように美しい森と空があったといっています。戦争が終わって数十年たっていて、もちろん収容所は残っていない。だけど線路も駅も変わらない。景色も変わらない。このようにポーランドというところが戦後何十年たってもほとんど変わらないということは、ランズマンにとって大きな意味をもっていたようです。

**引用9**　たとえば、トレブリンカに行くと、土地が、ブーク川が、森が、男や女たちが、ホロコーストを語り、ホロコーストをよみがえらせ、ホロコーストを生き直している。一九四二年以来撮影までに四十三年が経過した事実など、まったく感じさせないほどだ。〘略〙胸を引き裂く同じ汽笛の響きであり、同じ駅であり、同じ駅舎であり、同じ線路であり、同じプラットフォームであり、同じ鉄道員であり、同じ目撃者だ。なに一つ変わったものはない。あそこでは、再構成する必要も、フィクション化しようと努力する必要もない。というのも、絶滅作戦は、一方では、現場の永続性・普遍性を通じて、他方では、今も人々の心に残るいつまでも開いたままの傷口を通じて、直接に見られるべきものとして存在しているからだ。[*14]

たしかにピヴォンスキさんも、過去のことを正確に話してくれます。前回見たほかのポーランド人たちもいろんなことを覚えていました。このようなポーランドの人々、そしてポーランドの風景を見ていくうちに、ランズマンはそれらをそのまま映すということを考えた。つまり、映画をつくるのに過去を再構成する必要はないと思った。ポーランドの景色は殺戮がおこなわれたときのままだし、そこに住む人々はそのときのことをきわめてよく覚えている。となれば、現在のポーランドをそのまま映すのがよい。そしてポーランド人が現在思い出すことをそのまま映すのがよい。そのことによって過去を理解できるかもしれない。このような理解の仕方は独特のものだと思います。すなわち、歴史学的ではないような仕方でショアを理解しようとするということです。[*15]

## 4　『ショア』を見る（映像2）

映像2　『ショア』DVD 1-1、1:35:25-1:44:05 (ch. 43-45)

この映像では三人が証言していました。三人とも収容所を生き延びたユダヤ人男性で、ユダヤ人を乗せた列車が収容所に到着したときどんな様子だったのかということを話していました。最初の証言者はヴルバさんという名前で、アウシュヴィッツの収容所にいた。ヴルバさんは収容所のなかで特別労働班としてはたらいている立場から、ユダヤ人列車を迎え入れるときの様子について話していました。ヴルバさんが話している途中から、画面には、収容所の建物の跡地みたいなのが映されていました。建物の入り口の門が向こうにあって、それに向かって路線がまっすぐに走っている。カメラは列車に乗っているみたいに主観的なショットになっていて、ゆっくりと門に近づいていった。そのあと証言しているヴルバさんの顔になり、さらにもう一度、列車に乗っているみたいに主観的なショットになった。ヴルバさんにつづいて、別の証言者が出てきました。彼はボンバさんという名前で、アウシュヴィッツじゃなくて、トレブリンカの収容所に送られた。ボンバさんは自分が列車に乗せられて、収容所についたときの様子を話していた。最後には、また別の証言者であるグラツァールさんが出てきた。この人もトレブリンカ収容所にいました。グラツァールさんも、自分が収容所に送られて到着したときのことを話していました。

## 5 収容所への到着

まずアウシュヴィッツ収容所にいたヴルバさんの話を見ます。

**引用10** 〘ルドルフ・ヴルバ（ユダヤ人男性、アウシュヴィッツ収容所からの生還者、英語）：〙ランプ（積み降ろし場）と呼ばれる場所があってね、そこが、ユダヤ人を乗せた列車の、アウシュヴィッツでの終着点だった。〘略〙ぼくは、一九四二年八月十八日から、四三年六月七日まで、そのランプで働いていた。列車は、いつ果てるともなく、次々とやってくる。あの部署で、少なくとも、二〇〇本は見たに違いない。しまいには、慣れっこになってしまったほどだ。〘略〙〘ヴルバの証言ショット〙ぼくはもちろん知っていた。この人々のうち、九〇パーセントまでが、二時間以内にガス殺《さつ》される。このことを、よく知っていた。人々が、こんなふうにして、跡形もなく、消え失せてしまう。頭では、どうしたって理解を超えること……。なのに、事態は何一つ変わらず、次の移送列車がやって来る。前の列車の運命について、何も知らないままで。しかも、これが、何か月も、何か月も、続くのだ。[*16]

引用のうしろのほうで、「頭では、どうしたって理解を超えること」といわれています。人々が移送されてランプに到着したかと思えば、ほとんどの人がすぐに殺されてしまう。それを知らずにまた次の列車がやってくる。これは理解できないことだといっています。これまでも、ホロコーストは理解できないという考えが何度か出てきました。だけど理解できない状況に慣れることができてしまう。ヴルバさんはつづけて、次のように話します。

アウシュヴィッツ＝ビルケナウ絶滅収容所跡
(DVD1-1, 1:37:03)

**引用11** 〘ヴルバ：〙〘列車からの主観ショット〙さて、ことは、次のように運ばれた。ユダヤ人列車が、そうね、朝の二時に、到着予定だったとしよう。列車が、アウシュヴィッツ近くの駅に着くと、ＳＳ（親衛隊）に連絡が入る。ぼくたちは、ＳＳ隊員に起こされ、ランプまで行かなければならない。〘略〙さて、全員が部署につき、用意が完了すると、列車の到着だ。非常に、非常にゆっくりと、いつも機関車を先頭にして、ランプに入ってくる。ここが、線路の終点であり、乗っているユダヤ人の、旅路の果てだった。[*17]

このとき映像が切り替わり、列車の先頭から見たような主観的なショットになります。ヴルバさんはこの引用で「非常に、非常にゆっくりと」といっていますが、それに合わせるように、映像もゆっくりと、非常にゆっくりとアウシュヴィッツの建物へと入っていく（**写真**）。

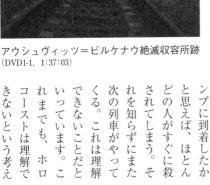

そして以下のように語られます。

**引用12**　《ヴルバ：》《ヴルバの証言ショット》列車が停止するが早いか、選り抜きの〝ギャング〟たちが、ランプに進み出る。《略》すると、扉が開き、最初にぶつけられた命令は、「アルレ、ヘラウス！」（全員、外へ）というのだ。しかも、その意味をわからせようとして、連中は、杖で、一人、二人、三人……と、片っぱしから、殴りつける。ユダヤ人は、貨車のなかに、缶詰の鰯《いわし》のように詰め込まれていた。[*18]

ここではSSが暴力をふるっている様子について語っています。みなさん、映像を見たときに気づいたかもしれませんが、「選り抜きの〝ギャング〟たちが、ランプに進み出る」というあたりで、ヴルバさんはちょっとわらっています。ヴルバさんはつづけます。

**引用13**　《ヴルバ：》《列車からの主観ショット》移送列車が、一日に、四本、五本、六本も予定されている場合には、荷降ろし作業も、一段と急ピッチで、進めなければならなかった。杖や棍棒でど突き、口汚く罵ったものだ。《ヴルバの証言ショット》しかし、天気のよい時など、連中の態度ががらっと変わり、上機嫌に、ユーモアをふりまくこともあったね。たとえば、「奥さん、おはよう！　どうぞ、下車してくださいな」と言ったり……。《略》こんなふうに言ったこともありましたっけ。「ようこそ、おいでくださいました。道中、ご不自由をおかけしました。これからは、何もかも変わりますよ……」。[*19]

この場面でもヴルバさんはわらっています。とくに引用の最後のあたりで、SSが機嫌よくあいさつするのをまねするときには、声に出してわらっています。このほかの場面でもヴルバさんは、思い出しながら笑顔になるときがあります。もしかするとショアというのは頭では理解できない、考えてみてもどうしてそんなことができるのかわからない、となると、もうわらって済ませるしかできないということなのかもしれません。ここで語られているSSの二面性は、とりわけ理解しにくいです。突然なぐる。だけど、ばかみたいに丁寧に迎えるときもある。どっちにしたってすぐに殺してしまうというのは変わらない。こういう二面性があるというのはとても不気味なものだなと思います。一方で極端に暴力的な姿勢があって、他方では極端に丁寧な姿勢がある。こういう二面性が、もしかするとナチスの本質的な部分にあるのかもしれません。この**引用13**につづいて、二人目の証言者が登場します。

**引用14**　《アブラハム・ボンバ（ユダヤ人男性、トレブリンカ収容所からの生還者、英語）：》《テラスからの海のショット》トレブリンカ収容所に入った時、そこにいた人たちがどういう人なのか、知りませんでした。なかには、腕章をつけてる人もいました……、赤や青の腕章がありましたが、ユダヤ人特別労働班員だったんですね。《ボンバの証言ショット》列車から、落ちるように降り、押し合い、へし合いするうちに、家族と、離ればなれになってしまいました。叫び声や怒号が飛びかう、その場から逃れ出たと思ったら、女は左、男は右と、二列に分けられ、歩きはじめていました。互いに探し求める余裕さえなかった。連中は、何でも使って、片っぱしから、頭を殴るからです。とても、とても痛い……、痛かったんです。いったい何が起こったのか、わかりません。考える暇などない。叫び声で、気が動転していた。[*20]

ボンバさんは、列車で移送された立場で話しています。先ほどのヴルバさんとはちがって、ボンバさんはわらっていない。その表情はけわしいです。また話しているときに、言葉がつっかえてうまく出てこないようなことがあります。そのときに受けた暴力を思い出して、その苦痛をおさえているようにも見えます。いきなりなぐられ、けとばされ、どなられて、わけがわからない。列車から降ろされると、まったくくちがった雰囲気に飲み込まれる。いわばまったくくちがったリズムがユダヤ人たちを巻き込むということです。突然の暴力、突然の怒号に対して何もできない。引用の最後のところにありますが、「いったい何が起こったのか、わからない」ということです。これはつまり、収容所のリズムがおそってきたということです。

ちなみに、三人目の証言者であるグラツァールさんの表情は、苦しそうでもないし、わらっているのでもなかった。グラッァールさんは、むしろ少し怒っているかのようにも見えます。もしかするとそのころを思い出して、怒りがこみ上げてきたのかもしれません。あるいは、SSの雰囲気をまねして強い口調になっているのかもしれない。

いずれにしても、収容所のリズムが突然おそいかかるということは、映画の証言ではないところでも、多くのユダヤ人が認めています。[*21] 暴力によって収容所のリズムを導入する、このリズムが犠牲者たちを巻き込むということです。そのリズムに突然おそわれると、何が起きているのかまったくわからなくなる。のちの講義でも考察すると思いますが、暴力を受けると、私たちは過去とか未来について考えることはできなくなります。ただ「痛い」としか考えない。今あるこの痛みだけを考えるということです。収容所のリズムは、私たちを現在へと押し込めることになります。

## 6　ランズマンへの批判

ここでは、ランズマンに対する批判を取り上げます。1で、ランズマンがスピルバーグの『シンドラーのリスト』を批判したことを見ました。ランズマンは、自分の映画は『シンドラーのリスト』とはちがって、過去の再構成をしないんだといっていた。だけどある研究者によると、「そんなことはない、ランズマンは映画のなかで再構成をしている、それもスピルバーグと同じような方法で再構成をしている」といわれています。ランズマンは無自覚のままに過去の再構成をしているということです。

**映像2**を思い出してみます。最初にヴルバさんが出てきて、列車から収容所に向かうような場面が挿入される、そのあと、別のユダヤ人のボンバさんが出てくる。この部分は、次にあるように、三つのセットアップから成り立っています。

**引用15**　セットアップ①　前進する「ユダヤ人移送列車」から見た強制収容所跡地へ続く鉄路の主観ショット

セットアップ②　収容所で移送列車が到着するのを待ち、やがてユダヤ人たちが列車から降ろされるのを出むかえたユダヤ人Ａ〘ヴルバ〙の証言ショット

セットアップ③　収容所到着後、恐怖と混乱のなかで列車を降ろされたユダヤ人Ｂ〘ボンバ〙の証言ショット*22

この三つのセットアップはそれぞれの視点をもっています。

**引用16**　セットアップ①　列車の上からの視点（列車が強制収容所に到着する）

セットアップ②　列車の外からの視点（列車が停止し貨車の扉がひらくのを外で待つユダヤ人Ａ〘ヴルバ〙）

セットアップ③　列車の内からの視点（貨車の扉がひらき外に出されるユダヤ人Ｂ〘ボンバ〙）*23

みなさん、思い出してほしいのですが、**映像2**を見て、ヴルバさんが収容所の荷降ろし場で待っている、そこにボンバさんが列車に乗って到着する、そんなふうに感じましたか？　それとも、いや、そうは感じなかった、ヴルバさんはヴルバさんのこと、ボンバさんはボンバさんのことを話しているだけで、とくにつながりはなかったと感じましたか？　もしかすると、ヴルバさんの待っているところにボンバさんが汽車でやってくる、そう感じた人がいたかもしれません。それが次の引用でいわれています。

**引用17**　結論から言えば、これら三種類のセットアップの編集の効果は、相容れない三つの視点、三つの異なる立場を「列車の到着」というメタ時系列上に因果論的に「再構成する」ことにある。そしてそれは映画史上至極当然のことである。しかしながら、このホロコースト映画において致命的なのは、この三つの視点を連係するそのモンタージュ〘多数のカットを組み合わせてつなぐ編集〙のなかで、わたしたちはじっさい

にはありえない視点、つまり超越的な視点を獲得するという事実である。厳密に言って、わたしたちが映画の観客になるのは、まさにこのありえないメタ視点を獲得するときである。すべてを一望のもとに見晴らすポジションを観客にあたえるがゆえに、『ショアー』は表象不可能な対象たるべきホロコーストを表象するという自己矛盾と表象の瓦解の困難さとを身をもって体験することになるのである。*24

ここから三つのポイントを指摘します。

ⓐひとつ目は、超越的な視点を獲得するということです。ヴルバさんはアウシュヴィッツにいたし、ボンバさんはトレブリンカにいたので、実際には二人が出会うことはありません。だけど、三つのセットアップを結びつけることで、二人が出会っているかのようにも思える。編集によってそんなふうに見えるわけです。だから、**引用17**の真ん中あたりですが、「モンタージュのなかで、わたしたちはじっさいにはありえない視点、つまり超越的な視点を獲得する」というわけです。

ⓑ二つ目のポイントは、超越的視点により過去を再構成するということです。さっきいったように、本当ならヴルバさんとボンバさんは出会っていない、出会うはずがないんですね。だけど出会わないはずの二人を出会わせてしまっている。それは、だれにもできないような超越的な視点です。しかも重要なのは、この超越的な視点によって、あたかもそういう歴史が本当にあったかのように過去を再構成してしまうということです。**引用17**の最初には、「三つの異なる立場を「列車の到着」というメタ時系列上に因果論的に「再構成する」」というふうにあります。「メタ」というのは、ひとつ上の超越的なレベルのことです。現実じゃなくて、想像上のレベルといえるかもしれません。本当はありえないんだけど、そういうことが起こったかのようにつくり直してしまう、再構成してしまうということです。こうなると、ランズマンは「自分は再構成はしない」っていってたけれど、「いやいや、やっぱり再構成しているじゃないか」ということになる。

ⓒ三つ目のポイントですが、超越的な視点は映画の伝統であるということです。ランズマンがおこなった編集の仕方というのは、ずっと前からおこなわれてきたもの

です。そして超越的な視点を獲得するというのも、やっぱり伝統的におこなわれてきたことなんです。ショットが変わっていく、そしていろんな視点からいろんな立場の人が同時に描かれる、それによって、本当ならありえないような超越的な視点が生まれる。こういうやり方は、すでに一九一四年の映画からはじまっている。[*25]『ショア』が公開されたのは一九八五年なので、その七〇年も前から、映画のなかには超越的な視点が導入されていたということです。ランズマンは「自分は新しい形式をつくり出した」といっていたけど、そんなことはまったくない、編集とか超越的な視点という技法は映画の伝統になっていたわけです。こんなふうにランズマンに対する批判がある。

## 7 出会うということ

これまで見てきたランズマンに対する批判は正しいと思います。たしかにヴルバさんとボンバさんは出会うはずがないのに、編集によって出会っているようにも見える。だから映画の技術的な分析として妥当な批判だと思われます。

実をいうと、ランズマン自身もそのことを認めているようなところがあります。次の**引用18**の発言は一九八六年、**引用19**の発言は一九九〇年です。

**引用18** 《ランズマン：》この映画においては、だれもがだれにも出会いません。そのことが映画の構造全体を取り巻いています。ユダヤ人はナチスにもポーランド人にも出会わないですし、もしそうした出会いがないのなら、本当の意味で出会いはないということです。[*26]

**引用19** 《ランズマン：》この映画の構成は、ある論理にしたがっています。『ショア』では、だれもがだれにも出会わないということです。私は以前にこのことをいいましたが、それにもかかわらず、ひとつの裏づけがあります――私は彼らを出会わせています。彼らは実際には出会わないのですが、映画が出会いの場となっているのです。[*27]

二つ目の引用では、「自分は彼らを出会わせている」といっています。ですから編集という手段によって、本当には出会うはずのない人たちを映画のなかで出会わせていることを認めているわけです。[*28]

だけど強調しておくべきは、ランズマンが編集によって証言者たちを出会わせているとはいっても、彼ら自身の経験としてはやっぱり出会っていないのではないかということです。こういってよければ、「ヴルバさんとボンバさんは出会っていても出会っていない」ということです。たしかに一見すると、ヴルバさんが待っていて、そこにボンバさんが汽車でやってくる、つまり二人が空想のうちに出会っているように見えます。だけど、本当はやはり出会っていない。ショアという出来事のなかでは、人間はだれであっても孤独であり、だれとも出会うことはできないということです。

もちろんヴルバさんもボンバさんも、収容所のなかでナチスのＳＳ隊員と会った、あるいは別のユダヤ人特別労働班員と会った。だけどそれは本当の意味での出会いではない。人間と人間の出会いではないということです。収容所でだれかと目が合うかもしれない。でもＳＳと目が合ったら殺されるかもしれない、そう思うとおびえてしまい、普通ではいられず、目をふせてしまう。あるいは別のユダヤ人と目が合ったとしても、楽しいこともない、どうも思わない、とくに感情も起きない。こうなると、たしかに出会っているのかもしれないけど、根本的なレベルでは出会っていないというような気がします。ユダヤ人絶滅が進められているなかでは、人と人が出会うということはできないわけです。だから、ヴルバさんとボンバさんがたとえどこかで出会っていたとしても、本来の意味では出会うことができない、出会っているのに出会うことができないということです。このようにランズマンの映画は、本当に出会うというのはいったいどういうことなのかということを考えさせてくれると思います。

出会っていても出会っていないというのは、なかなか実感しにくいですよね。私たちの社会では考えられない状況です。人々が到着しては殺されていく、それを迎えている自分も近いうちに同じように殺されてしまう、そんな状況に巻き込まれるなんてことは、やはりうまく考えられない。だれも信用できないし、まともな話はできない、目も合わせることができない。徹底的に孤立している。すぐそこに人はいるんだけど、だれとも出会っていない。だれとも人間的な関係をもてない。こういった状況をだれがつくったかといえば、ナチスの人たちであり、つまりは私たちと同じ人間です。つまり人間自身が、人間と人間の出会うことのない関係をつくり上げたわけです。こう考えると、人間にとって人間と出会うというのはどういうことなのか、よくわからなくなってきます。

ランズマンは回想録のなかで、出会うということについて以下の二つの引用のように語っています。

**引用20**　そう遠くない過去、一人きりでレンタカーのハンドルを握って、リオ・ガジェゴスを出発し、火の大地《ティエラ・デル・フエゴ》の境界あたり、アルゼンチンのパタゴニア大平原をチリ国境と有名なペリト・モレノ氷河に向けて車を走らせながら、私はミラノ行きの初めての汽車の中でやったように何度も口に出して繰り返したものだった。「パタゴニアにいるんだ。パタゴニアにいるんだ。」だがそれは本物ではなかった。白いラマの群れをいくつか見たものの、パタゴニアが私の内で実感されることはなかった。それは突然やってきた。黄昏どき、エル・カラファテ村を過ぎて最後の未舗装の道路区間で、車のライトの光芒のなかに背伸びした身体を後ろ足で支えた一匹の野ウサギが現われ、突然矢のように跳ねたかと思うと眼の前の道路を横切っていった。私は謎の動物、パタゴニアの野ウサギを見たのだ。突然のようにパタゴニア全体が私との一体的存在への確信の中心を貫いた。私は世界に対して無感動でもなければ、うんざりもしていない。[*29]

**引用21**　パタゴニアで、エル・カラファテの村を過ぎたところでライトの光芒のなかに現われた神秘的な動物、パタゴニアの野ウサギを見た時、自分は今パタゴニアにいるのだという自明のことが私の心を文字通りわしづかみにし、この時、パタゴニアと私は本当の一体化を果たしたのだった。これが受肉である。私は七十歳近かったが、私の存在は二十歳のそれのように喜びで弾んだ。[*30]

ランズマンは実際にパタゴニアにきていたにもかかわらず、本当の意味ではパタゴニアと出会っていなかった。そのあと、ふと野ウサギを見ることで、突然何かが起こる。そしてランズマンはパタゴニアと出会うことができ、心から喜んだ。この出会いのことを、ランズマンは「本当の一体化」そして「受肉」というふうに表現しています。受肉という言葉は、**3**でも出てきましたね。

先ほどいったように、絶滅収容所において人間的な出会いはなかった。だけどよく考えると、出会いがあったのかもしれません。たとえば第3回**引用7**のポドフレブニクさんのように、ユダヤ人特別労働班であった人が、死体を片づける作業をしているさなかに自分の家族の遺体を見つけてしまったときです。そのときポドフレブニクさんは、人間として家族と出会ってしまう。何かが起こる。彼は「もう死んでもいい」と思って、ドイツ兵に「自分も殺してくれ」と頼む。このときポドフレブニクさんは、死者と出会っているように思えます。これはきわめてネガティヴなことではあるのですが、それでもやはり本当の意味で出会っているのではないかと思います。絶滅収容所において出会いがあるとすれば、こういったネガティヴなものでしかなく、ポジティヴな意味での人間的な出会いというものはおそらくなかったのではないかと思います。

## 8　現在について

もうひとつ重要な論点をつけ加えたいと思います。それは現在についてです。ランズマンはたしかに過去を再構成しているように見えます。それもありえないような過去をうまく再構成してしまっているように見えます。だけどランズマンが注目しているのは、過去ではなくて現在です。生き延びた人のところにいって現在において話を聞く、すると、話をしてくれる人にとってユダヤ人絶滅というのは、どうもそんなにきっぱりと終わっているとはいえない。話そうとしてもうまく話せない、わらっているような悲しんでいるような複雑な表情をする。それは過去のことなんだけど、やっぱり現在のことでもあるんです。あるいは、収容所があった場所にいって現在の風景を記録してみる。すると、ポーランドの風景は昔のままで、美しい森、深い森につつまれている。そこにいる人たちも、あのころと同じで何も変わらないと語る。
そこでランズマンは、現在と過去が同じだということに注目します。たしかにこの映画は過去のことを語っているけれど、現在から見て過去を再構成するということじゃない。そうではなく、現在と過去を同時に生きるということです。もっというと、ホロコーストは過去のことではない、現在のことだということです。ホロコーストにかかわってしまうと、もうそこから抜け出すことはできない、今もずっとつづいている。このようにランズマンの映画は、現在とは何か、過去とは何か、そういう本質的なことをもう一度考えさせてくれます。だからこそランズマンは、ポーランドが過去のままにとどまっていることを強調します。

**引用22** 私にとり、ポーランドへの旅は何よりもまず時間への旅であった。西ヨーロッパではあまりに激しい社会的、経済的変化がすべてを駆逐してしまったために、一九七八年当時、一九世紀の農村がどのようなものであったかを想像するのは困難であった。だが、ポーランドは違った。あの国では、一九世紀は存在していた。触れることができた。持続と廃頽とが隣りあわせ、せめぎあい、包みあい、過去から持ち越したものの現在を、ひょっとするとより先鋭により過激に彫琢している場所、それがポーランドだった。*31

今回の**映像1**でも、ピヴォンスキさんは、「ここでは何ひとつ変わっていません」というふうに断言していましたよね。過去と現在を重ねるという作業は、とりわけ映像を編集できる映画という手段によって可能になると思います。しかしそれ以上に、ランズマンは独特の時間感覚をもっているからこそ、過去と現在の同時性を描こうとするのかもしれません。ランズマンはこう書いています。

**引用23** 年月を積み重ねながら、私は決して自分を現在の時代から引き離そうとしたことはない。たとえば「ぼくの時代には……」というように。私の時代は間違いなく今自分が生きている時代であり、世界が次第に気に染まなくなったとしても——ままあることだが

――、それでも私の世界にほかならない。《略》ある日、何もわからないような状況のなかで、時間はその歩みを止めてしまった。この時間の中断は『ショア』製作の十二年間、過酷なまでに続いた。言い方を変えるなら、時間は経過しないことをやめなかった、ということになる。時間が流れているとしたら、どうやって十二年ものあいだ一つの作品に打ちこむことができただろう？「時間は経過しないことをやめなかった」という表現は、イマヌエル・カントが「内的感覚」と呼んだものの容赦ない流れとその中断を同時に意味する。それがきわめてゆっくりと、回復期の病人のように再び流れ出したとしても、私は容易に受け容れることができない。[*32]

ここで、カントの「内的感覚」という言葉があります。カントがいうには、感性というものには二つの形式があって、そのひとつが空間、もうひとつが時間だということです。[*33]一方において、私たちは自分の外にあるなんらかのものをとらえています。これは空間という形式でとらえている。たとえばその場所や大きさを判断するわけです。他方においては、私たちは自分の内部についてとらえるときもある、つまり自分の内的な状態についてとらえるときもあります。これは時間という形式でとらえている。たとえばその自分の状態がいつのことなのか、それは以前とは同じなのかちがうのかといったことを判断します。そしてカントによると、空間というものは外的感覚の形式であり、時間は内的感覚の形式だとされます。

そうなると内的感覚というのは、あるときから別のときへと変化しているような感覚のこと、そして、ある過去からこの現在へと移行しているような感覚のことをあらわしているようです。時間はおとといから昨日へ、昨日から今日へと変化していく。そのとき、私がおとといしたことは原因として作用し、昨日にその結果があらわれる。同様に私が昨日したことは今日にその結果が出てくる。そういった時間の流れみたいなものは、私の外で空間的に感覚されるのではなく内的に感覚されるわけです。

ランズマンの**引用23**のうしろのほうをあらためて読んでみると、「内的感覚と呼んだものの容赦ない流れとその中断を同時に意味する」というふうにいわれています。たとえば一二年前と六年前と今年というふうに見ていくと、普通なら考えることが少しずつ変化していくはずです。一二年前はあのことを考えていて、それが原因になって数年前にはこういう考えになって、またそこから変わって現在にいたる、そんなふうに推移していく。だけどランズマンの場合、大量殺戮という出来事、それもユダヤ人がガス室に送られていく最後の瞬間ということばかりを考えつづけた。時間が止まったわけです。そして、時間が止まったままに過ぎていったということです[*34]。表現を変えれば、時間は過ぎていったのに止まっているということです。時間は動いていると同時にとどまっている。そういえばランズマンは、**引用23**の真ん中のあたりで、「時間は経過しないことをやめなかった」といっています。

ここにはランズマンの独自の時間感覚があるように思います。それは、過去と現在の同時性ということです。過去に考えていたこと、過去に感じていたことがそのまま現在にもある。過去のことは過ぎ去っていないし、過去のことになっていない。過去はふと現在に侵入してくる。だけど、過去が現在そのものであるというわけではない。だって虐殺がおこなわれていたころというのは今の状況とはちがうのだから、過去は現在とは異質なもの、まじわらないものとして思い出されています。過去と現在は異なるのに、なぜかおたがいに内側から含み合っている、そういう奇妙な関係にあるということです。それは、たとえばスレブニクさんの歌において「私たちが直面するような、過去でも現在でもないような新しい時間の尺度[*35]」といえるのかもしれません。

ランズマンはあるところで、もし収容所についての秘密のフィルムを見つけたなら自分は破棄するだろうといっています[*36]。それは、自分が想像するのとちがうイメージを破壊したいからというのもあるかもしれませんが、それよりもむしろ、もしそのようなフィルムをつかうとホロコーストが過去のことになってしまうからです。ホロコーストは現在の出来事であり、証言者のなかでまだつづいているし、その証言を見る私たちのなかでもつづいているものです。それは現在とは融合できないのに、現在のなかにそそり立っている。だからこそ**映像1**で見たように、ランズマンは現在のなかに異質な過去が屹立していることを、身体をとおして何度もたしかめているわけです。ランズマンは、現在の映像と現在の証言に固執する。でもだからといって、編集をしないということではない。むしろ編集によって、ホロコーストの現在性をきわ立たせているというふうに思えます。[*37]

## 9　まとめ

①到着したユダヤ人に対して、収容所のリズムがおそいかかる。
②ランズマンは、自分は過去の再構成をしないと主張する。
③だがランズマンは超越的な視点により過去を再構成しているという批判がある。
④しかしランズマンにとって重要なのは過去ではなく現在である。
⑤ランズマンによればホロコーストのさなかに人と人が出会うことはできない。

＊1　クロード・ランズマン「ホロコースト、不可能な表象」(1994)、高橋哲哉訳、鵜飼・高橋編『ショアーの衝撃』所収、前掲、一二〇－一二一頁。
＊2　次のようにもいわれている。「『シンドラーのリスト』はハッピーエンドで終わるという、ある意味で完全なる異型の作品である。ホロコーストにおいては、ハッピーエンドで終わる話はたったひとつしかないだろうし、それがこの話なのである。そういう話を選んだということは、世界にある真実を伝えたいという情熱にもよるが、それと同じく天才的なショーマンシップによるものである。その情熱、その驚異的な教育機能によって、これこそスティーヴン・スピルバーグ映画であるといえよう」。ラカー編『ホロコースト大事典』前掲、一一四頁。
＊3　ランズマン「ホロコースト、不可能な表象」前掲、一二二頁。こうしてランズマンにとって記録映像は真理を明らかにするどころか、イコン崇拝におちいってしまうわけだが、こうした姿勢については以下の反論がある。ジョルジュ・ディディ＝ユベルマン『イメージ、それでもなお』(2003)、橋本一径訳、平凡社、二〇〇六年、一二二頁。
＊4　その後スピルバーグはランズマンの回想録を読んで気に入り、二人は友人になったという。Claude

Lanzmann, « Autoportrait à quatre-vingt-dix ans », in *Claude Lanzmann, un voyant dans le siècle, op. cit.*, pp. 269-270.
＊5　ランズマン『ショアー』前掲、九九頁。
＊6　前掲、一〇〇頁。
＊7　前掲、一〇二頁。
＊8　Lanzmann, « Les non-lieux de la mémoire », *op. cit.*, p. 389.
＊9　この身体の問題は、フッサールの現象学的考察と交差するように思われる。フッサール『デカルト的省察』前掲、二〇八－二一〇頁。
＊10　Lanzmann, « Les non-lieux de la mémoire », *op. cit.*, p. 390.
＊11　ランズマン「場処と言葉」前掲、八三頁。
＊12　前掲、八四頁。
＊13　ランズマン『ショアー』前掲、一〇三－一〇四頁。
＊14　ランズマン「出会うまでに十年の歳月を要した、日本の読者に」前掲、二－三頁。
＊15　ラカプラ「ランズマンの『ショアー』」前掲、二四〇頁。
＊16　ランズマン『ショアー』前掲、一〇五－一〇六頁。
＊17　前掲、一〇六－一〇七頁。
＊18　前掲、一〇七－一〇八頁。
＊19　前掲、一〇八－一〇九頁。
＊20　前掲、一〇九－一一〇頁。
＊21　たとえば以下を参照。レーヴィ『溺れるものと救われるもの』前掲、四五－四六頁。
＊22　加藤幹郎『映画とは何か　映画学講義』（2001）、文遊社、二〇一五年、一〇二頁。
＊23　前掲、一〇三－一〇四頁。
＊24　前掲、一〇四頁。
＊25　前掲、一〇六－一〇七頁。
＊26　Lanzmann, « Les non-lieux de la mémoire », *op. cit.*, p. 393.
＊27　Claude Lanzmann, « Seminar with Claude Lanzmann 11 April 1990 », in *Yale French Studies*, 79, 1991, p. 84.
＊28　ランズマンは正反対の経験のある証言者たちのシーンをつなぐという方法によって、編集のプロセスで深い出会いをつくり出していると指摘されている。Erin McGlothlin, « In Search of Suchomel in *Shoah*: Examining Claude Lanzmann's Postproduction Editing Practice », in *The Construction of Testimony, op. cit.*, p. 271, n. 47.

＊29　クロード・ランズマン『パタゴニアの野兎（上）』（2009）、中原毅志訳、人文書院、二〇一六年、二一四頁。
＊30　ランズマン『パタゴニアの野兎（下）』前掲、三〇二頁。
＊31　前掲、二四三頁。
＊32　前掲、三〇一頁。
＊33　イマヌエル・カント『純粋理性批判（上）』（1781, 1787）、原佑訳、平凡社ライブラリー、二〇〇五年、一四九頁（A22-23、B37）。
＊34　「虐殺の出来事は終結しておらず、あいも変わらずつづいている、今ここでつづいている、それは私たちにとっていつでもなお同時代のことである」。Marty, *Sur* Shoah *de Claude Lanzmann, op. cit.*, p. 46.
＊35　Dayan-Rosenman, « *Shoah* : l'écho du silence », *op. cit.*, p. 258. 第2回注17で既出。
＊36　ランズマン「ホロコースト、不可能な表象」前掲、一二二頁。
＊37　『ショア』においてカメラがアウシュヴィッツの門に向かうとき、動いて門をくぐるのではなくズームにしているだけであり、カメラ自体は門の外にとどまっている。ある映画研究者によると、ズームというのは人間の身体の運動ではなく精神の運動をあらわす傾向があるという。ここには、過去の収容者が身体的に門をくぐったのに対して、映画を見る私たちは精神の目によって門を見ているという根本的なちがい、つまり「人間の知覚の変更」があるといわれている。Fred Camper, « *Shoah's* Absence » (1987), in *Claude Lanzmann's* Shoah, *op. cit.*, p. 106. こうした技術によって、過去と現在が混じり合うとともに、両者のちがいも浮かび上がるように思われる。

# 07

# 虐殺の痕跡を消すこと

## 1　戦争の非情

ジル・ドゥルーズという人の文章からはじめます。ドゥルーズは、二〇世紀後半に活躍したフランスの哲学者です。かなり長いですが、読んでみましょう。

**引用1**　戦争が出来事の一例ではなく、出来事の本質に相応しい〈出来事〉であるのは、おそらく、戦争が同時に多くの仕方で実現され、各参加者が各々の現在の変化につれ実現の異なる水準で戦争を捉えることができるからである。こうして、スタンダール、ユゴー、トルストイが戦争を「見る」仕方と主人公に戦争を見させる仕方の比較が、古典的なものになったわけである。しかし、とりわけ、戦争がこんな出来事だからである。すなわち、戦争は、戦争の場の上を飛び、すべての時間的実現に対して中立的で、勝者と敗者に対して、臆病者と勇者に対して中立的かつ非情であって、それだけにますます怖ろしく、決して現在ではなく、常に未だ来たるべきものであり既に過ぎ去ったものであり、そして、このような戦争は、戦争そのものが無名の者に吹き込む意志によって、「無関与」の意志と呼ばれるべき意志によって捉えられるだけである。それは致命傷を負った兵士の中にある意志である。もう勇敢でも臆病でもなく、そしてもう勝者でも敗者でもありえず、こうして彼方に、〈出来事〉がとどまる彼方にとどまり、〈出来事〉の怖ろしい非情を帯びる、そんな瀕死の兵士の意志である。「どこ」に戦争があるのか。それゆえに、兵士は、出来事の永遠真理の高みの時間的な実現のそれぞれを眺めるように決定され、逃げながら自分が逃げるのを見るし、飛びかかりながら自分が飛びかかるのを見ることになる。〘略〙出来事についての最も偉大な書物、この点ではスタンダール、ユゴー、トルストイより偉大な書物は、スティーヴン・クレインの『赤い武功章』である。そこでは、主人公は、匿名で、「若き人間」や「若き兵士」として指示されている。そこにはルイス・キャロルの戦争に少し似たものがある。キャロルの戦争では、大きな雑音、中立的な巨大な黒雲、騒々しい烏が、戦闘員たちの上を飛び、戦闘員たちを分離したり分散させたりしながら、戦闘員たちを見分けられなくしてしまう。たしかに戦争の神はいるが、すべての神の中で、戦争の神は、最も非情で、祈りが通らぬ神であり、「〈不可入性〉」、空虚な空、アイオーンである。[*1]

よくわからないところが多いですね。とりあえず四つのポイントをあげておきます。

①戦争は中立で非情である
②戦争のなかではだれもが傷を受ける
③戦争は傷を負った兵士というイメージとしてあらわされる
④戦争は大きな音と結びつく

①ひとつ目は、戦争は中立で非情であるということです。**引用1**のはじめのほうに、「臆病者と勇者に対して中立的かつ非情であって」というふうに書いてあります。これはつまり、戦争はすべての人間を巻き込み、例外はないということだと思います。戦争はだれに対してもいわば平等におそいかかる。強い者にも、生まれたての赤ちゃんにもおそいかかる。その意味で戦争というのは、どちらの側に立つわけではなく中立だということができます。また、弱い者にも同じようにふりかかるという点

では情け容赦なく、非情であるということができます。
②二つ目は、戦争のなかではだれもが傷を受けるということです。引用の真ん中より少し前ですが、「無名の者」という言葉があります。戦争という出来事のなかではどんな人であっても個性を失います。戦争のなかで大事なのは、相手に対して傷を与えることです。それが身体的であっても精神的であってもよいし、情報の攪乱《かくらん》としてでもよいのですが、とにかくダメージを与えることが目的となります。そのとき、ダメージを与える人間が絶対にその人でなければならないということはなく、より多く傷をつけることができるのならだれでもいい。そう考えると、戦争においてはだれもが相手を傷つけるし、そしてだれもが相手によって傷つけられる。引用のうしろのほうで、「逃げながら自分が逃げるのを見るし、飛びかかりながら自分が飛びかかるのを見る」といわれています。これは、みんなおたがいに傷を与え、おたがいに傷を受けているということをいっているのかもしれません。
③三つ目のポイントは、戦争は傷を負った兵士というイメージとしてあらわされるということです。引用の真ん中あたりに、「致命傷を負った兵士」とか「瀕死の兵士」という言葉があります。先ほどいったように、戦争という特別な状況のなかでは、だれもが相手に対して傷を与え、相手によって傷を受ける。それが戦争というものの姿です。となると、傷を負った兵士というのが、戦争をあらわす適切なイメージとなります。ドローンをつかったりしてその場にいなくても戦闘に参加できるようになるとしても、やはり根本的なところでは、戦争というのはだれかに傷をつけることとして理解されるのではないかと思います[*2]。
④最後のポイントですが、戦争は大きな音と結びつくということです。引用の最後のあたりには、「大きな雑音、中立的な巨大な黒雲、騒々しい鳥」というふうにいわれています。当然のことですが、銃を撃ったり爆弾を爆発させたりすると大きな音が出ます。だれかが傷を与え、だれかが傷を受けるとき、その人々も声を出します。もちろん司令室は静かかもしれませんが、現場では大騒ぎが起こっているはずです。物音、叫び声など、けたたましい音がある。戦争はそのような大きな音と結びつくと考えられます。

戦争というのは、以上四つの特徴があるように思われます。そのなかでも重要なのは、中立的で非情だということではないかと思います。すなわち、戦争はすべての人を例外なく巻き込むということです。

戦争が中立的で非情であるということは、リズムという視点につながるのではないかなと思います。第1回の講義では、ひとつの仮説として、「ショアはひとつのリズムなのではないか」という考えを提示しました。つまり、ショアはリズムとして私たちを巻き込んでいく、しかし同時に、私たちは巻き込まれながらも私たち自身でそのリズムをつくり上げているという考えです。

戦争は情け容赦なく、あらゆる人を巻き込んでいく。さらに勝者も敗者も、加害者も被害者も巻き込んでいく。さらには子どもだとか、本来は戦いに関係のない人たちをも、その渦のなかに取り込んでいきます。そうして全員がおたがいに傷つけ合うようになる。というのも、戦争というのは相手を傷つけることを目的としているからです。無関係のように思われる傍観者にしても、そのように傍観している、暴力を見すごしているという仕方で傷を増やしています。また被害者にしても、たしかに傷を与えていないけれど、加害者に対して報復したいと考えるはずです。それはつまり、傷つけることを新たに望むということです。そんなふうにして、戦争はリズムとして私たちを巻き込み、それとともに私たちはそのリズムをつくり上げるということです。

戦争のなかでは、おたがいに傷つけるという事態からだれも逃れられない。だからこそ戦争のイメージというのは、**引用1**にいわれているように、傷を負った兵士としてあらわされるのだと思います。このとき、私たちが戦争をしているというよりも、むしろ、私たちは戦争そのものとなってしまっている。もっと正確にいうなら、私たちは戦争を構成するリズムになってしまっているということかもしれません。

## 2 『ショア』を見る（映像1）

前回の映像では、ユダヤ人たちが列車に乗せられて絶滅収容所に到着した。武器をもったドイツ兵たちが待ちかまえていて、杖とか鞭で、ユダヤ人を思い切りなぐりつけて追い立てる。そのあとどうなるのか。それが今回の話題です。

映像1　『ショア』DVD 1-1、1:44:05-1:57:53（ch. 46-52）

ユダヤ人はどんどん追い立てられ、裸にさせられ、ガス室に押し込まれます。しかし映像で証言している人たちは、ガス室に行かなくてすんだ。というのも絶滅収容所を仕切っていたナチスのSSが何人かのユダヤ人に声をかけて、「お前はみんなの列から離れろ、こっちへこい」というんです。そうしたユダヤ人は特別労働班としてこきつかわれる。ユダヤ人特別労働班は、自分たちユダヤ人の絶滅の手伝いをさせられるためにちょっとのあいだは生きられるのですが、結局はやっぱり殺されてしまう、そういう人たちです。映像で話していたユダヤ人は、殺される運命にありながら、偶然にも生き延びることができた人たちです。

## 3　すべての痕跡を消す

先ほど、戦争が四つの特徴をもつことをお話ししました。ナチス・ドイツが引き起こした戦争も、そうした特徴があります。だけど絶滅収容所においては、暴力を与えて傷つけるより以上のことをしています。それは何かというと、殺すだけでなくその痕跡を消す、すべての痕跡を消すということです。

**引用2**　《アブラハム・ボンバ（ユダヤ人男性、トレブリンカ収容所からの生還者、英語）：》あの涙、あの叫び、あの怒号……、あの場の出来事ほど、つらいことはありませんでした……。訴えるようなあの声、あの叫びは、耳について離れず、何日も、何日も、頭に残っていました。夜も同じことです。怒号を思い出しては、まんじりともできない夜が、続いたのです。突然、命令されたかのように、一度に、すべての動きが停止しました。人々が入っていった先は、まるで命令されたように、すっかり、静まり返っていました。すべてが、死に絶えたかのようです。それから、われわれに命令が出ました、戸外で、約二〇〇〇の人が、服を脱いだその広場を、「すっかり清掃しろ、何もかも運び去れ、もとどおりにかたづけろ、それも、一瞬のうちにだぞ！」と、言うのです……。ドイツ兵たち、ウクライナ兵たち、そこに居合わせたほかの連中などが、「もっと急げ、衣類を束ねて、もっと早く運べ、中央広場まで運べ」と、怒鳴って、殴りはじめました。中央広場では、もう、衣類や、履物などが、山のように、うず高く積まれていました。あたり一帯は、あっという間に、空っぽになりました。まるで何事もなかったようです。もとのように、ひとっこ一人いなくなりました。何の痕跡も残っていません。たった一つの跡だって！　すべては、魔法のように姿を消していました。[*3]

たくさんの洋服や靴が山のように積まれていたのに、すっかり片づけられてなんの痕跡も残らないといわれています。なんの形跡もない、あとかたもない。これはトレブリンカ収容所の話ですが、別の収容所でも同様だったみたいです。次の引用を見てください。

**引用3**　『ルドルフ・ヴルバ（ユダヤ人男性、アウシュヴィッツ収容所からの生還者、英語）：』移送列車が着く前には、必ず、ランプは、塵《ちり》一つなく、清掃されたものだ。前の移送の痕跡が残っていることは、許されない。たった一つの跡でも。[*4]

アウシュヴィッツでも痕跡を消し去るという同じ命令があったといわれています。ナチスはどこであっても、すべての痕跡を消すことを目指したわけです。すべての痕跡を消すということは、服とか靴の痕跡を消すというだけではありません。それをもっていたユダヤ人の痕跡を消す、そして虐殺に立ち会ったユダヤ人特別労働班の痕跡を消すということです。

**引用4**　『リヒァルト・グラツァール（ユダヤ人男性、トレブリンカ収容所からの生還者、ドイツ語）：』トレブリンカの門の中に、いったん閉じ込められた者は、だれでも、死と隣り合わせですし、隣り合わせの運命にある——これまた同じように、当たり前のことでした。というのも、もはや、生き残って証言するなんて、けっして許されるはずのないことなのですから。トレブリンカに入って、早くも三時間後に、私はそう悟ったのです。[*5]

収容所に来たら生き残って証言することはけっしてできないといわれています。つまり、そこで死ぬ。新たに送られてきた人は殺され、殺すのに立ち会った労働班員も殺される。そのために収容所で起きたことを語る人がいなくなってしまう。まさにすべての痕跡を消すわけです。ナチスは痕跡を消すということにとても執着していました。

**引用5**　当初、死体は共同墓穴にただ埋められるだけだった。しかし、短期戦で勝利をおさめるというドイツの見通しが次第に危うくなるにつれ、その発覚を恐れる心理が日増しに膨らむ。だが一方で、犯罪の非道さが想像を絶するあまり、もし白《しら》を切ろうとするならばその「ありえなさ」は有利に働くにちがいないし、したがって将来、大量虐殺の事実を否認することへの誘惑というか、その可能性があるということは、だれもが認識していた。〔略〕四二年秋には、ソビブルとベウジェッツ絶滅収容所付近の共同墓穴からも死体を掘り出して焼却した。四三年二月、ヘウムノ絶滅収容所で、続いてトレブリンカでも同じ作業がくり返される。[*6]

敵が収容所までくると、ユダヤ人を虐殺していたことがばれてしまいます。だけど大量虐殺という事態なんてだれも想像しないだろうから、痕跡さえなければ隠しとおせるはずだ。だけどそのためには、すべての痕跡を消す、ユダヤ人の死体をも消す必要があります。そこで、土に埋めた死体をもう一回掘り返して焼く、焼いてできた灰を近くの川にばらまく。そうやって死体を消そうとします。そうした死体の処理をするのはだれかというと、ユダヤ人特別労働班です。この人たちは、自分と同じユダヤ人たちの死体を土に埋め、また掘り返して焼き、残った灰を川に流します。最終的には自分も殺されて、自分の痕跡も消されてしまいます。こうしてナチスは、虐殺のあらゆる痕跡を消し去ろうとしていた。

　虐殺の痕跡を消すというナチスのやり方は、ショアという出来事の本質だと思われます。ショアというのはユダヤ人の殲滅《せんめつ》をおこない、そのすべての痕跡を消し去ることです。この意味でショアは、**1**で考察した戦争という事態にとどまることなく、さらに過剰な暴力を加えたものだと思われます。いいかえると、ネガティヴなものを過剰に進めたものだということです。エリック・マルティという人は次のように論じています。

**引用6**　こうした出来事にかんするすべてのものと同様に、この出来事を世界の表面で引き起こし繰り広げている過剰は、純粋にネガティヴな過剰である。この出来事は、あまりにも暴力の時間性、あまりにもネガティヴな密度の時間性を引き出すようなので、出来事は行為と同じように、その実行とその消滅を同時に実現する。私たちはここで〈中立〉と非情に向き合っているのだが、それは、ドゥルーズのいう戦争の〈中立〉と非情とはまた別の仕方で不安なものである。「ひとっこ一人いなくなりました。何の痕跡も残っていません。たった一つの跡だって」。／〈中立〉というのはそうした瞬間、そうした一瞬であり、アブラハム・ボンバが反応なく空白の沈黙のうちに叫んでいるときに語っている、そうした空白である。[*7]

　この引用は、虐殺の痕跡を消すショアの出来事にかんしていわれています。これにもとづいて、戦争とショアはどこが似ていてどこがちがうのかを見ていきましょう。先ほど述べた戦争の特徴と関連させつつ、ショアについての四つのポイントを指摘します。

①戦争は中立で非情である（同じ）
②戦争のなかではだれもが傷を受ける（同じ）
③戦争の暴力が進みショアになると、傷が消え去り、イメージがなくなる
④ショアにおいては音がなくなる

ショアという出来事においても、①と②という特徴は変わりません。戦争はやっぱり中立で非情である、すな

わち、だれかをよけるということはなく、だれに対しても同じようにおそいかかる。そしてそのような状況では、だれもが相手に対して傷をつけるし、だれもが相手から傷を受けることになります。ここまでは変わらない。だけど、③と④の特徴はちがいます。

③戦争の暴力が進みショアになると、傷が消え去り、イメージがなくなります。ナチスの兵士たちはユダヤ人をたんに殺してしまうどころか、その死体を消し去ってしまう。いいかえるとユダヤ人を傷つけるばかりじゃなく、「傷つけた」という事実をも消し去ってしまう。つまり、あまりにも過剰な暴力をおこなっているということです。普通暴力をふるうと、その痕跡、その傷の跡が残ります。だけどその暴力をもっと極端に進めて、死体をも消してしまう。傷の痕跡を完全に消してしまうわけです。**引用6**には、「この出来事は、あまりにも暴力の時間性、あまりにもネガティヴな密度の時間性を引き出すようなので、出来事は行為と同じように、その実行とその消滅を同時に実現する」という言葉があります。多くの出来事は、実現されるとそのあとに何かを残すのですが、ショアという出来事は、殺害すると同時にその殺害の痕跡を消す。何かを生み出すのではなくて、何もなくなることを生み出すということです。何もなくなってしまうわけですから、ショアを示すイメージというものはありません。戦争をあらわすイメージであれば傷を負った兵士というのがあるのですが、ショアをあらわすイメージは見つからない。

④そして、ショアにおいては音がなくなります。**引用2**でボンバさんがいっていたように、「ひとっこ一人いなくなりました。何の痕跡も残っていません。たった一つの跡だって」というわけです。収容所に列車が到着するとき、一度に二〇〇〇の人間が降ろされることもありました。それだけ多くの人数ですから、降ろされるときにはすごい音が聞こえるはずです。列車の音、銃の音、叫び声、どなり声、走る音。でも、すぐに人々は殺されてしまい、彼らの服も靴も荷物もなくなる。最後には死体もなくなってしまう。音がなくなる。人間というのは生きているかぎりなんらかの音を発しつづけるものですが、ショアにおいては音が完全になくなる。だからこそランズマンはショアを表現するのにあたり、現在のポーランドの静かでおだやかな映像をそのままつかうのだと

思います。ランズマンは映画に音楽をつかわないし、ナレーションも挿入しない。ショアとは沈黙だからです。戦争で傷つけ合っているあいだは大きな音が聞こえますが、その暴力がきわまってショアになってしまうと、もはや何も聞こえなくなる。**引用6**にマルティが書いているように、たしかにここには中立と非情というものがあるけど、でもそれは、ドゥルーズがいっていた戦争における中立と非情とはちがって、別の仕方で不安になるような、そういうものです。

もう一度**引用6**を見ると、はじめのほうに、「この出来事は、あまりにも暴力の時間性、あまりにもネガティヴな密度の時間性を引き出す」といわれています。ここでいわれている「時間性」というのはなんのことでしょうか？　私の解釈ですと、収容所にくることでその人の状況というか流れのようなもの、いってみればリズムがまったく変わったということだと思います。たとえば**引用2**では、収容所のドイツ兵とウクライナ兵が、ユダヤ人特別労働班に対して、「もっと急げ、衣類を束ねて、もっと早く運べ、中央広場まで運べ」と、どなってなぐりはじめたといわれています。ここから、ユダヤ人労働班をとにかく急がせて、収容所の時間性、収容所のリズムに巻き込もうとしていることがわかります。**映像1**にあった二つの言葉を見てみます。そこから、収容所には独特の時間性があり、リズムがあるということがわかるからです。

**引用7**　《グラツァール：》《私は》こう尋ねました。「どうなったのです？　ほかの人たちは？　裸になった連中は？　どこに行ったんです？」すると、彼《ユダヤ人職長》の答えは、こうでした。「〝トイト〟。みんな、死んだ《トイト》」しかし、私には、よくわかりませんでした。まだ、信じかねていたのです。〝トイト〟とはイディッシュ語ですが、打ち明けますと、イディッシュ語を耳にしたのは、これが、初めてのことでしたから。彼の答えはそんなに大きな声ではなく、その目に、涙が浮かんでいるのが、見えました。ところが、突然、彼は私を怒鳴りつけ、鞭を振り上げるんです……。その時、一人のSS隊員の近づいてくる姿が、横目に入ったので、これ以上、何も訊《き》いてはいけないのだ、ただただ包みを持って、外へ飛び出さなければならないのだ、と悟りました。[*8]

**引用8**〘グラツァール：〙その時、私は感じたことを、カレルに言いました。「まるで、暴風雨だ、荒れ狂う海じゃないか。船は沈没したのに、ぼくらはまだ生きている。こうなったら、じたばたしちゃいけない。ただ、波が来たら、身体をあずけて、波に乗るんだ。そして、いつも、次の波にそなえて……、何としてでも、浮いたままでいなくっちゃだめだ。それ以上よけいなことはしないで[*9]」。

**引用7**では、収容所のなかでも、ユダヤ人特別労働班員同士で話している場合には涙がこぼれることもあるけれど、そこにSSがくることによってガラリと様子が変わる。鞭が振り上げられる。つまり、SSの登場によって絶滅を進めるリズムがあらためて作動し、グラツァールさんを巻き込みはじめたということです。グラツァールさんはそれを理解します。すなわち、生き延びるためには、この異様なリズムに対して、むきになって反抗してはならない。**引用8**では、「波が来たら、身体をあずけて、波に乗るんだ」といわれています。絶滅のリズムに巻き込まれたら、自分もそれに合わせて業務をおこない、自分自身でもリズムを新たにつくり上げる。もちろんそんな業務をするのは不本意です。だけどそうしないと殺されてしまう。このようにショアはあまりにも暴力的な時間性、あまりにもネガティヴなリズムをもたらしますが、ユダヤ人は生き残るためにそうした時間性、リズムというものに適応しなければならないわけです。

## 4 『ショア』を見る（映像2）

先ほどのつづきです。

映像2 『ショア』DVD 1-1、1:57:53-2:03:48 (ch. 53-54)

まず、カフェで男女がダンスを踊っている場面がありました。そのあとのシーンでは、生き残ったユダヤ人女性が話していました。この女性は収容所に送られる前に地下に逃げた。それで収容所にいかなくて済んだわけですが、女性の最後の表情はつらそうでした。生き延びることができたのに、まったくうれしくなさそうです。この女性が語る部分では、基本的にはドイツの風景が写されていて、女性自身の姿が出てこないまま、その声が聞こえていました。これはボイス・オーバーといいます。女性の顔が出てきたのは、証言が終わるあたりになってからでした。こういったことから、この女性の証言者は「ほとんど身体から分離した声のようだ」、そんなふうにいっている研究者もいます[*10]。ここには、ランズマンにおけるジェンダーの問題が見えてきます。この映画において女性の証言者が画面に出てくることは、すごく少ないんです。このジェンダーの問題については第20回で取り上げます。

このユダヤ人女性はつらそうな顔をしていましたが、それに比べて、**映像2**のはじめに出てきたダンスの場面は楽しそうでした。おじいちゃんとおばあちゃんの二人が手をつないで踊っていた。映像の情報によると、場所はベルリンにある「ウィーン」というカフェです。おじいちゃんはグレーのスーツに黒いシャツでぴしっと決めている、おばあちゃんはピンクのワンピースに真珠のネックレスをして、かわいい格好です。二人でくるくるとダンスしていて、とても楽しそうです。そのうれしそうな様子は、そのあとに出てきたユダヤ人の暗い表情とまったくちがっていて対照的です。老夫婦のような二人がくるくるまわってダンスしていることは、さらに異なった意味を含んでいるように思えるのですが、それについては第11回で考えることにします。

## 5　自分は知らなかった

**映像2**で話していたユダヤ人女性の言葉を引用してみましょう。

**引用9**　『インゲ・ドイッチュクローン（ユダヤ人女性、ベルリンの地下に潜行して移送を逃れた、英語）：』ここは、もう、私の国じゃないわ。ドイツ人が、〝自分たちは知らなかった、何も知らなかった……〟なんて、言い出す始末ですもの、絶対にもう、私の国じゃないですよ。「俺たちは見なかった」と言うんですからね。「そういえば、たしかに、ここにはユダヤ人が住んでいた。けれど、ある日突然、いなくなってしまった。何も知らなかった……」ですって！　あの人たちの目に入らなかったはずがないでしょう！　一回だけの話じゃありませんよ！　ほとんど二年近くも、繰り返された作戦じゃないですか！　ほとんど二週間おきに、人々は、無理やり、家から狩り立てられていったんですよ。その間、あの人たちは、どうして、目をそらしていられたんでしょう？[*11]

ドイツに対する怒りとドイツ人に対する不信感が出ています。戦争が終わって、ドイツ人たちは、自分たちは何も知らなかったといい出した。そんなはずはなくて、ユダヤ人の連行は大々的におこなわれた、見ていないわけがない、見て見ないふりをしていただけだといいます。[*12]

ほかの文献を調べてみると、こう書いてあります。「たしかに、当時の人々の胸の内はもはや知る由もない。だが、ドイツのユダヤ人の連行は秘密裡に、一般大衆の目に触れないところで行われたという、のちによく言われる主張が正しくないことだけは明らかである」[*13]。

**引用9**の最後では、「どうして、目をそらしていられたんでしょう？」といわれていますが、残念ながら人間というものは、犯罪行為を見ていながらも目をそらすことができてしまう。それであとになって、自分たちは知らなかった、気づかなかったんだといい出すわけです。それは人間のひとつの真理なんだろうと思います。

たとえばナチスは、ユダヤ人殺害の痕跡を消してしまえば、あとでしらを切ることができると考えた。収容所の出来事というのはあまりにも残虐で、想像を絶することなので、痕跡を消してしまえばよい、そして「自分は知らなかった」といえばよい。ユダヤ人の死体も、生き残って証言する人も残っていないのだから、というわけです。このように「自分は知らなかった」と主張するのは、一般の人にかぎりません。ナチスで高い地位にあった人たちも、そういうふうにいい張ります。

**引用10**　絶滅機構の中で高い地位にあったにも関わらず、被告人は『戦犯裁判において』無罪を主張した。ユダヤ人の抹殺を知らなかったというのである。フォン・シーラッハ〔ウィーンの地方長官〕は何も知らなかった。フンク〔経済相〕も、カイテル〔国防軍最高司令部長官〕も、ヨードル〔国防軍最高司令部〕も、カルテンブルンナー〔国家保安本部長官〕も何も知らなかった。〔略〕すべての被告人が自身の行為の言い訳をした。彼らは命令にしたがって行動したのであり、命令を出したのはアドルフ・ヒトラーだというのである。*[14]

ものすごい責任の転嫁です。ドイツの人々も知らないし、軍の司令部にいた人たちも、ユダヤ人の排除を実行した国家保安本部の長官も知らない。だけどユダヤ人は公衆の面前でつかまえられたといわれているし、国防軍はユダヤ人狩りに協力し、国家保安本部はユダヤ人を殺害するための組織をつくっています。なのに「自分は知らない」というんです。そして「責任があるのはヒトラーだけだ」と主張します。

ドイツ人も、ましてや親衛隊や軍などにいた人も、自分の目で何かを見ているはずです。もちろん人によって何を見たのかはちがう。ユダヤ人を一か所に集めるところを見たのかもしれないし、ユダヤ人をなぐるところを見たのかもしれない。あるいは、貨車に押し込めるところかもしれないし、殺害するところかもしれない。何かを見たはずなのに、「見なかった」と発言する。*[15]

このようなことを踏まえると、じゃあ「見る」というのはいったいどういうことなのかと、あらためて考えてしまいます。普段私たちは何かを「見た」、あるいは何かを「見なかった」という二つしか考えていません。だけど、ホロコーストのような出来事の場合には、「見たのに見ていない」ということが起こる。正確にいうと、「見たのに見ていなかったということにしたい」ということが起こる。普段の生活では、「見る」ということは、あらためて取り上げる必要もない、わかりやすい知覚のように思えるかもしれませんが、そう単純に考えるわけにはいかない。私が何かを見るとき、ニュートラルに偏りなく見ているわけではなくて、私がまさに見たいものを見ています。逆に、見ているはずなのに見たとは認めたくないものは、見なかったことになってしまいます。

このように「見る」ということは、私が望んでいることと直接的に結びついています。そう考えると、「見る」

ということはますます問題になってくる。それと同じように、「知る」とは本当はどういうことなのか、あらためて考える必要も出てきます。

こうした知覚は、「両義的な知覚」というふうに呼べるかもしれません。すなわち、ドイツ人たちは気づいたけれど目を向けなかった。彼らは見ていなかったわけではなく、見ていないという仕方で見ていたということです。それは、見ているのにもかかわらずそのことを認めない、そういう知覚です。いいかえると、「対象を知ることは望まないのであって、それを知っている限りでそれを無視し、それを無視する限度内でそれを知っている」、そういう複雑な知覚だということです[16]。彼らが見ていたのに見ていなかったということ、これはまさに両義的な知覚です。彼らがそんなふうに見ているあいだに、ユダヤ人は移送されて収容所で殺害された。そう考えると、ショアはもちろんヒトラーから出発したけれども、普通の人々もそれを支えていたということができます[17]。

ある人によると、ドイツ人たちが見たのに見なかったということは、ナチスの殺害行為を認めていたということではないか、あれこれと調べようとはせずに黙認していたということではないか、といわれています[18]。また別の人によると、そのように見たのに見なかったということ、知っているのに広く伝わらなかったということ、それこそがドイツ人が犯したもっとも大きな集団的罪だと指摘されています[19]。おそらく大部分のドイツ人は虐殺について、良心のとがめもまったくなく受け入れていたとは思えない、だからこそ夫が妻に話すべきだったし、親が子どもに話すべきだった、だけど、見たのに見なかったし、知っていたのに話さなかった、それこそが最大の罪なんだということです。

このように、「自分はよく知らない」というドイツ人は、今後見る映像でも出てきます。となると、そんなふうにいうドイツ人というのは、ちょっと信用できなくなってしまいます。ここで問題が出てくる。つまり、このように発言する人たちを理解することはできるのだろうかということです。

この「ドイツ人を理解できるのか」という問題は、とりわけ被害に会ったユダヤ人にとって深刻なものになります。ここではプリーモ・レーヴィという人の言葉を引用します。レーヴィについてはこれまで何度か取り上げましたが、アウシュヴィッツ収容所から生還できたユダヤ人です。もともとイタリアに住んでいた人です。レーヴィは戦後イタリアに戻り、アウシュヴィッツでの壮絶な体験を書き記します。そしてそれを、一九四七年に『これが人間か』というタイトルで出版します。

**引用11**　『『これが人間か』において』私に課せられていたのは理解すること、彼らを理解することだった。それも大罪を犯した罪人たちの群れではなく、彼らを、人々を、私が身近に見たものたちを、SSの兵士として徴募されたものたちを。そしてさらに信じていたものたちを、信じてはいなかったが口をつぐんでいたものたちを、私たちの目を見つめ、一切れのパンを投げ与え、人間的な言葉をつぶやくわずかな勇気さえも持たなかったものたちを。[20]

レーヴィはドイツの出版社から、『これが人間か』をドイツ語に翻訳したいという連絡を受けます。そしてドイツ人の翻訳者と何度かやりとりをします。最初は翻訳者を信用していなかったのですが、だんだん信頼に値するということがレーヴィにはわかってきます。翻訳作業が終わって、レーヴィは一九六〇年に訳者の仕事に感謝する手紙を書きます。そしてその手紙をドイツ語訳本の序文にします。それが次の引用です。

**引用12**　私はドイツ人民に憎悪を抱いたことはないし、もしそうしたとしても、あなたを知った後、それから解放された。ある人物を、その人自体ではなく、たまたま属している集団を理由に裁くという考えは、私には理解できないし、耐えられない。(……)／しかし私はドイツ人を理解できると言うことはできない。だがまさに理解できない何物かが、満たすことを求める苦痛な空白を、ある激痛を、永遠に続く刺激を形作るのである。[21]

レーヴィは、ドイツ人をドイツ人だからといって拒否するということはしたくない。むしろ収容所ですさまじい暴力を受けたからこそ、ドイツ人をちゃんと理解したい。だけど理解できない。そして理解できないからこそ、なおも理解したいと思う。でもやっぱり理解できない。

ここには、理解できることと理解できないことのあいだを行き来しなければならない、そういう苦しさがあります。第2回でも見たとおりです。

　その後、『これが人間か』のドイツ語版が出版されます。これを読んだ何人かのドイツ人が、著者のレーヴィに手紙を書いたそうです。だいたい一九六一年から一九六四年までのことです。あるドイツ人は、「私たち自身も自分のことや、自分がしたことを理解できない」というふうに書いたといいます[*22]。

　ある人は、どうやら学生だったみたいですが、おおよそ次のように書いています。「私は自分が育った国を愛していますし、母親を敬愛していますが、特定のタイプとしてのドイツ人にはどうしても親近感を持てません。おそらく近い過去に非常に活発に表されたそれらの性質が、はっきりと出ているからかもしれません。あるいはその人の中に本質的に似ている自分を認めて、その自分を嫌っているのかもしれません[*23]」。さらにこの人は、次のようにも書いています。「学校では現代史を教えるが、政治についてはほとんど語られない。ナチの過去はあちこちで姿をあらわすが、その調子は様々である。わずかだがそれを誇りにしたり、それを隠す教師がいる。ほんのわずかだが、それとは無関係だと宣言する教師もいる[*24]」。

　一九六六年には、ドイツ人女性がレーヴィに対して、次のように手紙を書いています。「「ドイツ人」を理解することは、あなたには絶対できないでしょう。私たち自身もできないのですから。なぜならあの時期に、いかなる代償を払っても起きてはならないことが起きたからです。その結果として、私たちの多くにとって、「ドイツ」や「祖国」という言葉はかつて持っていた意味を永遠に失ってしまいました。「祖国」という概念は、私たちにとっては死に絶えました（……）絶対に正当化できないのは、忘れることです[*25]」。

　これらを読むと、ドイツ人が自分自身について理解できないでいるということがわかります。だけど、だからといって理解するのを放棄してはならない。それに、すぐに理解してしまうというわけにもいかない。なので理解できることと理解できないことのあいだにとどまりつづけなければならないということです。もちろん加害者にとっては、自分自身を説明できないというのはもどかしいことですし、被害者にとっては、いつまでたっても許すことができないわけですからきわめて苦しいことです。いずれにしても、絶対に忘れるわけにはいかない。それなのに、ドイツ人のなかには、「自分は知らなかった」という人がいる。これはまさに理解を拒否すること、すっかり忘れてしまうということです。

最後に、**映像2**のユダヤ人生還者の言葉を引用します。

**引用13**　《ドイッチュクローン：》また、その日、私は、自分が連行されていかなかったことを、ほかの人たちが避けようとしても、避けられなかった運命から、逃れようと試みたことを、とてもやましく感じました。《略》恐ろしいほどの孤独感にうちひしがれながら、私は、あの人たちといっしょに出かけなかったやましさに、さいなまれたのです。私たちはどうして、いったいどうして、地下生活を送ろうと試みたのかしら？なぜ、ほかでもない私たちの運命《さだめ》、我が民族の運命でもある、あの運命を、避けようとしたのかしら？*26

ほかの人たちは列車に乗せられていったけれど、自分は逃げてしまった。それがとてもやましかった、罪の意識を感じたといわれています。おかしな話です。だって本当ならやましさを感じなくちゃいけないのはユダヤ人じゃなくて、ユダヤ人を殺したナチスの人たちです。あるいは、ナチスのことを見て見ぬふりをしていたドイツ人たちです。なのに彼らのほうは、「自分は知らなかったんだ」と主張する。逆に被害者のユダヤ人のほうが、「生き残ってうしろめたい、自分の罪を感じる」と思ってしまう。おかしいですよね。おかしいけれど、虐殺というのはそういう事態を引き起こしてしまうわけです。このような被害者の抱く罪悪感については、別の回であらためて考察したいと思います。

## 6　まとめ

①戦争は非情であり、だれもが傷を受け、大きな音と結びつく。
②ナチスは戦争の暴力をさらに進めてショアをおこない、虐殺の痕跡を消す。

③ショアは非情であり、すべての傷が消え去り、音がなくなる。
④ドイツ人たちはショアを知っていたはずなのに「自分は知らなかった」と主張する。
⑤そうしたドイツ人を理解できるのかという問題がある。

*1　ジル・ドゥルーズ『意味の論理学（上）』（1969）、小泉義之訳、河出文庫、二〇〇七年、一八三－一八五頁。
*2　ここまでの三つの特徴はカイヨワの思想においても確認できる。つまり①全体的な戦争、②無名の兵士への尊敬、③身体がもっともひどく破壊された者への尊敬である。ロジェ・カイヨワ『戦争論』（1963）、秋枝茂夫訳、法政大学出版局、二〇一九年、一九〇－一九二頁。
*3　ランズマン『ショアー』前掲、一一三－一一四頁。
*4　前掲、一一五頁。
*5　前掲、一二四頁。
*6　ジョルジュ・ベンスサン『ショアーの歴史』（1996）、吉田恒雄訳、白水社、二〇一三年、九二－九三頁。
*7　Marty, *Sur* Shoah *de Claude Lanzmann*, *op. cit.*, p. 52. ここでいわれているボンバさんの沈黙については第15回で取り上げる。
*8　ランズマン『ショアー』前掲、一一六－一一七頁。
*9　前掲、一二〇頁。
*10　Marianne Hirsch and Leo Spitzer, « Gendered Translations: Claude Lanzmann's *Shoah* » (1993), in *Claude Lanzmann's* Shoah, *op. cit*, p. 179.『ショア』において、男性の声は身体をそなえ権威をもつものであるのに対して、女性の声は身体から分離しているだけでなく、あまり実質的な情報を伝えていないともいわれている。
*11　ランズマン『ショアー』前掲、一二五－一二六頁。
*12　殺戮《さつりく》のうわさがかなり広まっていたことについては、ヒルバーグ『ヨーロッパ・ユダヤ人の絶滅（上）』前掲、三五五頁を参照。その一方で、現実に大量殺害されていると信じることはむずかしかった。当時の人々にとって何百万人を組織的に殺害するなどと想像することはできなかったし、ドイッチュクローンさんも一九四二年末にガス殺のことを知らされたが、信じることができなかったし、信じようともしなかったという。グイド・クノップ『ホロコースト全証言』（2000）、高木玲・藤島淳一訳、原書房、二〇〇四年、三五七頁。

＊13　ティル・バスティアン『アウシュヴィッツと〈アウシュヴィッツの嘘〉』(1994)、石田勇治ほか編訳、白水社、二〇〇五年、二二頁。
＊14　ヒルバーグ『ヨーロッパ・ユダヤ人の絶滅(下)』前掲、三〇二頁。
＊15　たとえばエドガー・ライツの映画『故郷』を見ると、記憶とは選択的で偏りのあるものであり、多くのドイツ人は「よく見ないほうを好む」ことがわかるという。Timothy Garton Ash, « La vie de la mort » (1985), in *Au sujet de* Shoah, *op. cit.*, p. 326, p. 330. この部分は第3回注7の Garton Ash, « The Life of Death », *op. cit.* では省略されている。
＊16　モーリス・メルロー＝ポンティ「人間と逆行性」(1951)、木田元訳、『シーニュ（2）』竹内芳郎監訳、みすず書房、一九七〇年、一三五頁。ここでメルロ＝ポンティはフロイトの無意識について論じている。
＊17　この両義的知覚については、第10回も参照。
＊18　バスティアン『アウシュヴィッツと〈アウシュヴィッツの嘘〉』前掲、二一-二二頁。
＊19　レーヴィ『溺れるものと救われるもの』前掲、一四頁。
＊20　前掲、二一八頁。
＊21　前掲、二二六頁。
＊22　前掲、二三六頁。
＊23　前掲、二四五頁。
＊24　前掲、二四六頁。
＊25　前掲、二五〇-二五一頁。
＊26　ランズマン『ショアー』前掲、一二七-一二八頁。

# 08 加害者の人間性

## 1　SS伍長

今回の映像はユダヤ人が語る場面ではなくて、ナチスに所属していた人が語る場面です。SSつまり親衛隊の伍長で、フランツ・ズーホメルさんという人です。

SSは絶滅収容所を管理して、ユダヤ人の大量殺害を実行していました。しかしユダヤ人の絶滅を進めるためには、ただ収容所があればよいというわけではありません。ナチス・ドイツの官僚的なシステムがなければならなかったし、さらに、「ユダヤ人は人種的に劣っているので排除されるべきである」という考え方、つまりイデオロギーが一般の人々のあいだに広まっていなければならなかった。その意味でSSの機能というのは、「質的に新しい包括的な支配形態――暴力、官僚制、イデオロギー、そして強化された人種生物学を独特の形で組み合わせたもの――をつくり出そうとする試み」だったといわれています[*1]。

SS伍長の職階にある人は、収容所でどんな仕事をしていたのか。武装してユダヤ人を待ちかまえる、貨車の扉を開ける、到着したユダヤ人をなぐりつける、どなりつける、そうしたことをしたといわれています[*2]。

とはいえ今日の映像に出てくるズーホメルさんという

人は、そこまで残虐な行為をしていたわけではないようです。ズーホメルさんはトレブリンカ収容所で勤務していました。そこには、『ショア』で証言しているユダヤ人男性リヒァルト・グラッァールさんが特別労働班員としてはたらかされていました。グラッァールさんは映画とは別のところで次のように証言しています。

**引用1**「彼《あるユダヤ人特別労働班員》はズーホメルが監督していた仕立て係に回され、そこで最後まで仕事をしていた、ほかの係と違って」とリヒァルトは肩をすくめた。「あそこは移動が少なかった、ズーホメルはあんまり殴らなかったんだ。[*3]」

そしてズーホメルさんは、自分自身のことを「ユダヤ人の味方」だったと認めていたといわれています[*4]。たしかに、やたらめったらなぐったりはしなかった、その意味ではSSのなかでもましなのかもしれませんが、だからといって、絶滅収容所で殺す側の人間として勤務しているのに「自分はユダヤ人の味方だ」なんていうのは、ちょっといいすぎです。でもこのいい方は、ナチスにいた人が当時のことを語るときによく出てくるいい方なんです[*5]。おそらくは、「自分は仕方なく収容所に勤務していたけど、本当はユダヤ人の味方だった」と話すことで、相手に理解してもらいたい、そしてそれ以上に、自分自身に対してそのようにいい聞かせたい、そういうことだろうと思います。

今回はこのズーホメルさんの話を聞きます。でも、めずらしいですよね？ 自分が過去におこなった犯罪行為を、映画に出て話してくれるなんて。本当ならあまり思い出したくないし、話したくないことです。ではなぜ話してくれるのか？ 実は、今回見る映像は隠し撮りなんです。相手の許可をとらずに勝手に録画しちゃってて、そのことを相手にいわない。ランズマンはズーホメルさんに対して、「自分はユダヤ人の虐殺について理解したいと思っている。だから参考のために話を聞きたいので、自分の先生になってくれないか」とお願いしたそうです[*6]。録画はしないし名前も出さない、謝礼も払う、だからいろいろと教えてほしい、そういうふうにいってインタビューしたそうです。実際にお金は九〇万円くらい出したみたいです[*7]。そんなふうにうそをついて映画をつくってもよいのかという疑問はあります。だけどランズマンからすれば、「いやいや、ユダヤ人虐殺という重大な出来事を理解するには、こうした手段も必要なんだ」ということかもしれません。[*8] たしかにこれはとても貴重な証言です。ナチスにいた人は、戦争の話を聞きたいというと、そのとたん会ってくれなくなるということが多かったみたいですから。ランズマンの映画によって、殺戮《さつりく》の加害者はどんな顔をして、どんな口調で話すのかということを見ることができる。また、加害者がどんなふうに考えているのか、あるいは考えていないのかについて見ることができるわけです。

## 2　『ショア』を見る

映像1　『ショア』DVD 1-1、2:03:48-2:19:14 (ch. 55)

はじめに路上に駐車してあるミニバンの車が映されます。車には受信アンテナがついています。車のなかには、遠隔で隠し撮りをおこなうための機材が積み込まれていました。実をいうと、外から車を撮影する、または車のなかを撮影するということは、ズーホメルさんのインタビューのあと三年もたってからおこなわれたそうです。[*9] たしかによく考えると、実際にこれから隠し撮りしようっていうときに、機材の車を撮影するなんてことはできませんよね。だからあとで時間をとって撮影した。というのも、このシーンによって隠し撮りということが強調されるからです。そしてまた、ナチスの人間が世間の目から隠れて生きているということも同時に強調されるわけです。この場面は重要な演出だということです。

隠し撮りなので、画面の質は鮮明とはいえません。ときどき受信アンテナを動かしている男性がいますが、位置を微調整しないと画面がうまく映らないみたいです。ズーホメルさんは、体の調子が悪いからか、あるいは画面の写り具合の問題なのか、どこかぼんやりとした顔立ちのように思われます。その話している様子を見ると、聞かれたことに対してたしかに答えてはいますが、加害者としてどんな感情を抱いていたのかということはあまり伝わってこないように思います。

インタビューの途中で、ズーホメルさんは「名前は出さないでくれ」といっていて、それに対してランズマンは「大丈夫、それは約束したとおりです」と答えていました。[*10]ズーホメルさんは気づいていないとは思うのですが、なんとなくカメラに視線を向けているようにも見えます。ランズマンは小型カメラをバッグに入れて、それをソファか何かにおいて隠し撮りしていたみたいなんですが、相手がカメラを見つけるんじゃないかとびくびくしながらインタビューしていたようです。[*11]ほかの人を隠し撮りしていたとき、カメラを見つけられて大変なことになったということもあったらしいです。

## 3 思考が欠けていること

では、次の引用を見てください。

**引用2** 《フランツ・ズーホメル（ドイツ人男性、トレブリンカ収容所の元SS伍長、ドイツ語）：》トレブリンカの第一印象は、私にも、一部の同僚にも、凄惨そのものだった。どんなふうだとか、何をする所だとか、言われて来たわけではなかったからね、だいたい、あそこで、人を殺すなんて話は、聞いてなかったんだから。《ランズマン：》ぜんぜん知らなかったというわけですか。《ズーホメル：》そうですよ。《ランズマン：》でも、信じられませんね！《ズーホメル：》でも、ほんとうなんだ。私は行きたくて行ったんじゃない。私の裁判でも、立証されたとおりだが。こういわれたんだよ。「ズーホメル君、あそこには、洋服屋や靴屋が働く、大きな作業場がある、監督に行きたまえ」。《ランズマン：》ええ、ええ。《ズーホメル：》いいですか。《ランズマン：》でも、収容所であることは、知っていましたね？《ズーホメル：》うん。言われたのは、こうだったんです。「総統は、〈再定住〉《略》作戦を命令された。これは、総統命令だ」とね。《ランズマン：》ええ、ええ。《ズーホメル：》おわかりかね？《ランズマン：》〈再定住〉作戦……ね。《ズーホメル：》〈再定住〉作戦ですよ。〝殺す〟なんて一度も言われたことがなかった。《ランズマン：》ええ、ええ、そのことはわかりました[*12]」。

ズーホメルさんの話し方を見ると、どこかひょうひょうとしてとらえどころがないような印象があります。ズーホメルさんは、「自分は人を殺すなんて話は聞いていなかった、自分はまったく知らなかった」と強調しています。自分が知らされたのは「再定住」のための作戦だということだけであり、まさか「再定住」という言葉が、ユダヤ人の殺害を意味するとは思いもよらなかったといいます。ナチスはユダヤ人虐殺について、直接的な言葉をつかわないわけです。『ショア』の邦訳本の訳注によると、「ナチは〈再定住〉計画の名のもとに、ユダヤ人を強制移送した。しかし移送先で行なわれたのは大量虐殺であった。〈再定住〉とはユダヤ人絶滅政策をカムフラージュするための〝公式用語〟であった」[*13]。また公式の書簡では、「疎開した」「移住した」「国外移住した」などの言葉がつかわれたといいます[*14]。

だからズーホメルさんも、彼自身がいうように「再定住だ」とだけいわれたのかもしれず、それが虐殺を意味するとは知らなかったのかもしれません。でも収容所であることは知っていたといいます。いずれにしても当時の状況からすると、収容所では普通ではないことが起こっているようだということは予想できそうなものです。第7回の**映像2**でも見たように、ドイツではユダヤ人が集められて、どこかに連れていかれる。そしてだれも帰ってこない。そうすると、あまりおだやかじゃなさそうだと考えたりするはずです。もし「再定住の作戦だ」「靴や衣服の作業所があるのだ」と聞いてそれをうのみにするのなら、あまりにも単純だし、考えていないだけです。つまり、思考していないということです。ズーホメルさんには考えるということ、思考するということが欠けています[*15]。だからこそズーホメルさんの話し方や表情は、どこかぼんやりとしたものに感じられるのかもしれません[*16]。

たしかにズーホメルさんは思考していないように見えますが、その一方で、収容所の出来事についてこまかな数字を記憶しています。次の二つの引用を見てください。

**引用3**　『ズーホメル：』毎日、ユダヤ人を一〇〇人を選び出しては、死体を穴まで引きずって行かせた。晩になると、ウクライナ兵が、そのユダヤ人をガス室にぶち込むか、撃ち殺した。毎日、毎日のことだった。八月の猛暑のなかだ。地面は、まるで波のようにゆめいていた、ガスのためにね。〘ランズマン：〙死体から出たガスの？〘ズーホメル：〙そうだ。思い浮かべてもみたまえ。穴は、六、七メートルぐらいの深さで、どれにも、死体が縁までぎっしり詰め込んである。[*17]

**引用4**　〘ズーホメル：〙片づけも間に合わないほど、大勢の人が倒れ、死体の山は、ガス室の前に、何日も、何日も、うず高く積まれたままだった。その死体の下には、汚水溜りができていた。この深さ一〇センチほどの汚水溜りは、血と、うじ虫と、糞が混じり合って、ドロドロになっていた。[*18]

このようにズーホメルさんの証言のなかの数字を見ると、彼が収容所の様子をしっかりと覚えていることがわかります。記憶はするけれども、思考はしないわけです。ズーホメルさんは穴の大きさとか、何人くらいのユダヤ人がいたのかということをよく覚えているけれども、それについてどんなふうに考えたのか、どのように取り組んだのかについては語らないままです。ズーホメルさんの次の証言を見ても、彼があまり思考せずに話しているということが読みとれます。

**引用5**　〘ズーホメル：〙ユダヤ人だって、そこで働く〘放置されていた大量の死体を片づける〙ぐらいなら銃殺される方を、望んだぐらいだ。〘ランズマン：〙むしろ銃殺を望んだ、ですって？〘ズーホメル：〙身の毛もよだつことだった。一部始終を目にしたうえで、また同胞を埋めるということは……。死体の肉片が、手に残るのだからね。そこで、ヴィルト〘ナチス絶滅作戦の査察官〙は、自ら、乗り込んできた。数人のドイツ兵を連れてだ……。部下に、革を切って、長いベルトを作らせ、それを死体の胴に回して、引っ張るようにした。〘ランズマン：〙だれがしたのですか？〘ズーホメル：〙ドイツ兵だよ。〘ランズマン：〙ヴィルト？〘ズーホメル：〙ドイツ兵と、ユダヤ人だ。〘ランズマン：〙ドイツ兵とユダヤ人が、ですって！〘ズーホメル：〙ユダヤ人もしたんですね？〘ズーホメル：〙ユダヤ人もだ。〘ランズマン：〙そうですか。しかし、ドイツ兵は何をしたんですか？〘ズーホメル：〙ユダヤ人を強制したり……〘ランズマン：〙殴ったんですね？〘ズーホメル：〙……自らも、死体の片付け作業に加わった。〘ランズマン：〙どういうドイツ兵ですか？〘ズーホメル：〙監視兵の中で、第二収容所［絶滅施設のあった区画］へ派遣された連中だ。〘ランズマン：〙ドイツ兵自ら、したのですか？〘ズーホメル：〙手を貸さざるをえなかったのだ。〘ランズマン：〙彼らは、命令していたんじゃないですか！〘ズーホメル：〙命令もした。命令されてもいたし……、また、命令してもいた。〘ランズマン：〙働いたのは、ユダヤ人だと思いますが。〘ズーホメル：〙こういう状況では、ドイツ兵も、手を汚さずにはすまなかったんだ[*19]。

ズーホメルさんは、放置されていた死体を片づけるという状況を記憶しているのだけど、それについて思考することはしません。この引用では、ユダヤ人たち、ドイツ兵たち、さらにナチスの査察官が出てきて、彼らがどのように行動したのかについて語られています。しかし、ズーホメルさん自身はどんなふうに行動したのか、仕方なく自分も死体を片づけたのか、あるいはユダヤ人をなぐりつけていたのか、それは語られません。この状況のなかでズーホメルさんはどのように考えたのか、それも語られません。もちろんランズマンの編集によって話が切りとられたという可能性はあります。しかし少なくとも映画本編のなかでは、自分の考えたことをズーホメルさんが語るといった部分はありません。その意味でこの人物には思考が欠けているように見えます。あるいはランズマンがそのように見せているということです。

## 4　人間性が停まること

戦争中にユダヤ人を虐殺していたのは、ナチスの兵士だけではありません。一般のポーランド住民がユダヤ人を殺した、そういう事件がたくさんありました。たとえば、いなかに住む村人たちが同じ村に住むユダヤ人たちを追い立てて納屋に閉じ込め、火をつけて虐殺したということがあった。

**引用6**　森《達也》：NHKのドキュメンタリー《『沈黙の村――ユダヤ人虐殺・六〇年目の真相』》では、実際に虐殺に加担した《ポーランド人》男性が登場します。村でも評判の愛妻家である彼は、とてもひょうひょうとしていました。隠しているわけじゃない。やっぱり実感がないんです。映画やテレビなどではよく、罪の意識を抱えながら生きるという描写があるけれど、実際のところは誰もがぼんやりとしている。もちろん、できれば思い出したくないという気持ちもあるでしょうが、「《なぜこんな事件が起きたのか》わからない」《と答えたの》は言い訳じゃなく本音なんだろうと思います。加害した彼らでさえも。……加害した彼らだからこそ、と言ったほうがいいかな。／姜《尚中》：かもしれないね。／森：徹底してリアリティがない。何かが停まってしまっているときに起きているることだから、後から振り返っても自分を解析できない。*[20]

虐殺した人間のインタビューを聞いてみると、そのような重い事実があったようにはどうも感じられない、人を殺してしまったという実感が伝わってこないといわれています。引用の終わりのほうには、「何かが停まってしまっている」、そういうときに虐殺が起こる、だからあとで思い出そうとしてもよくわからないんだといわれています。

映画『ショア』に登場するズーホメルさんも、大量殺害の現場に立ち会っていたにもかかわらず、どこかひょうひょうとしているように見えます。そして、トレブリンカの状況について彼がどのように考え、どのように行動したのかがまったく見えてきません。それはつまり、ズーホメルさんにおいて「何かが停まってしまっている」ということではないでしょうか？　**映像1**のやりとりを見直してみましょう。

**引用7**　《ズーホメル：》《無数の死体が詰め込まれた穴の》悪臭ときたら、地獄のようだった。《ランズマン：》地獄のよう？　《ズーホメル：》そうだ、絶えず、腐敗ガスが洩れ出していたからね。たまらない悪臭が、数キロも先まで、臭っていた……。《ランズマン：》数キロも？　《ズーホメル：》数キロ先でもだ。《ランズマン：』臭いは、どこでも感じられましたか？　収容所にかぎらず？　〘ズーホメル：』どこでもさ。風向き次第に、臭気は流れて行くんだから。おわかりかね？[*21]

ズーホメルさんは、トレブリンカ収容所は地獄であったと話しているが、結局その地獄に勤務しつづけていいます。[*22]彼はたまらない悪臭のなかで食べたり、飲んだり、寝たりしていいます。それは簡単にいうと「状況に慣れる」ということですが、言葉を変えれば、自分の感覚をなくしている、つまり「感覚が停まっている」ということです。さらにいうなら、停止しているのは感覚だけではありません。ズーホメルさんは、大量殺害がおこなわれていることについて思考していない、だからこそ地獄のなかで生活できるわけです。結局のところズーホメルさんにおいては「思考が停まっている」ということです。彼は、ひどい臭気がたちこめていたなかでどんなふうに考えて暮らしていたのかについて述べていません。

殺害がおこなわれるとき、何かが停まっている。停止するのは「自分が感覚していること」であり、そして「自分が思考していること」です。要するに、「自分が自分として何かをしているということ」、これが停まっているわけです。加害者は大量虐殺に加担しているとき、自分がどういうことをしているのかよくわかっていないのかもしれません。このとき加害者は、自分を取り巻く狂気的な状況に押し流されていく、あるいはむしろその状況にみずから飛び込んでいく。それによって、「自分が自分として何かをしているということ」、そうした自覚のようなものが停止する。だからこそ普通では考えられないくらいに残虐な行為ができるし、あとから思い出そうとしても、自分がそのときどのように考えていたのかまったくわからないわけです。戦場や虐殺の場ではなんらかの回路が駆動するのではなく停止してしまう、そしてその感覚をあとから再現できなくなるということです。[*23]そこでは一人称の主語をもつということ、つまり「私は私である」ということが停止してしまう。

自分が自分であるということが停まる。このことを、ユダヤ人生還者であるレーヴィは、別のいい方で表現しています。それは、「人間性がなくなる」ということです。レーヴィによると、収容所のなかでは、だれであっても人間であるということができなくなる。つまり加害者も被害者も、まったく同様に人間性をなくしてしまう。レーヴィは『これが人間か』という著書で以下のように述べています。

**引用8**　この本《アウシュヴィッツ収容所の体験記》に登場する人物たちは人間ではない（注91）《レーヴィの原注》。彼らの人間性は、他人から受け、被った害の下に埋もれている。さもなくば彼ら自身が埋めてしまったのだ。意地悪く愚劣なSSから、カポー《監視役の囚人》、政治犯、刑事犯、大名士、小名士をへて、普通の奴隷の囚人《ヘフトリング》に至るまで、ドイツ人が作り出した狂気の位階に属するものはすべて、逆説的だが、同じ内面破壊を受けているという点で一致していた。[*24]

この**引用8**のなかの「注91」はレーヴィ自身がつけたものであり、以下のように書かれています。

**引用9**　この文章に、この本とその題名が持つ深い意味が込められている。ラーゲル《収容所》は否定の世界で、人間性を、つまり人間の尊厳を抹殺する。それは犠牲者だけでなく、抑圧者の側でも同じだ。[*25]

収容所という場は、加害者の人間性も被害者の人間性も同じように抹殺する。いいかえると収容所とは、それにかかわるすべての人間から人間性を取り去ってしまう場所、人間性が停止してしまう場所だということです。

映画『ショア』に登場する元ナチスの人物を見ると、加害者のほうが人間性を失っているように感じられます。収容所から生還したユダヤ人たちは、異常な状況について自分が感じたことを苦しみながら語っていますし、そのとき考えたことを思い出しながら語っています。それに対して元ナチスの人たちは、自分がどのように思考したのかということについて何も語りません。つまり、彼らには考える力がなくなっているということです。だからこそズーホメルさんのように、戦争が終わったあとになって、「そのとき自分は殺すとはいわれていなかった、自分は知らなかったんだ」というふうにいい出す。その言葉が意味しているのは、「そのとき自分は自分ではなかった、思考ができない状態だった」ということです。

このように、加害者と被害者の双方が人間性をなくすとはいえ、人間性を完全に失っているのは加害者のほうなのではないかと思います。

ちなみにイタリアの哲学者であるアガンベンという人は少しちがう見方をしています。つまり、アウシュヴィッツにおいてSSは人間でありつづけた、それに対してユダヤ人たちは人間ではなくなってしまったというのです。

**引用10**　SSの隊員たちがほとんど例外なく証言する能力がないということが明らかになったとしても、偶然ではない。犠牲者たちが、耐えることができたことはすべて耐えたがゆえに、自分たちが非人間的になったことについて証言したのにたいして、死刑執行人たちは、拷問し殺しているあいだ、「立派な人間」でありつづけ、耐えることができたはずのことを耐えることをしなかったのだ。[*26]

たしかにそういえるかもしれません。ドイツ人は立派な服装で清潔でいることができたし、ごはんもちゃんと食べることができていた。それに比べると、ユダヤ人は骨と皮ばかりで、もちろん清潔とはほど遠く、ひどいありさまだったのではないかと思います。となると、たしかにドイツ人のほうが人間的であるようにも感じられます。しかし記録資料を調べてみると、ナチスは、自分たちの行為が非人間的であったということを自覚していたみたいです。

**引用11**　『SSの全国指導者である』ヒムラーのいうところでは、彼は彼ら『絶滅収容所の職員』に「超人的・非人間的」たることを期待した。[*27]

この**引用11**からすると、SSも人間性が奪われていたということがわかります。ユダヤ人もSSも同じように、収容所のなかでは人間性が停止していたわけです。

## 5　人間を無用にするシステム

それでは人間性とはどのようなことをいうのでしょうか。一般的にいうと、他人に暴力をふるわないとか、他人に同情するとか、そういうことが人間性と呼ばれています。ここでは哲学の観点から考えてみます。二〇世紀の哲学者ハンナ・アーレントはホロコーストにかんしていろいろ書いています。彼女は人間の能力について次のようにいいます。

**引用12**　自発性——つまり、環境や事件に対する反応では説明されえないある新しいものをみずから進んで創始する能力[*28]

人間というのは、みずから考えて行動するものです。人間はまわりの環境とかまわりの状況、そういったものに応じて機能するだけではない。そうではなくて、みずから何かをはじめる、進んで新しいことをはじめる、それが人間の能力だということです。いいかえると人間というのは、状況を受け入れたり状況に順応したりするだけではなく、その状況について考えてみる、そして自分なりに取り組むものだということです。

だけど絶滅収容所においては、人間はどんどん殺されていくだけです。ズーホメルさんがいっていましたが、トレブリンカの収容所に到着する列車は、「どれも、三〇〇〇、四〇〇〇、五〇〇〇というユダヤ人を載せていた[*29]」。そして、みんな殺されてしまう。運よくユダヤ人特別労働班として生き延びることができたとしても、次の列車の人々を効率よく殺すために、死体の片づけ、残された荷物の整理をさせられます。加害者は加害者で、それだけ多くの人間を殺しつづけるために指揮をとります。このように、収容所では殺人のシステムだけが動いているわけです。その殺人のシステムに合わないようなものはいらない、すなわち、新しいことをはじめるとか、自発的に考えるといったことはまったくいらない。アーレントはこうしたシステムのことを「全体主義体制」と述べています。

**引用13**　人間がさまざまの反応によってさまざまの機能を《略》果たすだけのものであるならばともかく、それ以上のものだとすれば、そんな人間は全体主義体制にとってはまったく無用なのだ。全体主義体制にとって問題であるのは、人々を支配するデスポティックな体制を打ち立てることではなく、人間をまったく無用にするようなシステムを作ることなのだ。完全にコントロールされ得る反応装置、一切の自発性を奪われた操り人形を相手にしてのみ、全体的権力は行使され得、確立され得る。*30

収容所では、人間を無用にするようなシステムが確立しているということです。ユダヤ人であってもＳＳの隊員であっても、すべての人たちは効率よく人を殺していくことしかできない。その状況についてみずから考えたり、自分なりの新しい取り組みをはじめたりするということはまったくありません。そうすると、収容所ではあらゆることが予測できるようになります。たとえば、あるゲットーから三〇〇〇のユダヤ人が移送されると連絡が入る、そうなれば、その数のユダヤ人が到着し、その数のユダヤ人を殺害し、その数の死体を片づけるということです。すべてのことは決定されているので、そこに自発性があってはいけないわけです。*31 逆に考えてみれば、ちょっとでも自分で思考するとか自発的に行動するとかしていたら、一日に何千もの人々を殺しつづける施設ではたらくなんてことはできないように思えます。そのように、ユダヤ人たちに自発性がないのと同じように、ＳＳにも自発性がないということです。

こんなふうに考えると、「加害者は自発的じゃなかったということは、加害者には責任がないのか」というような問題も出てきます。だけどここで強調したいのは、責任という問題ではありません。そうではなくて、収容所と人間性一般についての問題です。つまり、加害者は絶滅収容所にいるときに、収容所のシステムに完全に取り込まれてしまった、そしてもはや人間ではなくなったということです。だから加害者は戦争が終わって人間に戻ると、戦争のときのこと、すなわち自分が人間ではなかったときのことをうまく説明できない。このように収容所では、専制的な仕組みがあるというよりも、人間である、人間であることを停止させるシステム、人間であることが無用となるようなシステムがはたらいているということです。アーレントの別の言葉を借りるなら、「全体的支配のなかで脅かされているのは実は人間の本質なのである」ということになります。[*32]

ある人は次のように述べています。ランズマンは「人間における人間性の裏面、哲学的にいえば、人間の条件における非人間性の構造と定義できるだろうものを見せようとしている」、あるいは、「ランズマンは人間性の破滅を再現したのであり、そのさい、トレブリンカのあとで、アウシュヴィッツのあとでいかにして生きるのかという無限の問いを私たちに再び提示した」[*33]。人間が人間性の裏面を見せるようになる場所、それが収容所だということです。

このように収容所ではシステムがすべてを支配しています。収容所について私たちがなんとなくイメージするのは、SSがユダヤ人を支配しているという図式ですよね。でも本当はそうじゃなくて、収容所のシステムがユダヤ人を支配している、それと同じように、システムがSSを支配している。そこにいるすべての人間がシステムに巻き込まれ、からめとられていて、自発的に考えることができなくなっているということです。アーレントは次のように述べます。

**引用14** その後に残るのは、生身の人間の顔を与えられているがゆえにかえって無気味な、例外なしに死にいたるまで唯々諾々と反応を――反応のみを――つづけるパブロフの犬と同様にふるまうあの操り人形なのだ。これこそこのシステムの最大の勝利である。[*34]

この収容所のシステムというのは、「リズム」というふうにいいかえることができるのではないかと私は考えています。つまり、レーヴィの言葉をつかうなら、「ラーゲルという巨大な機械のリズム」[*35]があるということです。このリズムがすべての人々を管理し、支配しています。被害者であっても加害者であっても、人間はそのリズムに引きずりまわされ、かろうじてついていくことができるだけです。その巨大で強力なリズムにいったん巻き込まれてしまうと、それについて立ち止まって思考したり、なんらかの活動を自分ではじめたりすることは、もうできません。

ズーホメルさんによれば、当時のトレブリンカ収容所は「フル回転」だったということですし、[*36]ガス室は「昼も、夜も、稼働していた」といいます。[*37]さらに**引用5**にあったように、ドイツ兵がみずから「死体の片づけ作業に加わった」し、その「手を汚さずにはすまなかった」といわれています。そのリズムはきわめて速いだけではなく、加害者であるドイツ兵をも力強く巻き込んでしまうようです。もちろんズーホメルさんもこうした収容所のリズムにからめとられていた。だからこそ彼は、ひどいにおいのなかでも寝たり食べたりすることができたのだし、虐殺について思考せずに生きることができたわけです。ズーホメルさんはこの殺人のリズムに回収されて、人間であることをやめた。そして、殺人のリズムを再び駆動させるためにはたらいたということです。このリズムは、被害者も加害者も同じように飲み込みながら、人間であることをすべて無用にするために動きつづけていく、そういうものです。

収容所にいたユダヤ人は、自分が収容所のリズムに巻き込まれていたことを自覚しているようです。**映像1**のあとのチャプターでは、ユダヤ人生還者であるフィリップ・ミュラーさんが話しています。ミュラーさんはトレブリンカではなく、アウシュヴィッツから生還したユダヤ人です。ミュラーさんは収容所において、自分が思考できない状態にあったということを話しています。

**引用15** 《フィリップ・ミュラー（ユダヤ人男性、アウシュヴィッツ収容所からの生還者、ドイツ語）：》《焼却炉のなかの死体をかきまわせという命令を受けて》私も、槍のような棒を取って、かきまわしはじめました。《ランズマン：》槍ですって？《ミュラー：》鉄の火かき棒のことです。つまり、《職長の》フィシェルの命令したとおり、真似をしたわけです。あの瞬間、私は、催眠術にかかったというか、ショック状態に陥って、命令されれば、どんなことでも、実行したにちがいありません。あまりに恐ろしい様子を目にしたため、あの瞬間、すっかり正気を失って、何でも、職長のフィシェルの言いつけどおりにしたのです。[*38]

ミュラーさんは、命令されればなんだってやりかねなかったといっています。これはつまり、収容所の殺害のリズムに駆り立てられていたということです。死体をかき回せといわれればいわれたとおりかき回す、そうすることしかできなかった。そんななかで立ち止まって考えるなんてことはできなかった。ズーホメルさんは、自分がどんなふうに行動したのかについてまったく話していませんでしたが、それとは逆にミュラーさんは、自分がどのような状態であったのかを語っています。重要なことに、ミュラーさんはそのとき自分が思考できない状態、自発的に行動なんてできない状態にあったということをわかっています。つまり、自分がリズムに巻き込まれていたということをはっきり理解しているわけです。それとは逆に、ズーホメルさんは自分がリズムにからめとられていたことに気づいていないように思えます。そう考えると、収容所のシステムは、被害者も加害者も同じように支配するけれども、加害者のほうをこそ完全に支配してしまうように感じられます[*39]。

## 6　リズムの予測不可能性

収容所のリズムの特徴は、完璧に予測できるということにあります。そこでは予測できない事態は起こらないし、あるいはむしろ起こってはならない。つまり、到着したユダヤ人は殺害されてその痕跡は消去される、それ以外のことは起こらない。このリズムは絶対に決まった道のりをたどり、完全に予測可能なものです。

だけどちょっと別の視点から考えてみましょう。リズムというものは、完全に予測できるものなのでしょうか？　実をいうと、リズムというのは予測できないもの、予測不可能なものを含んでいます。このことはとりわけ音楽美学という分野において研究されています。ちなみに音楽美学というのは、音楽を哲学的な観点から考えようとする学問分野のことです。

音楽美学によると、リズムは拍子と区別されます。つまり、拍子というのは同じものが繰り返すことですが、それに対してリズムというのは、似ているけれども異なるものがやってくることだといわれています。簡単にいうと「拍子は反復し、リズムは更新する」ということです。[40] たとえば四分の三拍子の音楽があるとします。その場合、曲が終わるまで四分の三拍子で進みます。途中で一時的に変化することがあるかもしれませんが、それは例外的なことです。重要なのは、決まった拍子を規則的に繰り返すこと、厳格な図式をあてはめるということです。それに対してリズムは、拍子と結びつきながらも、拍子の形式によっては予測できない何ものかを生み出す、そういうふうにいわれます。二〇世紀フランスの音楽美学者でジゼール・ブルレという人がいますが、彼女は次のようにいっています。

**引用16** 拍子とは規則、メカニズムであり、機械や振り子時計の規則的な物音である。リズムとは空想的なもの、予測できないものであり、しなやかに波打つということである。[41]

たしかに私たちは音楽を聞くとき、メトロノームのような機械的な繰り返しを楽しむというよりも、拍子からふとずれたときの生き生きとした感じのほうを楽しみます。そしてそこに、演奏者の自発性とか創意といったものを見て、ポジティヴにとらえることがよくあります。

このように考えると、リズムには二つの矛盾した傾向があることがわかります。講義で見てきた絶滅収容所についていえば、リズムは完全に予測できるものですが、しかしながら音楽芸術の観点からすれば、リズムは予測できないものを含んでいるということです。リズムは予測できるものでもあり、予測できないものでもある。つまり厳格な図式ともいえるし、それと同時に、その図式にはとらわれない自発性ともいえる。これは矛盾していまます。別の言葉でいうと、弁証法的といってもよいかもしれません。実際にブルレは次のように述べています。

**引用17** リズムは内的な矛盾を抱えている。なぜならリズムは自由と形式の弁証法だからであり、つまりは、弁証法が自分のために生み出した枠組みを、そこに自分が閉じ込められることがないようにと、みずから破壊しようとする自発性だからである。[42]

もちろん音楽についていうと、自由なリズムだけあればよいというわけではありません。たしかに私たちは、メトロノームとはちがった仕方での音楽の演奏を楽しみます。だけど、だからといって設定された拍子をまったく無視してよいかというと、そうではないですよね。私たちが求めているのは、拍子にもとづきながらもそれだけにはとらわれず、拍子をみずから変形させていくような運動です。それはしなやかで生き生きとしたリズム、予測不可能で自発的なリズムだということができます。これに対して収容所のリズムはというと、完全に厳格な図式をあてはめる。つまり、すべての人間をきわめて強い力で巻き込み、とてつもない速さでからめとってしまう。そうしてユダヤ人たちを殺しつづける。このときあらゆる事態は予測できるものとなり、そこから逃れることはできません。これは究極にネガティヴな意味でのリズムだということができるかもしれません。

しかしさらに考えてみると、もしかすると収容所においても予測不可能なリズムが作動しているかもしれない、そのようにとらえることもできます。ユダヤ人が収容所に到着してその狂気的な状況を見たとき、「これはおかしい。人間性を取り戻して反抗しなければならない」、そんなふうに思うはずです。だけど抵抗できない。すぐ殺されてしまうからです。特別労働班員に選ばれて生き延びたとしても、巨大で迅速な大量殺害のリズムにからめとられてしまいます。だけどそれでも、収容所に到着したときに感じた最初の抵抗がなくなるというわけではありません。その抵抗は潜伏し、うごめきつづけ、やがてかたちをとる。こうして抵抗は、収容所のシステムにとって予測不可能な仕方でやってくるわけです。ユダヤ人特別労働班員のあいだで秘密の連絡が交わされる。準備がなされる。そして突然、小さな反乱が起こる。

たしかに一見すると、ユダヤ人は収容所のシステムに完璧に服従しているので、あたかも予測可能なリズムが支配しているかのように見えます。しかし実は見えないところで予測不可能なリズムが作動しつづけており、一挙にわき上がってくるということです。これはフロイトの抑圧の理論につながるように思えます。すなわち、幼いころに衝撃的な体験をした場合、そのときには傷を受けながらも理解できずにそのことを抑圧しておさえ込んでしまう。だけどその傷がなくなってしまうわけではない。むしろ長いあいだ潜伏して、大きな「時間的な隔たり」をもってあらわれてくる。[*43]収容所での反乱というのは、これと同じようなプロセスであるように思えます。

実際、ズーホメルさんの勤務していたトレブリンカ収容所においても反乱が起こりました。収容所にとって予測できないリズムがわき上がったわけです。ユダヤ人生還者のひとりは、まさに反乱の日に、ズーホメルさんが収容所のなかを自転車で走っていたということを本に書いています。[*44]でもズーホメルさんは、反乱について映画のなかでは語っていません。語ったけれどランズマンが削除したという可能性もあります。しかしこの講義の視点からすれば、次のように考えることもできます。すなわち、ナチスのSSであったズーホメルさんは完全に予測可能なリズムにすっかり身をゆだねてしまった。それがあたり前だったわけです。だけどそのあたり前のリズムが、別のリズム、予測不可能な抵抗のリズムによって打ち破られてしまった。ズーホメルさんとしては予測不可能なリズムについてあまり思考したくないのかもしれません。いや、あるいはむしろ、予測不可能なリズムを思考しようとしても、うまく思考できないということなのかもしれません。いずれにしても興味深いことに、リズムはポジティヴな仕方で動きつづけているということができます。[*45]

## 7　まとめ

①元SS伍長は当時のことを記憶しているが、思考はしていない。
②収容所においては、加害者も被害者も同じように人間性が停止する。
③アーレントによると人間は自発性をもち、みずから思考する。
④収容所は人間を無用にするシステムである。
⑤収容所のシステムはリズムとしてすべての人を巻き込む。

＊1　ラカー編『ホロコースト大事典』前掲、二六三－二六四頁。
＊2　ランズマン『ショアー』前掲、一〇七－一〇八頁。

＊3　ギッタ・セレニー『人間の暗闇』(1974)、小俣和一郎訳、岩波書店、二〇〇五年、二〇九頁。
＊4　前掲、一八〇頁。
＊5　たとえばアドルフ・アイヒマンはユダヤ人を収容所へ強制移送する作戦の指揮者であったが、実は自分はむしろ可能な範囲においてユダヤ人の移住を支援していたのだといっている。ヨッヘン・フォン・ラング編『アイヒマン調書』(1991)、小俣和一郎訳、岩波現代文庫、二〇一七年、一九六頁。
＊6　ランズマン『パタゴニアの野兎（下）』前掲、二〇八–二〇九頁。
＊7　前掲、二一〇頁。
＊8　ある論者によれば、ランズマンには「『ショアー』を作るという、巨大な悪との戦いに比べれば小さな悪は許されるというか、そんな発想があるとしか思えません」。鵜飼・高橋・岩崎「徹底討議／『ショアー』の衝撃」前掲、八五頁。
＊9　Jennifer Cazenave, *An Archive of the Catastrophe*, State University of New York Press, 2019, p. 32.
＊10　ランズマン『ショアー』前掲、一三四頁。
＊11　ランズマン『パタゴニアの野兎（下）』前掲、二一八頁。
＊12　ランズマン『ショアー』、前掲、一三二–一三四頁。
＊13　前掲、六三頁。そして「ナチのいう「東への再定住」は、帰り道のない死出の旅だった」。ベーレンバウム『ホロコースト全史』前掲、二五八頁。
＊14　ヒルバーグ『ヨーロッパ・ユダヤ人の絶滅（上）』三〇七頁。
＊15　ズーホメルさんは絶滅収容所に勤務する以前に、精神病者や身体障害者を安楽死させる、つまり殺害するための施設と事務局に勤めていた。安楽死施設に勤務した人は、ズーホメルさんのみならず多くの人がのちに絶滅収容所に転勤しているという。セレニー『人間の暗闇』前掲、一〇一頁。安楽死組織の幹部だった人物によれば、安楽死施設の職員が絶滅収容所で何をするのか知らなかったというのはありうるかもしれないが、最終的に転勤するかどうかはその人の決意次第だったから、ほんの少しでも疑いをもっていたならそこへいく必要はなかったはずだと述べている。前掲、九三頁。こう考えると、ズーホメルさんは殺害について知っていたか、もしくはまったく知らずに思考できなかったか、そのどちらかであるように思われる。
＊16　「自分は知らなかった」と話すズーホメルさんに

対して、ランズマンはそれ以上追及することはしない。ランズマンは「単に責任を追及するというやり方ではなくて、実際にかかわった責任者自身に語らせるということに徹底的にこだわった」。鵜飼・高橋・岩崎「徹底討議／『ショアー』の衝撃」前掲、八三頁。ランズマンのねらいは当事者に語ってもらうこと、そして当事者の記憶をとおして虐殺のプロセスをたどり直すことであって、殺害についての個人的責任を問うことではない。
＊17 ランズマン『ショアー』前掲、一三五頁。
＊18 前掲、一三九頁
＊19 前掲、一三九－一四〇頁。
＊20 姜尚中・森達也『戦争の世紀を超えて』(2004)、集英社文庫、二〇一〇年、五一頁。
＊21 ランズマン『ショアー』前掲、一三六頁。
＊22 社会心理学者であるミルグラムがおこなった実験において、加害者役の被験者に事後のアンケートをとったところ、ズーホメルさんと同じようないい方が見られた。もちろん心理学実験と絶滅収容所ではすさまじいちがいがある。だがまったくちがう場にいながらも、加害者となった人間が同じ仕方で語っているということは注目に値すると思われる。ミルグラムの被験者がいうには、自分は権威に服従して他人に電撃を与えつづけてしまった、「わたくしも続けましたけど、でも自分の意志にはとにかく反してのことだったんですよ。もう地獄みたいな体験でした」。そうはいっても結局のところ、被験者はその地獄にとどまることができてしまったわけである。スタンレー・ミルグラム『服従の心理』(1974)、山形浩生訳、河出文庫、二〇一二年、一三二頁。
＊23 姜・森『戦争の世紀を超えて』前掲、三四頁。このことは個人と共同体の関係という問題にもつながる。「個が共同体に帰属して一人称主語を喪失したとき、他者への想像力を失うことで恐怖が発動し、善意や正義をエネルギーにしながら殺戮が始まり、すべてが終わってから唖然《あぜん》とする」。前掲、七二頁。ちなみにヒトラーは、個人が国家という共同体にしたがうことを強く求めていた。「国家を形成したりあるいはまた国家を維持するだけの力とは現実に何であるか、と問うならば、それは二、三のことばに要約しうる。すなわち全体のために個人を犠牲にする能力と意志である、と」。アドルフ・ヒトラー『わが闘争（上）』(1925)、平野一郎・将積茂訳、角川文庫、二〇〇一年、二〇四頁。
＊24 プリーモ・レーヴィ『これが人間か』(1947)、竹山博英訳、朝日新聞出版、二〇一七年、一五七頁。
＊25 前掲、二六九頁、注91。

＊26　アガンベン『アウシュヴィッツの残りのもの』前掲、一〇三頁。
＊27　ヒルバーグ『ヨーロッパ・ユダヤ人の絶滅（下）』前掲、一七二頁。
＊28　ハナ・アーレント『全体主義の起原（3）』(1951)、大久保和郎・大島かおり訳、みすず書房、一九八一年、二五八頁。
＊29　ランズマン『ショアー』前掲、一三〇頁。
＊30　アーレント『全体主義の起原（3）』前掲、二六一－二六二頁。
＊31　「自発性はまさに自発性であるがゆえに予測不可能なものであって、そのため人間に対する全体的支配の最大の障害になる」。前掲、二六一頁。
＊32　前掲、二六五頁。
＊33　Sami Naïr, *« Shoah*, Une leçon d'humanité »（1985）, in *Au sujet de* Shoah, *op. cit.*, p. 231, p. 235.
＊34　アーレント『全体主義の起原（3）』前掲、二五八頁。
＊35　レーヴィ『これが人間か』前掲、二〇一頁。
＊36　ランズマン『ショアー』前掲、一三〇頁。
＊37　前掲、一三二頁。
＊38　前掲、一四四－一四五頁。
＊39　収容所のリズムは、ホルクハイマーとアドルノが指摘している大衆文化産業のリズムに通じているように思われる。「後期自由主義段階に対する大衆文化段階の新しさは、新しさを排除する所にある。機械は同じ状態で廻転する。機械はすでに消費高を規定する一方、テスト済みでないものは危険だとして排除する。映画人たちは、ベストセラーをそのまま下敷きにしていないような脚本には、すべて不信の眼を向ける。だからこそ次から次へとアイディアや新奇さ、意外性、つまりごく普通の日常茶飯事でありながら、かつて一度も存在したことのないものがもてはやされるのである。そういうものとして役立つのはテンポと躍動である。何一つ昔のままに止まっていることは許されない。すべては絶え間なく流れ運動していなければならない。なぜなら機械的生産と再生産のリズムの普遍的勝利だけが、いかなるものも変化せず、規格外の何ものも生じないことを約束するからである」。マックス・ホルクハイマー／テオドール・アドルノ『啓蒙の弁証法』(1947)、徳永恂訳、岩波文庫、二〇〇七年、二七七頁。また、「ひとしく鋼鉄のようなリズム」ともいわれている。前掲、二五一頁。
＊40　ルートヴィヒ・クラーゲス『リズムの本質』(1934)、杉浦実訳、みすず書房、一九九四年、五七頁。

＊41　Gisèle Brelet, *Le temps musical*, PUF, 1949, p. 295.
＊42　*Ibid*., p. 303.
＊43　ジークムント・フロイト『モーセと一神教』(1939)、渡辺哲夫訳、ちくま学芸文庫、二〇〇三年、二一一頁。
＊44　ヴィレンベルク『トレブリンカ叛乱』前掲、一七〇頁。
＊45　ただし予測不可能なリズムは、もっと長い時間のなかでは、抑圧されたものの回帰としてネガティヴな仕方で作用してしまうこともある。つまり、ユダヤ人が収容所から解放されたとしても、はじめの衝撃的な体験としての痛みや無力感や絶望はなくなったわけではなく、解放後も長いあいだ潜伏し、時間の隔たりをもって湧き上がってくる。たとえばレーヴィは、戦後何十年もかけて収容所での彼自身の被害体験を書きつづけて自分の傷と深く向き合ったが、そのあと自殺してしまう。そう考えると、時間的な隔たりというリズムはポジティヴであるとともにネガティヴであり、それこそが私たちの生と死をともに成り立たせているのかもしれない。フロイトにおけるリズムの問題を生あるいは死へと関連づけたデリダについては、たとえば以下を参照。吉松覚「フロイトの読者、デリダにおける時間、生、リズム」『関西フランス語フランス文学』二五号、二〇一九年、五五－六六頁。

# 09
# 死のベルトコンベアー

## 1 ラインハルト作戦

ナチス・ドイツは戦争が進むにつれて領土を広げます。はじめユダヤ人を殺していきます。そしてその土地にいるユダヤ人を殺す役割をしていたのは、ドイツ語で「アインザッツグルッペン」、つまり「行動部隊」という人たちです。長い歴史のあいだ、ユダヤ民族というのは自分の国家がありませんでした。そのため世界中に散らばって住んでいました。そこで行動部隊がさまざまなところにいって、ユダヤ人組織の指導者にこう命令します。

「これから「再定住」をおこなうから、すべてのユダヤ人を集めろ」。そして、集まったユダヤ人を町から少し離れたところに連れていき、全員を射殺していました。*1だけど、ひとつひとつの場所をしらみつぶしにしていくのは大変です。

それに別の問題も出てくる。つまり、たくさんの人たちをひとりひとり射殺していくのは精神的にきついということです。現場の兵士たちはいくら上から命令されたって、いくらユダヤ人は悪い奴だといわれたって、やっぱり武器をもたない人を殺しつづけるというのはきつかったみたいです。ある部隊の指揮官は、上官に対して次のようにいったといわれています。「兵士たちの目を見てください。あまりにショックが強すぎて救いようがありません。この部隊にいるのは、神経症患者か、野蛮人だけです」[*2]。このようにナチスは、はじめは移動してユダヤ人を殺害していたけど、それには技術的にも精神的にも困難があったということです[*3]。

そこでナチスは逆の発想をする。ユダヤ人のところにいくのが面倒なら、こっちに集めればいい。そして引き金を引いて殺すのがつらいなら、一定の距離をとって殺せるようなシステムをつくればいい。つまり、できるだけ多くの人間を一か所に集めて自動的に殺害するというやり方をするのがいい。それで、絶滅収容所でガスをつかうというアイデアにつながっていきます[*4]。

とりわけ三つの絶滅収容所をつくってユダヤ人の大量虐殺をおこなうという作戦をナチスは打ち出します。それが「ラインハルト作戦」といわれています。ちなみに「ラインハルト」というのは、暗殺された親衛隊保安部長の名前です。ラインハルト作戦の三つの絶滅収容所というのは、ベウジェッツ、ソビブル、トレブリンカです。順番としてはまずベウジェッツがつくられる。次にソビブル、そのあとにトレブリンカの絶滅収容所がつくられます。これらを管理するのはSS、つまり親衛隊です。絶滅収容所について調べてみると、最初の段階では失敗が多かったみたいです。そこでSSは、効率的に、そして合理的に殺害するためにいろいろ工夫して試します。そしてその工夫の成果を別の収容所にも伝えます。

**引用1**　殺害のプロセスには根底的な合理化が必要であった。ベウジェッツでの実験から、到着から殺害へ、そして殺害から死体処理まで、最も効率的なユダヤ人の取り扱い方法が工夫されていった[*5]。

**引用2**　個々の収容所の配置や設備の相違から生じる違いだけは別にして、すべての収容所で事実上は同じパターンの手順が踏まれた[*6]。

最初はうまくいかない。だけど実験をつづけて工夫し、パターン化していく。列車を駅で待つ係、服を脱がせる係、ガス室に追い立てる係、残った服を片づける係、死体を運ぶ係、死体を焼く係。どんな動線でガス室まで連れていくのか。かける時間はどれくらいか。どういうふうに暴力を与えるとよいのか。このように方法を少しずつ変えていって、よりよいやり方を見つける。

**引用3**　殺戮《さつりく》行動は、物理的な配置と心理学的テクニックをうまく結合させていた。収容所職員は、駅のプラットホームからガス室までのすべての手順を、一連の正確な命令でカバーした。力の誇示は、勝手な行動や反抗は重大な結果になるということを犠牲者たちにはっきりさせ、同時に、惑わせるような説明によって、新たな不安な環境のなかで彼らに安心感を与えた。このシステムには、故障やちょっとした事故はあったが、親衛隊の医師が「ベルトコンベアー」と特徴づけたことをもっともだと思わせる程度には完成されたものであった。*7

引用の最後のところに「ベルトコンベアー」とあります。つまり、ひとつながりのシステムをつくり上げ、まるでベルトコンベアーのようなやり方を生み出したということです。ガス室にしても、一度つくったらずっとそれだけをつかいつづけるというのではなく、より多くのもの、より性能のいいものを準備する。そうして収容所全体がもっとテンポよく稼働できるようにする。するとそこにひとつの独特の動きというか、独特のリズムのようなものが生まれる。ベルトコンベアーとは、あるひとつのリズム、死へとつながるようなひとつのリズムだということです。

## 2　『ショア』を見る（映像1）

**映像1**　『ショア』DVD 1-2、00:00-12:31 (ch. 1-3)

三人が証言していました。ひとり目は前回も出てきたフランツ・ズーホメルさんです。SSに所属していて、トレブリンカの絶滅収容所ではたらいていた。二人目は、フランツ・オーバーハウザーさんです（**写真上**）。この人もSSにいましたが、ベウジェッツの絶滅収容所で勤務していた。三人目はアルフレート・シュピースという人です。この人は、戦後に裁判をしたときに検察官を務めた人です。
　内容としては、はじめのころ収容所は失敗していたけど再組織化をしていったということがいわれていました。三人目のシュピースさんが話しているとき、シュピースさんの映像が変わって、広い野原の真ん中に巨大な石がありました（**写真下**）。あれはトレブリンカのガス室があったところです。その大きな石に向けて、まっすぐカメラが進んでいった。まわりにはたくさんの石があり、まんなかの大きな石を取り囲んでいた。今はすごく静かなところだというのがよくわかります。ランズマンはこの石碑を何度も撮影しつづけたといいます。あまりにも長く石を撮影するのにたえかねて、スタッフが不満をいったらしいです。これらの石は人間だった、そこで死んだ何十万という人間の唯一の痕跡だった、そんなふうにランズマンはいっています[*8]。

フランツ・オーバーハウザー（DVD1-2, 0：08：06）

トレブリンカ絶滅収容所跡（DVD1-2, 0：11：46）

### 3　過去を見ないこと

　次の引用は、ひとり目のズーホメルさんの話です。

**引用4**　『ランズマン：』アウシュヴィッツでは、『トレブリンカより』もっと大勢を入れてましたね！『フランツ・ズーホメル（ドイツ人男性、ドイツ語）：』ああ。でも、アウシュヴィッツは、工場だったから！《ランズマン：》じゃ、トレブリンカは、何です？《ズーホメル：》私の定義を言おうか。よく、覚えておきたまえ。トレブリンカとは、死のベルトコンベアーだった、なるほど原始的ではあったが、うまく機能していた。《ランズマン：》ベルトコンベアー、だって？《ズーホメル：》死の……、ですよ。おわかりかな？《ランズマン：》ええ、ええ。でも、原始的だったんですね？《ズーホメル：》そう、原始的といえば、たしかに、原始的だったが、うまく機能していた、この死のベルトコンベアーは。《ランズマン：》すると、ベウジェッツ収容所の方は、さらに原始的だったことになりますか？《ズーホメル：》ベウジェッツは、実験室だった。あの収容所を指揮していたのは、ヴィルトだ。初めは、うまくいかなかった。死体用の穴からどろどろの液体が溢れ、溜った汚水が、ＳＳ用食堂の前に浸み出した。たまらない臭いだった……、食堂の前なんだからね……、ＳＳ隊員の居住棟の前だった。[*9]

ここではズーホメルさんがカメラをちらちら見ているように感じられます。ランズマンは撮影のときカメラをバッグに隠していたみたいですが、もしかしたらそのレンズが光って、ズーホメルさんは気になって見たのかもしれない。ズーホメルさんの目がこちらを向くとき、少しどきっとするというか、怖いような気もちがします。

**引用4**の内容を見てみましょう。アウシュヴィッツと比べるとトレブリンカはたしかに原始的なシステムだったけど、それなりにうまく機能していた。ズーホメルさんはそれを、「死のベルトコンベアー」と表現している。ベルトコンベアーは機械のテンポ、機械の一定のリズムでどんどん運んでいきます。死に向けてたえず動いていく、そういうリズムだということです。こういってよければ、死のリズムをつくったということです。そこはすごいにおいだったといわれています。トレブリンカでユダヤ人特別労働班としてはたらいていたある人は、次のように述べています。

**引用5** 《新しい囚人のなかにいた音楽家の》三重奏団は戦前のポピュラーな旋律を奏でた。それはわれわれに過ぎ去りし日を思い出させ、意気消沈させ、心に深い傷を残した。ドイツ兵たちは楽しんだ。死の収容所にオーケストラを編成することができたのだから。／われわれは点呼で立っているとき、アルトゥル・ゴルトのヴァイオリンのなつかしい旋律にうっとりした。けれども甘美さに混じり、まるでわれわれの身体から決して離れたくないかのように身体にしみついている、人間の身体を分解させていくひどい臭いがにおう。／このにおいはわれわれの体、存在そのものの一部になってしまっていた。それはわれわれの家族、われわれの愛した者たちが残したすべてであり、ガス室で虐殺されたユダヤ人の最後の形見である。ひとたびわれわれの身につくにおいとなると、松の枝のからまった鉄条網の柵を通り、周囲数十キロを流れて収容所の存在やそこからもれてくるものを証明していた。[*10]

どんなに美しい音楽が流れていても、自分たちユダヤ人労働班にしみついた死体のにおいは消えない。あるいはむしろ、そのときにこそひとつの独特の音楽が生まれてくるのかもしれない。つまり、死体のたまらないにおいとヴァイオリンの甘い旋律が混じり合う、それによってこそ絶滅収容所の音楽となるのかもしれません。もちろん、効率的な殺害がうまくいかないこともあった。とくに、トレブリンカより以前にできたベウジェッツ収容所ではさんざんな失敗があった。だけど工夫をして、殺害のシステムを改良しはじめたわけです。

**引用6** 〘ランズマン：〙あなたは、ベウジェッツにいたことがあるのですか？〘ズーホメル：〙いや。ヴィルトは、自分の部下たち……。フランツや、オーバーハウザーや、ハッケンホルトと一緒に、あそこで、いろいろ実験をした。今言った三人は、穴の中に、自分の手で、死体を置いてみなければならないこともあった、というのも、どれくらいの広さが必要かを、ヴィルトが知りたがったからだ。[*11]

引用の最後のあたりでは、ズーホメルさんはいやそうな顔をしていました。「手で死体をおくなんて、気もちの悪いことだ」といいたいような表情です。だけどSSは、ユダヤ人に対して毎日そうした作業をさせていた、それもすごい量の作業をさせていたし、そのあげく最後には殺していた。ズーホメルさんの表情には、このようなSSの勝手な姿勢が見えているようにも思えます。

　では、トレブリンカ以前のベウジェッツではどんなことが起こっていたのか。次の**引用7**は、現在ビアホールではたらいているというオーバーハウザーさんです。

**引用7**　〘ランズマン：〙ねえ、ちょっと……。ビールは、一日に何リットル、売れますか？　答えてもらえませんか？〘ヨーゼフ・オーバーハウザー（ドイツ人男性、ベウジェッツ収容所の元SS中尉、ドイツ語）：〙答えたくないね。おれには、おれなりの理由があるんだ。〘ランズマン：〙なぜ、駄目なんです？一日に何リットル、売れるんですか？〘ビアホールの別のボーイ：〙おい、おい、答えてやれよ！〘オーバーハウザー：〙こいつに何を答えろだと……？〘別のボーイ：〙そう、だいたいのところさ。販売量を大まかに教えてやればいいじゃないか！〘略〙〘ランズマン：〙でも、なぜ、顔を……、〘オーバーハウザー：〙それには、それなりの理由がある。〘ランズマン：〙……隠さなけりゃ、ならないんですか？〘オーバーハウザー：〙それには、それなりの理由があるんだ。〘ランズマン：〙どんな理由です？〘オーバーハウザー：〙あんたの知ったことか。〘ランズマン：〙でも、なぜ駄目なんです、教えてくださいよ！[*12]

　その後ランズマンはベウジェッツのことを聞きます。そしてオーバーハウザーさんのかつての上官だった人の写真を見せて、「死体の穴から汚水があふれ出たことを覚えていないんですか？　覚えているでしょう？」と問い詰めます。オーバーハウザーさんは眼鏡をかけて写真を見る。眼鏡をはずし、またかける。動揺して、奥のほうに隠れる。そしてうしろを向いてタバコを吸い、無言で歩きます。うしろを向いたり戻ってきたりする様子は、そわそわしているような感じでした。だけど、その目つきはけっこう鋭くて、カメラを見るときなど、怖い感じがします。先ほどズーホメルさんがカメラに目を向けると怖いと書きましたが、ズーホメルさんの目つきはそんなにきつくはなく、それぞれちがった怖さなのかもしれません。

　オーバーハウザーさんに聞いても、答えてくれない。

彼はベウジェッツのことから逃げようとします。昔のことを聞かれて、あせって、どきどきして怖いんだろうと思います。だからうしろを向いてたばこを吸っていました。この場面を見て、ある人は次のようにいっています。これこそがSS隊員である、無関心なまま、ジョッキにビールを注ぎ、ガス室にチクロン、つまり薬剤を注ぐ、そして眼鏡をかけて隠れる、恐怖のゆえに隠れる、これこそがSS隊員だ、そういうふうにいっています[*13]。たしかにオーバーハウザーさんは恐怖のゆえに隠れている。それに、ひとり目のズーホメルさんにしたって、カメラで顔は出したくない、隠れていたいわけです。

ここからわかるのは、SSはホロコースト、つまり虐殺という出来事と向かい合わないということです。つまり、SSにとってホロコーストは過ぎ去ったことである。ここでは現在と過去はすっぱり切断されている。「おれは今ビアホールではたらいているんだ、過去のことは知らない、現在のビアホールに過去をもち込むな」ということです。オーバーハウザーさんは、過去と現在のあいだに距離をつくっています。

それに対して監督のランズマンは、過去と現在のあいだの距離をなくそうとする。オーバーハウザーさんがビアホールという現在にどっぷりつかっていたのに、いきなり過去を投げつける。オーバーハウザーさんが過去と現在のあいだに距離をあけていたのに、いきなりその距離をなくそうとする。オーバーハウザーさんにとっては、現在のなかに過去が入り込んできたので、びっくりして怖くなる。そして逃げ出す。たしかにいやな思い出をいきなり突きつけられたりしたら、だれだってあせるし、黙ってしまう。隠れたくなる。だけどランズマンとしては、過去を見なくちゃいけない、過去と現在の距離をなくさないといけない、そうしないとホロコーストを理解することはできないということです[*14]。

でも結局オーバーハウザーさんは現在に逃げ込んだままです。逆にいうと、そうやって過去から目をそむけていたからこそ、これまでなんとか生きてこられたのかもしれないですね。もし過去と向き合ったら、自分の罪に押しつぶされてしまうかもしれない。だから過去を排除しようとしている。人間はこういうところがあるのではないかと思います。私もそういうところがあります。自分がいやなことをしてしまった、そういう過去を見ないようにすることで日々を生きていく。そのことについてはほかの人に伝えないまま、隠して生きていく。この講義は道徳の講義ではありません。「過去を見ないのは道徳的によくない」とか、「罪をちゃんと伝えるべきだ」とか、そんなことをいっているわけではありません。そうではなくて、過去を見るというのはだれにとってもそれほど簡単ではないということです。

　だからこそ過去というものはひとつではなく、人によって変わってくる。ある出来事が私にとっては「おもしろいこと」だったけど、あとでほかの人に聞いてみたら「あれは悲しいことだった」といわれた、そういうこともあります。だからといって、どちらがまちがっているというわけではない。過去というのは、ひとりひとりにとってちがった意味をもっているということです。

　オーバーハウザーさんに聞いても過去のことはわからなかった。じゃあ過去にはどんなことが起きていたのか。ベルトコンベアーのリズムはどんなふうにでき上がったのか。これを教えてくれるのは、三人目の証言者シュピースさんです。彼の言葉を三つ引用します。

**引用8** 《アルフレート・シュピース（ドイツ人男性、トレブリンカ裁判の首席検察官、ドイツ語）：》ラインハルト作戦自体の発端の特徴は、すべてが、とりあえず間に合わせ的に、進行したことだ。たとえば、トレブリンカでは、収容所長のエーベルル博士は受け入れ可能な限度以上の移送列車を迎え入れた。それで、事態は破滅的となり、死体の山が現出してしまった！[*15]

**引用9** 《シュピース：》八月の暑い日のことで……、収容所のいたるところに死体が放置されており、敷地一帯から、腐った肉の臭いが立ちのぼっていた。《略》たちまち、収容所は操業停止となり、エーベルルは更迭、ヴィルトが到着し、つづいて、シュタングルも着任する。[*16]

**引用10** 《シュピース：》何よりも先に、ガス室を建設したわけだが、森の中のこともあれば、トレブリンカのように、原野のこともあった。所内で、石づくりの建物は、ガス室だけで、ほかはすべて、木造のバラックで、間に合わせた。つまり、これらの収容所は、とりあえずは急場しのぎに、建てられたものと言える。ヒムラーは、いわゆる〈最終解決〉の発動をあせっていた。[17]

三つ目の引用のなかに「ヒムラー」という名前があります。ヒムラーは親衛隊のトップで、ナチスのなかでヒトラーの次の地位にあったといわれています。[18]またユダヤ人の絶滅作戦を推進し、管轄していた人物です。引用の最後には「最終解決」という言葉がありますが、くわしくは次回に考察します。

収容所がどんなふうにつくられていったのかというと、**引用8**では「とりあえず間に合わせ的に」といわれているし、**引用10**では「とりあえずは急場しのぎに」といわれています。ナチスは絶滅収容所の計画について、周到に準備したわけではない。問題が出てきたら臨機応変に解決を目指す。ユダヤ人の殺戮システムというのは、はじめからでき上がっていたわけではなく、そのつど起こる問題に対処しながら、だんだんとリズムがととのえられていったわけです。

**引用11** 《シュピース：》そうして、トレブリンカ収容所は、完全に再組織化された。[19]

はじめは失敗する。だけど問題を少しずつ解決していく。ナチスはそういうところがまじめなんですね。そうして収容所が再組織化されていく。原始的ではあるけどうまく機能するような、そういうベルトコンベアーができ上がっていく。そうやって死のリズムがつくられていくわけです。

## 4　過去を見ること

先ほどの**引用9**では、シュタングルという人物がトレブリンカ収容所にやってきたといわれていました。シュタングルはソビブルの絶滅収容所の所長のあとに、トレブリンカの所長になります。[20]このシュタングルに対して、ある女性ジャーナリストが二か月にわたってインタビューをしています。次の引用を見てください。

**引用12**「そこ《トレブリンカ》には、もちろんたくさんの死体だってあったでしょう。それを見て、自分の子供と重ね合わせることはなかったんですか？　もし、自分がそんなふうになったら、子供はどう思うだろうかと想像しませんでしたか？」／「いや」と彼は少し考えてから口を開いた。「そんなふうには考えなかった。」それからしばらく沈黙が続いた。「分るかね」とシュタングルはあたかも内面の新しい真実を見つめるかのような真面目な表情で続けた。「私には単なる大量の死体の塊としか映らなかった。個々の死体ではなく、大量の塊だったんだ。ときに壁にもたれながら、「回廊」を通り過ぎる人々を観察していたこともあった。でも――なんと説明したらよいか――彼らは裸で一塊になって、鞭で追い立てられて走っていた、まるで……。」そこで言葉は途切れた《略》「そういう状況を変えようという気持ちは起こりませんでしたか？」と私は聞いてみた。「裸にして鞭で追い立て、最後には残虐な結末が待っているという状況を変えることはできたでしょう？」／「馬鹿なことを言わないでくれ！　あれは一つのシステムだったんだ。ヴィルトが考案したものだ。それでスムースに行ってたんだから、変更することは不可能だった。[*21]」

トレブリンカにおける死のベルトコンベアーが動き出したら、たとえ所長であっても止めることはできなかったといわれています。本当かどうかはわかりません。所長は、ベルトコンベアーが動くのをはたから見ているだけだったといいます。前回考えたように、そこには収容所のリズム、巨大で力強いリズムというものがあって、それがユダヤ人だけではなくSS隊員を巻き込み、さらには収容所所長をもからめとっていく。そのときだれひとりとして自発的に動くような人はなく、だれもがその絶滅のリズムに飲み込まれ、そのリズムを再生産していくだけです。

シュタングルはインタビューの最初から最後まで、自分は悪くないということを主張していました。「自分は何ひとつ不正なことはしていない、命令にしたがっただけである。個人的に誰かを傷つけたことはない。起きたことはすべて戦争の悲劇だったんだ」、そんなふうに述べています。[*22]シュタングルのこのいいわけは、二か月のインタビューのあいだずっとつづきます。シュタングルは、オーバーハウザーさんと同じように、過去を見ようとはしないということです。だけどシュタングルは、最後のインタビューでようやく過去を見つめることになります。長いですが読んでみましょう。

**引用13**「私は、自分自身の意志でやったことに何らのやましさも感じていない。」それは彼が今までにも、幾度となく繰り返してきたフレーズだった。《彼自身の》裁判のときにも、この何週間かの面接のあいだにも。しかし今度ばかりは、私は返事をしなかった。彼は私の反応を待った。部屋は静まり返った。「私自身は、誰一人としてわざと人を苦しめたことはない。」彼はモノトーンに言って私の反応を待った――長いあいだ。しかし、この面接が始まって以来、私ははじめて助け船を出すことをやめた。時間は過ぎて行った。彼は両手で机の角を握り、まるで何かにしがみ付くかのように力を込めていった。手の骨が白く浮き出していた。再び静まり返り、私はただ待ち続けた。「確かに私はあそこにいた。」長い時間が過ぎて、まるであきらめたかのような疲れた乾いた声で彼は口を開いた。この短い言葉が出るまで、ほとんど三〇分のあいだが必要だった。／「あぁ、つまり、事実としては私にも罪があった……。何故なら……。私の罪とは……。罪だなんて、この面接のあいだにはじめて言った言葉だな……。」彼は口を閉ざした。／彼は「私の罪」という言葉をはっきりと口にしていた。おそらく、ついにその言葉を口にできた安心感からか、彼の体から力が抜け、表情は和らいでいた。／「私の罪とは」何分も経ってから彼は口を再び開いた。その声は疲れて乾いたものであった。「私がまだここに生きている、ということだ。それが私の罪だ。」[*23]

ここにいたってシュタングルは、オーバーハウザーさんとはちがう姿勢をとります。つまり、過去を見て自分の罪を認めるということです。重要なことは、シュタングルがみずからそこにたどり着いたということです。つまり、自分の罪を認めたのはジャーナリストが鋭い質問をしたからというわけではなく、むしろ、これまでたくさん話しかけてくれたはずのジャーナリストがあいづちも打たずにずっと黙りつづけたからです。そのときシュタングルはジャーナリストの言葉に頼ることができず、自分の過去だけを見つめ直すことになった。そして、自分の言葉でいいあらわすことになった。引用には、そのための時間はとても長かったといわれています。そしてようやく、みずからの力によって、「自分の罪」という言葉を口にすることができたということです。

ここで大事なのは、オーバーハウザーさんとシュタングルに対するインタビュアーの姿勢がちがっているということです。つまり、**映像1**では、ランズマンはオーバーハウザーさんに対して、かなり強い口調で問い詰めていました。「絶滅収容所のことを覚えていないんですか？　死体の穴から汚水があふれ出たことを覚えていないんですか？」というふうに、たたみかけるように聞いています。オーバーハウザーさんは、ランズマンの問いかけに対して怒っているかもしれないし、あるいはおそれをなしているのかもしれませんが、いずれにしても何も答えません。すなわち、過去から目をそむけてしまいます。逆に**引用13**では、女性ジャーナリストはシュタングルに対して何も話しません。シュタングルはインタビュアーにあいづちを打ってほしいようですが、あえて彼女は黙ったままです。そして待ちつづけます。長いあいだ待ちつづけます。するとシュタングルは、自分から過去を見てしまう。そうして自分自身でも気づかないうちに、自分の罪を認識するようになります。

実をいうと、シュタングルはこの最後のインタビューの翌日に、いきなり死んでしまうんです。自殺かと疑われたみたいですが、解剖したところ心筋梗塞だったということです。これは、自分の過去を見て自分の罪を認めたとたん、もはやそれ以上生きることができなくなってしまったということではないか、そんなふうに私は思います。彼のなかでずっと張りつめていたものがあって、それによって彼は生きていたけれども、過去を見たことによってそれがゆるまってしまった。**引用13**の最後のあたりでは、「彼の体から力が抜け、表情は和らいでいた」といわれています。シュタングルはまさに、自分の過去を見ないことによって生き長らえてきたし、過去を見ることで死んでしまった。だからオーバーハウザーさんも、過去を見ないことによってどうにか生きているのかもしれません。そして過去をちゃんと見るようになったとき、もしかしたら生きることができなくなって、なんらかの理由で死んでしまうのかもしれません。

## 5 『ショア』を見る（映像2）

映像2 『ショア』DVD 1-2、12:31-19:21（ch. 4）

ここでは第6回に登場したポーランド人男性、ヤン・ピヴォンスキさんがソビブルの絶滅収容所について話しています。ポーランドの冬の景色が映されていましたが、寒そうでした。カメラが雪の積もった道をずっと奥に進んでいましたが、その途中で、左側に像が立っていました。あれは収容所のガス室があったところみたいです。そのあとカメラがもっと奥に向かっていって、そのつきあたりに、少し平べったい建築物がありました。その建物と途中にあった像は、収容所のことを忘れないようにという目的で戦後に建てられたものだそうです。*24

## 6 収容所をつくるリズム

ピヴォンスキさんによると、一九四二年三月、まだ寒いころに収容所の建設がはじまったといいます。

**引用14** 『ヤン・ピヴォンスキ（ポーランド人男性、ソビブル駅の元副転轍手、ポーランド語）：』こうして、収容所の本格的な建設が始まったのです。ユダヤ人は、組み立て用の建材を、貨車から降ろしては、収容所へ運搬させられていました。ドイツ人が押しつける作業のリズムは、これ以上ないくらい、速いものだった。ユダヤ人が働かされるそのリズム――まったく容赦ないものでした――からも、取り付けられてゆく、その設備からも、さらに、ずいぶん広い面積を仕切ったその囲いからも、ドイツ人が、今、建設しているこの施設が、人のためになるはずがないことが、私たちにはわかりました。*25

この引用には「リズム」という語がありますが、実をいうとこの言葉は、ピヴォンスキさんがつかったというよりも、通訳の人が翻訳するときにつかったものです。ピヴォンスキさんはポーランド語で話しています。私はポーランド語がまったくわからないのですが、ピヴォンスキさんの言葉のなかで「テンポ」みたいな音が聞こえます。この「テンポ」のような単語を、通訳の人はフランス語にするとき、「リズム」という言葉にしたのではないかと思います。

では、ユダヤ人がはたらかされるリズム、つまり収容所をつくっていくリズムは、どういうものだったのか。**引用14**には、「これ以上ないくらい、速いものだった」とあるし、「まったく容赦のないものでした」とあります。つまり、ものすごく速くてついていけないような速度のリズムだったということです。[*26] そこにはもちろん暴力があります。ドイツ人はどなる、銃を撃つ。このように収容所をつくっていくリズムは、速さと暴力をもっている。

第3回の**引用9**で収容所のなかで展開されるリズムについて見ましたが、そのリズムには狂気、速さ、暴力という三つの特徴がありました。今回は狂気について指摘されていません。とはいえ、大量殺害を実行するための施設をつくり上げるということは、すでに狂気的なことではないかと思います。

収容所が建てられていく様子は、当然、駅ではたらいていたピヴォンスキさんにも見えるし、聞こえてくる。とんでもない速さでの労働。ドイツ人の大声、ユダヤ人の悲鳴、それに銃声。こうしたことについて、ピヴォンスキさんは駅のベンチで話していました。この映像で印象的だったのは、ピヴォンスキさんのインタビューの様子を、三人くらいのポーランド人男性が遠巻きに見ていたことです。ベンチから七、八メートルくらいの距離でしょうか、線路に止まっている列車に寄りかかって、彼らはピヴォンスキさんの話をじっと聞いていました。静かに見守っていました。その様子は、ユダヤ人が巻き込まれたであろうリズム、速くて暴力的なリズムとはまったく対照的であるように思えます。

そんなおそろしいリズムが荒れ狂っていたある日に、たくさんのユダヤ人を乗せた列車がやってくる。ピヴォンスキさんは、また明日からユダヤ人がはたらかされるのだろうと思って、深く考えずに家に帰る。だけど次の日になるとまったく様子がちがっていたといいます。

**引用15**　〘ピヴォンスキ：〙〘列車が着いた〙翌朝、出勤して来た時、駅には、完全な静けさが、支配していました。夜勤の駅員と話してみて初めて、なんとも理解を超える事態が起こったことを、私たちは悟りました。だって、なにより、収容所の建設中は、ドイツ語で命令を怒鳴る声が、絶えず聞こえてましたからね。悲鳴も聞こえたし、走るようにせかせかと働くユダヤ人の姿も見えました。銃声が聞こえることだって、あったんです。ところが、その日は、すっかり静まりかえっていて、ユダヤ人特別労働班の姿も見えません。ほんとうに完璧な静寂でした。四〇両の貨車が着いたというのに、まったく動きがない。何とも異様な気配でした。〘ランズマン：〙その静寂で、あなた方は、勘づいたのですね？〘ピヴォンスキ：〙そう。そのとおりです。〘ランズマン：〙その静寂を、もう少し説明してもらえますか？〘ピヴォンスキ：〙あの静けさは、何と言ったらよいか……。収容所の中の動きが、ぱったり止まってしまった。何も見えないし、何も聞こえない。いっさいの動きが止まっているのです。[*27]

この引用の真ん中より少しうしろ、「本当に完璧な静寂でした」というあたりでは、ピヴォンスキさんは少し興奮している様子でした。話すスピードが速いわけではないけれど、声は大きくなって、それに合わせて身ぶりも大きかった。建設しているときはものすごい速度でおこなわれていたし、はげしい暴力がおこなわれていた、音もうるさかった、なのに今は、たくさんの人がきたはずなのにまったく音がしない。なんの音もしない。これは不気味です。これはおかしい、何かが起こった、そう思いますね。つまり、ガス室で殺害がはじまった、死のリズムがつくられてしまったということです。

第4回において、ランズマンはショアがはじまる「最初のとき」について強い関心があるということを見ましたが、ピヴォンスキさんのいっているこの「完璧な静寂」こそが「最初のとき」をあらわしているように思います。実際ランズマンは次のようにいっています。つまり、ポーランド人は「最初のとき」について考えない、たとえばユダヤ人がはじめて移送されてきたときどういう感じだったのか考えようとしない、だけどピヴォンスキさんだけはちがっていて、完全な沈黙という事態を語ることで、ユダヤ人にどのようなことが起きたのかについてちゃんと考えようとしている、そのようにランズマンは評価しています。[*28] 完全な沈黙に気づいて、「あれ？」と違和感をもつ。振り返ってみてようやく、「あぁ、最初に見たあのユダヤ人は死んでしまうのか」と理解する。それが最初のことなんだというわけです。

よく考えてみると、ガス室が稼働するよりも前からすでに死のリズムは動き出していたのかもしれない。ユダヤ人が収容所をつくらされていたとき、もうすでにおそろしいリズムに巻き込まれてしまっていたわけです。とてつもなく速いリズム、はげしい暴力のリズム、さわがしいリズムがあった。それが殺戮につながっていく。ですから建設中のリズム、つまり高速で暴力的で騒然としたリズムは、まさに死へと向かいつつあるようなリズムだということです。死のリズムは急速で暴力的でうるさいけれども、実はそれは準備段階にすぎず、それが完成にいたるとまったく動かない状態、まったくの沈黙の状態となるわけです。

**引用16** 《略》空虚さこそがホロコーストの最も雄弁な表現でもある。映像のなかの人々はホロコーストを静謐の到来として経験している。かつてのナチスの看守にとってホロコーストとは、ガス・トラックの後ろの部分からもはや叫び声が聞こえなくなるときであった。強制収容所の生還者にとっては、プラットホームに到着した人びとのざわめきが、数時間後に静謐に代わったことがホロコーストであった。[*29]

重要なのは、静けさこそがショアをあらわしているということです。音がないこと。それまではざわめきや叫び声があり、またはどなり声、犬の声、鞭の音、銃声があった。しかしそれらの音がなくなる。静かになる。それこそが絶滅という出来事をもっともよく表現しているということです。

このように見てくると、ランズマンがショアをどんなふうに理解しようとしているのかがわかってきます。ランズマンはユダヤ人虐殺という出来事を、歴史として理解しているわけではない。もちろん、どんなことが起こったのかをたくさんの人に聞いています。またインタビューするにあたってたくさんの資料を読んでいます。だけど『ショア』においては、時系列に整理するのでもないし、網羅的に説明するのでもない。客観的な証拠を集めるというのでもない。ある研究者がいうように、ランズマンは「ホロコーストを評価する試みにおいて歴史学的理解は無効であるとした[*30]」ということです。

この映画によって目指されているのは、歴史として理解することではなく、むしろリズムとして理解することではないかなと思います。ランズマンにとって大事なのは新しい資料を見つけたり、ある事実と別の事実の客観的な関係を見つけたりするというのではない。そうではなくて、証言する人たちの語り方や表情を見る、あるいは証言者とともに映されている人の表情や身ぶりを見る、または撮影時の周囲の様子を見る、それによってショアという出来事にまつわる特有のリズムを体験する、これがランズマンの目指していることなのではないかと思います。

## 7 まとめ

①絶滅収容所は間に合わせ的につくられ、失敗もあった。
②だが実験して再組織化し、ベルトコンベアーのような死のリズムを可能にした。
③SSはそうした過去を見ないことで生きてきた。
④SSは過去を見つめるとき、生きることができなくなる。
⑤ガス室が稼働する前から、死のリズムは動き出している。

＊1　ベーレンバウム『ホロコースト全史』前掲、二〇四頁。
＊2　前掲、二〇九頁。
＊3　ラカー編『ホロコースト大事典』前掲、三二〇頁。
＊4　ベーレンバウム『ホロコースト全史』前掲、二六〇頁。

＊5　ラカー編『ホロコースト大事典』前掲、三二〇頁。
＊6　ヒルバーグ『ヨーロッパ・ユダヤ人の絶滅（下）』前掲、二二三頁。
＊7　前掲、二二二頁。
＊8　ランズマン『パタゴニアの野兎（下）』前掲、二五四頁。
＊9　ランズマン『ショアー』前掲、一五一－一五二頁。
＊10　ヴィレンベルク『トレブリンカ叛乱』前掲、一二七頁。
＊11　ランズマン『ショアー』前掲、一五二頁。
＊12　前掲、一五三－一五四頁。
＊13　Cuau, « Dans le cinéma une langue étrangère », *op. cit.*, p. 22.
＊14　重要なのは、「過去を現在としてよみがえらせ、過去を非時間的な現在性《アクチュアリテ》のなかで復元すること」だといわれている。ランズマン「出会うまでに十年の歳月を要した、日本の読者に」前掲、二頁。
＊15　ランズマン『ショアー』前掲、一五五－一五六頁。
＊16　前掲、一五六－一五七頁。
＊17　前掲、一五八頁。
＊18　ラカー編『ホロコースト大事典』前掲、四七六頁。
＊19　ランズマン『ショアー』前掲、一五七頁。
＊20　シュタングルは絶滅収容所に勤める以前に、精神病者や身体障害者の安楽死施設に勤務していたという。セレニー『人間の暗闇』前掲、四四－四五頁。この転勤はズーホメルさんと同じである。
＊21　前掲、二三四－二三五頁。
＊22　前掲、五頁。
＊23　前掲、四四七－四四八頁。
＊24　ラカー編『ホロコースト大事典』前掲、三二四頁。
＊25　ランズマン『ショアー』前掲、一五九頁。Lanzmann, *Shoah*, Gallimard, *op. cit.*, p. 101. なお日本語訳では、「ドイツ人が押しつける作業のリズム」は「ドイツ人が押しつける作業の速度」と訳されており、「ユダヤ人が働かされるそのリズム」は「ユダヤ人が働かされるそのテンポ」と訳されている。
＊26　なかでもアウシュヴィッツ収容所の建設は、とくに迅速に進めるようにという命令が下っていたという。ヒルバーグ『ヨーロッパ・ユダヤ人の絶滅（下）』前掲、一六五頁。
＊27　ランズマン『ショアー』前掲、一六〇－一六一頁。
＊28　第4回注14を参照。ちなみにランズマンによると、このピヴォンスキさんの語りはほかのポーランド人の語りとはあまりにちがったスタイルなので、うまくつなぐことができなかったという。ランズマン「場処と言葉」前掲、九二頁。

＊29　ラカー編『ホロコースト大事典』前掲、一一〇頁。
＊30　ラカプラ「ランズマンの『ショアー』」前掲、二四〇頁。第6回注15で既出。

# 10 最終解決

## 1 「最終解決」の意味

前回「最終解決」という言葉が出てきました。これはたんに文字どおり「最終的に解決すること」というわけではありません。これはナチスのユダヤ人政策においてつかわれる専門用語で、ユダヤ人をこの世から消し去ること、すべてのユダヤ人を殺害してしまうということです。「最終解決」というのはまさしく絶滅のこと、ホロコースト、ショアのことです。

ナチスは重要なことについて直接的な言葉をつかいません。第3回でも見ましたが、自分の犯罪を意識しないように別の言葉で置き換えます。今回の「最終解決」という言葉も同じです。「ユダヤ人を絶滅させる」という直接的な表現をしてしまったら、SS隊員だって、「おれたちがやっているのは殺人なんだ。犯罪行為なんだ」とあらためて自覚することになる。そういう意識になるのを防ぐためもあって、「最終解決」というあいまいな言葉がつかわれるわけです。

ヒトラーはユダヤ人を憎んでいた。ではヒトラーがユダヤ人を嫌う姿勢はいったいどこからきたのか。ヒトラーがいうには、「ユダヤ人は世界を裏で操ろうとしている。世界を征服しようとしている」ということらしいです。これはユダヤ人の世界陰謀説といわれます。[*1] あらゆることがユダヤ人の陰謀である、そういうふうにいい出します。たとえばドイツは第一次世界大戦に負けましたが、それを説明するのに、「実はドイツ国内にいるユダヤ人がドイツを裏切ったんだ、だから負けたんだ」という。[*2] そんなのはでたらめで、ドイツに住むユダヤ人たちはむしろ一生懸命ドイツを守るために戦っていました。でも残念ながら、ヒトラーだけじゃなくて一般的なドイツ人のなかにも、反ユダヤ主義的な考えをもっている人は多かった。ヒトラーは、ユダヤ人がいかに悪い民族なのかというキャンペーンをおこないます。そして、「ユダヤ人は悪いから、私たちは自分を守らなければならない。私たちは仕方なく戦っているのだ」という論理を出します。[*3]

**引用1**　ドイツ人は、ユダヤ人は悪いということをほのめかす一連の主張をともなうキャンペーンも行った。この宣伝は、『ユダヤ人殺害を正当化するための』心理的防衛メカニズムの兵器庫のなかで非常に重要な位置を占めた。／繰り返し行われた宣伝による主張は、貯えておいて、必要に応じて引き出すことができた。「ユダヤ人は悪い」という主張は、倉庫から引き出され、加害者の心の中では「ユダヤ人は悪いので、私はユダヤ人を殺す」という完全な合理化に使われた。[*4]

ユダヤ人を殺害するための合理化と正当化がおこなわれる。そしてキャンペーンが功を奏して、ドイツの反ユダヤ主義はますます過激になっていきます。そうしてヒトラーはドイツ人から支持されることになったわけです。[*5]

さらにヒトラーはこんなふうに考えます。ドイツという国がうまくいくためには、ユダヤ人をなんとかしなきゃいけない、ユダヤ人の陰謀をつぶさなきゃいけない。このユダヤ人問題を解決するにはどうするか。まずはドイツから追放しようとします。[*6] ユダヤ人の生活をむずかしくする、たとえば公務員とか議員になれないようにする、経済活動も制限する、そうすることでユダヤ人がみずから国外に出ていくように仕向ける。そのうちやり方がだんだんエスカレートしていきます。お金を没収したり、家や土地を取り上げたりして強制的に立ち退かせる。ドイツ国内でそんなことをしていたとき、外国との関係はどうだったかというと、ドイツは軍備を進めてまわりの国を支配していきます。一九三八年から三九年にかけて、ドイツの近くにあるオーストリア、チェコ、ポーランドを支配するようになる。すると、そこには別のユダヤ人が住んでいる。あるいはドイツから追い出したはずのユダヤ人が住んでいる。またユダヤ人問題が出てきちゃうわけです。そこでナチスは、ユダヤ人を強制的に隔離することにします。それがゲットーです。ゲットーという居住区にユダヤ人を閉じ込める。せまい部屋に何人も住まわせて衛生状態を悪くする、ろくに食料も配給しない、伝染病が広がってもそのまま放っておく、そういうふうにユダヤ人を隔離します。

そんな状態においては、ユダヤ人は普通に生活できません。衛生状態が悪いので伝染病が流行するし、食料配給ではたりないので闇取引をしなくてはいけなくなる。そういう状況をつくり出したのはナチスです。なのにナチスは、ユダヤ人が病気をまき散らし治安を悪くさせていると非難します。そして、ゲットーに押し込めるだけでは不十分だ、もっと根本的にユダヤ人問題を解決する必要がある、そう考えるわけです[*7]。そこで「最終解決」という言葉が出てくる、つまり、ユダヤ人全員を殺害するということを考えはじめます。こう見てくると、ヒトラーは最初からユダヤ人の絶滅を考えていたわけではないということがわかります。

**引用2**　ホロコーストというユダヤ人大量殺戮について、狂気に満ちた独裁者ヒトラーがアウシュヴィッツで行うように命令し、実行されたといった直線的なものでは決してないことを理解してほしい[*8]。

ではどのような視点から「最終解決」を理解するのがよいのでしょうか？　ひとつの見方としては、ナチスの官僚体制を見るという方法があります。この官僚体制については講義後半で考えます。

## 2　『ショア』を見る（映像1）

アウシュヴィッツ収容所でユダヤ人特別労働班員としてはたらかされていたフィリップ・ミュラーさんの話で

す。

映像1　『ショア』DVD 1-2、19:21-27:10 (ch. 5)

この映像では、アウシュヴィッツ収容所に雪が降っていました。とても寒そうです。ミュラーさんは、収容所でSSがユダヤ人を迎え入れるときどんな態度をとったのかということを話しています。

フィリップ・ミュラー（DVD1-2, 0:25:08）

ミュラーさんの話し方には独特のリズムがあるように感じられます。ミュラーさんは、ユダヤ人たちがアウシュヴィッツに到着して混乱している様子とか、ユダヤ人たちをSSの兵士が演説で落ち着かせていく様子とか、そういうことを話していましたが、話し方にアクセントというか、独特の抑揚みたいなものがあって、とても具体的に感じられます（**写真**）。

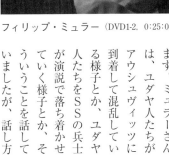

## 3　収容所にユダヤ人を迎える

ミュラーさんによると、到着したときのユダヤ人たちは不安な状態にあったといわれています。ポジティヴなことをいっていると思えば、ネガティヴなことをいい出したりする。それを見たSSは、ユダヤ人たちの不安や混乱を静めようとします。

**引用3**　《フィリップ・ミュラー（ユダヤ人男性、アウシュヴィッツ収容所からの生還者、ドイツ語）：》

私には、彼らの心の中で、どういう葛藤が起こっているのか、手に取るようにわかりました。ある時は、彼らは、労働の話をしている、おそらくは、近々《ちかぢか》、仕事につけるものと期待しているのでしょう……。かと思えば、〝マラフ・ハーマイス〟〈死の天使〉のことを口にする。二つの話題の間の心の揺れが、そのまま言葉の葛藤になって現われていたのです。焼却棟の中庭に集まっていた人の群れの中に、突然、沈黙が訪れました。そして、全員の視線が、建物の平屋根の上に釘づけになりました。そこに立っていたのはだれか、といいますと、SSのアウマイアーと、政治課長、グラーブナーと、SS少尉のヘスラーでした。まず、人々の群れに向かって、口火を切ったのはアウマイアーです。「諸君がここに来た目的は、前線で戦う我が兵士たちのために、勤労することだ。働ける者には、未来が開かれる」。人々の中に……、見る見る、一条の生きる望みがよみがえっていきます。この変化は、非常にはっきりと、感じられました。この死刑執行者たちは、明らかに、最初の難関を突破したのです。アウマイアー自身、すべり出し順調と見てとりました。[*9]

このとき、その場の流れが変わったということです。そこにいるユダヤ人たちの様子ががらりと変わった、不安が弱まって希望が出てきたことがSSにもユダヤ人労働班にもはっきりとわかった。その場の雰囲気が刷新したわけです。私としては、SSはここでリズムをつかんだといえるのではないかと思います。このときSSは、絶滅収容所を動かすための重要な契機をとらえたということです。リズムをつかまえることができれば、人々を方向づけるのはそれほどむずかしくありません。

**引用4** 《ミュラー：》「君の職業は？」「看護婦です。」「おあつらえむきじゃないか！　我が病院は、兵士たちのために、看護婦を必要としている。我々は諸君を、一人残らず、必要としているんだ。だが、手始めに、服を脱いで……、消毒をしてもらわなければならん。我々には、諸君の健康こそ、大事だからな。」見ていると、人々の気持はすっかり落ち着いたようでした。言われたことに、ほっとしたのです。そして、彼らは衣類を脱ぎはじめました。たとえ疑念があったにしても……生きる望みをもつ者は、希望を抱かざるをえないのです。[*10]

ミュラーさんのいうように、ユダヤ人のなかには疑いをもっていた人もいたはずです。しかし全体としては、おとなしくSSのいうことを聞くようになった。絶滅収容所のリズムは作動しはじめたわけです。

ここで注目すべきなのは、演説ということです。ＳＳが屋根の上から演説をすることによって、その場の雰囲気が大きく変わった、多くの聴衆の考えが変わったということです。実はヒトラーは、自分の本のなかで、大衆の心をつかむためには演説がすごく重要だということをいっています[*11]。ここでいわれているＳＳがヒトラーの本から演説の仕方を学んだかどうかはわかりません。いずれにしても、ヒトラーが多くの大衆に語りかけて大衆の心を動かしたのと同じような仕方で、ここでのＳＳも、ユダヤ人の前で演説して彼らを安心させたわけです[*12]。

興味深いのは、映像で証言しているミュラーさんがまるで演説をおこなっているように見えるということです。ある研究者はミュラーさんの話し方や声に注目しています[*13]。ミュラーさんは証言のなかに登場するすべての役になって話している、ＳＳのアウマイアーの演説もまねしている、そしてカメラはアウマイアーがいたというアウシュヴィッツの屋根を映し出す。そうなると映画を見ている人は、ミュラーさんがその場面を見ているかのように自分も見ていると思うのではないか。そのようにこの研究者は述べています。ＳＳの演説がミュラーさんをとおして再現されているかのようです。さらにミュラーさんは、そのとき到着したユダヤ人の身になって話しており、不安を示したり、あるいは希望をあらわしたりしています。そういうふうにミュラーさんがすべての役になりきっているからこそ、彼の話を聞くと具体的な場面が思い浮かんでくるのかもしれません[*14]。

## 4　『ショア』を見る（映像2）

次の映像では、ラウル・ヒルバーグという歴史学者が話します。

映像2　『ショア』DVD 1-2、27:10-35:51 (ch. 6)

ヒルバーグさんは一九二六年にオーストリアに生まれたんですが、ユダヤ人だったのでナチスから逃げてアメリカに住むようになります。そして、この講義でも何度か取り上げている『ヨーロッパ・ユダヤ人の絶滅』という本を書きます。ユダヤ人絶滅について研究している歴史学者はたくさんいますが、ランズマンはとくにヒルバーグさんの考え方に興味をもち、さらにはその人柄にも好意を抱いているようです。ヒルバーグさんの話は、実際にホロコーストにかかわった人の証言とはちがって、学問的観点からの発言でした。

## 5　ランズマンとヒルバーグ

はじめにヒルバーグさんは、次のようにいっていました（**写真**）。

**引用5**　『ラウル・ヒルバーグ（男性、歴史学者、英語）：』私は、研究全体を通じて、まずはじめに、大きな問題を設定するというやり方を採ったことは一度もない。そうすると、引き出される回答がかえって乏しいものになるのを、恐れたからだ。むしろ、私は、微細な点、いわゆる細部の事実に的をしぼる道を選んだ。これらの事実を整理して、因果関係の説明にはいたらないまでも、起こった出来事を、少しでも完全に記述できるような、一つの〈形《ゲシュタルト》〉、一つの図柄にまとめたいと、願ってのことである。*15

ラウル・ヒルバーグ（DVD1-2，0:33:31）

ヒルバーグさんは、大きな問題を設定することはしないといっています。たとえば「なぜヒトラーはユダヤ人虐殺をおこなったのか」とか、「なぜドイツ人はヒトラーにしたがったのか」といった壮大な問題からは出発しないということです。そうではなくてこまかい事実をひとつひとつ積み重ねるんだといいます。ヒルバーグさんは自分の本のなかで次のように説明しています。

**引用6**　当初から私は、ヨーロッパのユダヤ人がどのようにして絶滅されたか、それを知りたいと思った。そして絶滅のメカニズムそれ自体を追究したいと思った。《略》ことが「いかに展開したか」を問うことは、加害者・犠牲者・傍観者について検討する道であった。[16]

ヒルバーグさんはホロコーストを考えるのにあたって、「どんなふうに」と問いかける。たとえばヒルバーグさんは、加害者たちがどんなふうに絶滅のための枠組みをつくっていったのかを調べます。そのために国や自治体の記録を丁寧に見ていく。こまかい資料を突き合わせていく。そうすると、ナチスがどんなふうに法律をつくり、改正していったのか、そのとき出てきた問題をどんなふうに乗り越えていったのか、そういうことがわかってきます。それによって少しずつホロコーストの全体像が浮かび上がってくる。

このようにヒルバーグさんは「なぜ」と考えるのではなく、「どんなふうに」と考える。これはまさに監督のランズマンの姿勢と同じです。第4回で見たように、ランズマンはホロコーストという出来事について、「なぜ起こったのか」というふうに理由を考えるのではなく、「どのように起こったのか」という視点から複数の証言を積み重ねていきます。もしかするとランズマンは、ヒルバーグさんの本を読んで、「どんなふうに」と考えていくことを思いついたのかもしれません。

この映像では、ランズマンはヒルバーグさんの話をじっくり聞いています。ほかの人たちへのインタビューでは、話の途中に割り込んで質問していますが、この映像では、ヒルバーグさんの話の流れをさえぎることはありません。ヒルバーグさんの話が終わったように思えても、「また何か重要な発言があるかもしれない」とでも考えているのか、辛抱強く待っているように見えます。

たとえばヒルバーグさんは、**映像2**のなかで、「死んだ人は二度と姿をあらわさない、そういう意味で最終解決というのは、文字通り最終的なんだ[17]」というふうに述べたあと、かなりの間をとって独特の表情をします。それは、「最終」という言葉の重みを味わってほしい、とでもいっているかのような表情です。そのときにもランズマンは、すぐには質問せずにじっくり聞いているように思えます。ある研究者によれば、ランズマンはほかの人たちへのインタビューでは、証言者とのあいだに、まるで尋問でもしているかのように一定の距離をとっているのに対して、ヒルバーグさんの場合には、そのすぐそばにいたり肩越しにいたりして、かなり近い距離にいます。さらに、撮影されたけれど実際にはつかわれなかったアウトテークのなかでも、ランズマンはヒルバーグさんに賛同してうなずいたりほほえんだりしている、そういう場面があるようです。[*18] こうしたことから、ランズマンはヒルバーグさんに対して過剰な同一化をしているといわれています。[*19]

もちろんちがうところもあります。たとえばヒルバーグさんは歴史学者であり、何よりも書かれた資料を重視します。というのも、あとからの個人的な思い出というのは、時間がたてばあやふやになるし、質問の出し方によってもちがった結果になってしまうこともありえる。これは客観的とはいえません。なのでヒルバーグさんは、思い出とか証言よりも書かれた資料を取り上げるわけです。それに対してランズマンは、個人的な話のほうを取り上げます。そして歴史資料をつかうことはほとんどありません。[*20] もちろんランズマンも映画をつくる準備段階で資料を調べています。だけどランズマンが興味をもつのは客観的な歴史ではなくて、むしろ主観的な思い出のほうです。絶滅という出来事に立ち会った人たちは、それぞれの立場でどんなふうに感じたのか、どんなふうに考えたのか、ランズマンとしてはそっちを知りたいわけです。そうした個人的な思い出をいくつも集めて、ショアという出来事のかたちを描いていく。こんなふうに考えると、ヒルバーグさんとランズマンは、「どんなふうに」と問いかけるという点では似ているけれど、そのときにつかう資料はちがっているということができます。

## 6　最終解決、過去からの連続性

**映像2**にかんしては、二つの点について考えます。まずひとつ目は、過去からの連続性です。つまり、ナチスのユダヤ人の絶滅作戦、すなわち最終解決は、過去から連続しているということです。

先ほどヒルバーグさんは、こまかい文書をたしかめて事実を少しずつ整理するといっていました。そうすると絶滅作戦についての見方が変わる。絶滅とかホロコーストとかいうと歴史上類を見ないことのように思えるけど、そうではないことがわかってくる。つまり、ユダヤ人への迫害というのは過去からつづいているということです。ヒルバーグさんの言葉を見直してみましょう。

**引用7**《ヒルバーグ：》このように研究を進めた結果、ナチによる〝ユダヤ人絶滅作戦〟のあの官僚的な過程のことも、——実際のありようは、まさにこの呼び方のとおり、官僚的なものだったが——論理的な順序を追って継起する諸段階であり、また何よりも、過去の経験を最大限に踏まえて継起する諸段階の、連続であると考えるようになった。[*21]

ここには「官僚的な過程」とありますが、これについてはあとで確認します。引用の最後には、「過去の経験を最大限に踏まえて継起する諸段階の、連続である」といわれています。つまり、ナチスのしたことは過去のことを踏まえている。過去にも反ユダヤ主義的な思想とか法律があって、それがずっとつづいている。その意味で、ナチスがユダヤ人にやったことは過去からの連続だというわけです。では過去にはどんなことがあったのか。

**引用8**《ヒルバーグ：》たとえば、公職からのユダヤ人の排除。異教徒との結婚の禁止。四十五歳未満のアーリア人《つまりドイツ人》女性の、ユダヤ人家庭での雇用禁止。〈徽章の着用〉——とくに、ダヴィデの星の——に関する、さまざまな法令。ゲットーへの強制的隔離。キリスト教徒による遺産継承を阻止しようとして、ユダヤ教徒が作成した、一切の遺書の破棄など。これらすべてを、ナチは採り入れている。これら多くの措置は、もとはといえば、一〇〇〇年以上の長い歴史の中で、キリスト教会当局によって、ついで、その範に倣《なら》った世俗の政府によって、つくりあげられてきたものだ。《略》ユダヤ人の典型的な像《ポートレート》でさえ、新しいものはつけくわえておらず、その一切合財が、十六世紀にさかのぼる文献からの借り物だった。想像力や創造力の領域に属するプロパガンダの分野でも同様で、ナチは、マルティン・ルターから十九世紀にいたる先人たちの実績を、きわめて忠実に踏襲したにすぎない。この面でも、創意を発揮してはいない。[*22]

これまでヨーロッパにおいて反ユダヤ的な法律がたくさんあったということ、ナチスが創意工夫して発明したものは何もないということがいわれています。たしかにラジオみたいな新しいメディアをつかってそれまでにはなかった規模で大衆宣伝をおこなった。そうやって大衆の心をつかんだということはたしかです。だけどそうであっても、昔からつづいていた反ユダヤ主義を継続させただけだということです。ちなみに、引用の最後に「ルター」という名前があげられています。ルターは反ユダヤの思想をもっていたといわれています。

**引用9**　宗教改革運動の初期においては、ルターは教会批判の理由のひとつにユダヤ教に対する迫害を挙げていた。これは〘略〙〘宗教改革により〙ユダヤ教徒をキリスト教に帰依させることができるに違いないという彼の目論見によっていた。しかし実際にはそうしたことは起こらなかったため、一転してルターはユダヤ人を〝不愉快な害虫〟と呼び、キリスト教徒にユダヤ教徒に対する憎しみを植え付けるとともにドイツ各地からユダヤ人を排除することを支持した。[*23]

ルターのしたかったことは、おそらく、「自分の住んでいるドイツが今よりももっとよいところ、つまりキリスト教の考えが広がったところにしたい」ということだったのではないかと思います。はじめルターは、ユダヤ教徒はキリスト教のことをよく知らないだけで、キリスト教のすばらしさを知ればきっと改宗するにちがいないと考えた。でもユダヤ教徒はなかなかキリスト教に改宗してくれない。ルターとしては、相手のためにやっているのに、どうしてキリスト教のよさをわかってくれないのかとだんだん頭にきたのかもしれません。そうして結局、「ドイツからユダヤ人がいなくなったってかまわない」という考えにいたる。この反ユダヤ主義はナチスにつながっているということです。[*24]

もちろんルターは悪いことをしようと思っていない、むしろよかれと思ってやっているように見えます。自分の社会をよいものにしよう、キリスト教のあり方をよいものにしよう、そういうつもりであるように思えます。だけど結局は、ユダヤ人を迫害するような考えにたどり着く。これはもしかするとナチスも同じなのかもしれません。いっておきますが、私はヒトラーのことを肯定的に評価しようなんてまったく思いません。だけどヒトラーにしても、悪いことをやってやろうと思ったのではなくて、自分の国がよくなるようにしたいと考えていた部分があるかもしれない。でもそれを実行していくうちに、結局はほかの人を否定するしかなくなって、戦争へと向かってしまう。戦争というのは正しいことを追求しようとするときに起きてしまう、そういう側面があるのかもしれません。[*25]

このように、ナチスのしたことは過去から連続しています。ランズマンはあるところで、次のようにいっています。「ホロコーストは完全に歴史的な出来事だと私たちは考えている。たしかに怪物的ではあるが、やはり西洋世界の歴史全体が嫡子として生んだものなのだ」[*26]。すなわち、絶滅という出来事は例外的なことではなく、歴史が進んでいくなかで起きたことである、過去と関係なしにではなく、過去からのつながりにおいて起きたことである、ということです。たんに「ホロコーストは歴史上類を見ないものだ」といったように、その例外的なところだけ強調して済ませてはいけないわけです。

## 7　最終解決、前例のない新しさ

ここでは二つ目のポイントをお話しします。それは、前例のない新しさです。すなわち、最終解決はまったく新しいものであるということです。先ほど、ナチスのしたことは過去から連続しているといいましたが、しかし、過去の反ユダヤ主義はさすがに絶滅までは考えなかった。絶滅ということを考え出して、しかもそれを実行に移したのはナチスだけだということです。ヒルバーグさんの二つの言葉を見てみます。

**引用10**　『ヒルバーグ：』〝最終解決〟を待って初めて、ナチは新しいものを創り出したのだ。これこそが、彼らの一大発明であり、まさにこれによって、ユダヤ人絶滅の全過程が、それまでの全過程と異なるものとなったのだ。[*27]

**引用11**　《ヒルバーグ：》四世紀、五世紀、六世紀あたりの初期段階から、キリスト教の宣教師は、ユダヤ人に対して、こう言っていた。「あなた方は、ユダヤ教徒として、我々の間に生きてはならない」《つまり改宗せねばならない》と。次に、中世後期以降になると、宣教師のあとを受け、世俗世界の支配者たちが、こう命令を下した。「あなた方は、我々の間に生きてはならない」《つまり追放されねばならない》と。そしてついに、ナチが出現して、次のような布告を出したのだ。「あなた方は、生きてはならない」《つまり死なねばならない》と。《略》言い換えれば、死であり、これが〈最終解決〉だったのである。《略》《ランズマン：》すると、その点で、つまり、最終段階で、ナチは、文字どおり、パイオニアであり、発明者だったわけですね？《ヒルバーグ：》そう、これこそ、前例もないし、新機軸だった。[*28]

たしかに反ユダヤ主義は過去から連続している。だけど絶滅となるとまったく新しいことだといわれています。「最終解決」という新しい考えを生み出したという意味では、ナチスはパイオニアだった、発明者だった。それではどんなふうに絶滅というものを発明し、実行していったのか。

**引用12**　《ヒルバーグ：》そのとおり、《最終解決は》新規だった。「以後、ユダヤ人は殺されるべし」と明記した、ただ一つの文書も、特別の計画大綱、ないし青写真も、発見できないのは、思うに、このためであって、すべては一般的な語句からの、推論にまかされているのだ。《ランズマン：》何からの推論、ですって？《ヒルバーグ：》一般的な言いまわしだね。〈最終解決〉、言い換えれば、〈全面的解決〉ないし〈領域的解決〉という表現の抽象性そのものが、そこから〈推論〉を出発させるべき余地を、官僚に与えているのであって、推論するまでもないほど、意味明瞭な文書を目にすることはありえない。[*29]

ナチスは「最終解決」という考えをつくり出したけど、ナチスの文書をどれだけ調べても、「ユダヤ人は殺されねばならない」といったはっきりした表現は出てこないといわれています。むしろ一般的な語句から推論するしかないといわれています。

想像してみましょう。ヒトラーやヒトラーに近い人から、「最終解決をしなさい。そのためには何をしてもよい」と命令が下される。下の人はよくわからないので推論する。すでにそのときまでにユダヤ人が公職になれないようにしたし、ユダヤ人の経済活動を制限した、ユダヤ人をゲットーに強制的に隔離した、それでも解決にはならなかった。とすれば、どうするべきなのか。おそらく殺すしかありません。でもどうやって殺すのか。そしてどうやってそれを秘密にしておくのか。それぞれの部門が必死になって案を出す。ここで重要なのは、絶滅ということがはっきり示されるのではなくて、なんとなく示されているだけだということです。だからこそ下の人が推論できるし、新しい案を発明できるわけです[*30]。

この**引用12**の最後のあたりに、「官僚」という言葉が出ています。ここで思い出してほしいのが、**引用7**でいわれていた「官僚的な過程」とか「官僚的なもの」という言葉です。この「官僚」というのは、上からはっきりとした言葉でいわれなくとも、その意味を推論して問題に取り組んでいく、そういう人たちです。明確には指示されていないけれど、きっとこういうことなんだろう、そのために自分はこんなふうに動けばいいんだろう、そんなふうにやっていく。いってみれば忖度《そんたく》するということです。そしてヒトラーに直接的にいわれなくても、みずから絶滅のシステムをつくり上げてしまう。いやむしろ、直接いわれていないからこそ、いろんなことを自分から能動的に発案してしまうわけです。

こんなふうに最終解決、つまり絶滅というのは、さまざまな人たちが動くことででき上がったプロセスだということです。もちろんヒトラーは、ユダヤ人を絶滅させるという願望をまわりにもらしていたようですし、そういうときにはとくに冷淡に、低い声で語っていたようです。だけど、ユダヤ人を殺害命令のサインはしなかったのではないかといわれています[*31]。そして、実際にユダヤ人を大量に殺害するやり方についても、ヒトラー自身がアイデアを出したとか、収容所のシステムを発案したとかいうことはありません。そうではなくて、さまざまな人たち、とくに官僚が結びついて、推論して問題に取り組む、そうしてだんだんと絶滅収容所のシステムを発明していったわけです。重要なのは、ヒトラーから離れたところで、国民ひとりひとりがみずから絶滅に向けて動いているということです。[*32]

だけど、みんながユダヤ人絶滅のことを知っているわけではない。さすがに「絶滅」なんて聞いたら、いくらなんでも国民全員が支持することはないと思います。だからこそナチスは、「最終解決」というあいまいな表現をする。それでいて、実際にはユダヤ人絶滅を進めていく。そういうあいまいな表現をつくり出すことで、国民ひとりひとりを巻き込んでいく。国民は「絶滅」とはいわれていないので、自分が絶滅にかかわっているとは意識していないけれど、本当のところはかかわっている。

ですからナチス・ドイツは組織としてはとても有効に機能しているわけです。ユダヤ人虐殺に向けて、とても多くの人が協力して仕事をしていた。たとえば公務員や警察官が関係している。汽車などの運輸関係者もかかわっている。ユダヤ人財産を保管した銀行員など、金融関係の人も関係している。ガス焼却炉をつくった製造業者もかかわっている。[*33]おそらくひとりひとりは自分の仕事をしていたというだけで、自分がホロコーストを手伝っているとは思わなかったのかもしれない。

そうはいっても、一般の人々だって疑問に感じることがあっただろうと思います。たとえば駅員からすれば、「なぜ列車にぎゅうぎゅうに詰めて、ユダヤ人を移送するのか」「帰りの列車はどうしてひとりも乗っていないのか」と思う。その一方で上司からは、もう少し便数を増やせといわれる。仕方ないのでやりくりして便数を増やす。みなさん、想像してほしいのですが、もし自分がそういう立場で仕事をしているとしたら、その疑問を解決しようとしますか？　それともあいまいにして仕事をつづけますか？　「自分は自分の仕事をしているだけだ。たしかにユダヤ人はひどいあつかいを受けているかもしれないけど、自分は直接悪いことをしているわけではない」、そう考えるかもしれません。たしかに私は、自分が悪いことをしているのではないかと感じている。だけどそれを見ようとしない。そうして自分の仕事を進めてしまう。それればかりか上司の期待にこたえるように工夫して進めてしまう。このとき私は「最終解決」のために動いてしまっている。ほんの一部分ではあっても、自分から動いてしまっているということです。私自身は残虐なことなんてしていないのに、絶滅を前進させてしまっている、そういうことがあるわけです。

こう考えてくると、「最終解決」のおそろしさというのは、ヒトラーから離れたところでそれぞれの人々が絶滅作戦に貢献できてしまうということにあります。「絶滅」というふうに直接的には表現しない、たんに「最終解決」というふうにあいまいに指示する。「最終解決」という言葉は、ちゃんとした定義をもっていません。それぞれの人によってちがった意味、ちがった側面、ちがった方法を指しているわけですから。そういうことからすると、「最終解決」という言葉の概念をつくることはできないのかもしれません。[*34] だからこそみんながそれぞれ推論して実行する。そうして国民全体が絶滅に向けて、知らないうちに動き出す。いや、正確にいうなら、みんななんとなく知っているんだけど、ちゃんと知ろうとはせずに動き出す。このように、あいまいな言葉からはじまって国全体に広がってしまうこと、これこそが最終解決のおそろしいところだと思います。

ここで補足しておきます。ナチスの官僚たちは、上からの命令がはっきりしないから「推論する」わけですが、これは、「思考する」とか「自分なりに考える」ということとはまったくちがいます。「推論」と聞くと、「自分で考える」「みずから考えて新しいことをはじめる」、そういう人間的な能力のように思えるけれど、そうではない。ナチスの官僚の推論というのは、ただ上の命令に服従しているだけで、自分で考えてはいないんです。[*35] 本当に自分で考える、思考するというのは、上からの命令にしたがうことではなくて、その命令がいったいどういうものなのか、それを立ち止まって考えてみるということです。たとえば命令を下されて、自分のなかで違和感をもったとき、それを本当にやっていいのかどうか、自分自身が納得できるのかどうか、自分自身とちゃんと話をして考えてみるということです。ナチスの人たちは考えることをやめ、命令に服従し、絶滅を進めてしまいます。

## 8　両義的な知覚

こうして、「最終解決」という言葉が意味することについて、人々は説明されていないけれど、なんとなく感づいていました。みんなうすうすわかっているのに、それでも絶滅を進めてしまったということです。

**引用13**　大きな謎は、なぜ「最終解決」が長期間秘密に保たれたのか（実際はそうではなかった）ではなく、なぜユダヤ人側と非ユダヤ人側双方ともに体系的な大量殺戮を認識しようとしなかったのだろうかということである。〔略〕人びとは見、そして聞いたが、彼らが受け止めたことは必ずしもはっきりとしたものではなかった。メッセージが明白になったときは、希望を持ちようもない状況になっており、それゆえメッセージは受け入れられなくなった。オランダやハンガリーのユダヤ人の反応は、あらゆる経験にもかかわらず、自分は襲われたりすることはないと信じている、といったものであったが、これは洪水や火災に遭遇した人びとの状況と比べることができよう。*36

ドイツ人は自分の仕事をとおしてわかっていた。そしてユダヤ人も、まわりのうわさを聞いてわかっていた。なのに、ほかのユダヤ人が襲われたとしても、「自分たちはだいじょうぶだろう」と考えてしまった。つまり、**引用13**にあるとおり、「人々は見、そして聞いたが、彼らが受け止めたことは必ずしもはっきりしたものではなかった」ということです。絶滅を示しているサインがたくさんあるのに気づいていない。気づいているけれど、ちゃんと気づこうとはしない。あるいはむしろ、「気づかないという仕方で気づいている」「見ていないという仕方で見ている」ということかもしれません。これは、第7回で見たように、両義的な知覚といってもいいのかなと思います。あるいは、ぼんやりとした知覚と呼ぶこともできると思います。

私としてはこうした両義的な知覚、ぼんやりとした知覚があったからこそ、絶滅のリズム、ショアのリズムがつくられていったのではないかと考えています。すなわち、ドイツ人もユダヤ人も、そして収容所のまわりに住んでいたポーランド人にしても、大量殺害があるということをぼんやりと見ている、つまり、見ているにもかかわらず見ていないということです。だから虐殺がとどこおりなく進んでしまう。もちろんナチスが虐殺を進めるにあたってたくさんの課題がありました。

**引用14**『ユダヤ人は処刑されるだろうという』ヒトラーの予言の実行は、行政的に巨大な企てであった。まず、犠牲者を定義し、彼らの財産を押収し、彼らの行動を制限するという準備過程が、移送の行われる全地域で必要だった。〔略〕最後に、ユダヤ人の出発そのものが、新たな課題を生み出した。生産の損失を埋め合わせなければならず、ユダヤ人の借金は清算されなくてはならず、さらに、移送されたユダヤ人の運命がもはや隠しとおせなくなったのちには、非ユダヤ人住民の心理的反応を鎮め、取り除かなくてはならなかった。[*37]

ナチスはユダヤ人虐殺という巨大なリズムへ突き進みます。そのときいくつもの問題に出会い、それらを乗り越えて、さらに巨大で力強いリズムをつくり出していきます。これだけ大きな事態が起これば、だれも気づかないなんていうことはありえません。だから、気づかないというのではなくて、みんな気づいているけれど、気づいていていないという仕方で気づいている。つまりぼんやりと見ているわけです。そのあいだに移送がどんどんおこなわれ、ユダヤ人が大量に殺されてしまう。人々の両義的な知覚、ぼんやりとした知覚がおそろしいリズムを可能にしてしまったということです。そう考えると虐殺という事態は、もちろんヒトラーから出発したことですが、それと同じくらいに、普通の人々からもはじまったといえるかもしれません。

そうしたところに注目しているのが、**映像2**に出てきたヒルバーグさんの理論です。すなわちヒルバーグさんによれば、ホロコーストを考えるうえで、絶滅作業にかかわったドイツ人と一般のドイツ人を区別するべきではないということです。[*38] もちろん絶滅にかかわったドイツ人と一般のドイツ人では、それぞれおこなっている仕事はちがいますし、その仕事に応じて、自分が絶滅に関与しているかどうかについての意識もちがっています。だけど、結局はそれぞれの立場で仕事を進めることで、ドイツ国家全体としてホロコーストという大きなリズムを生み出してしまった。その意味では、絶滅作業にかかわった人々と一般の人々をわけることはできない。全員がそれぞれの仕方で両義的な知覚をしていたのであって、その姿勢こそが絶滅を可能にしたということです。[39]

このようなヒルバーグさんの理論は、戦後のドイツ人にとってはあまりうれしくないものだったようです。[40]だって、ホロコーストは国家全体の巨大な犯罪だったということになると、自分だって犯罪者の一員だったことになるからです。戦後のドイツ、とくに西ドイツという国は、「自分たちはナチスの体制と断絶したんだ」と強調して復興をなしとげていたのですが、実際のところは、ナチス・ドイツのころとほとんど変わらない官僚体制だったようです。そうしたドイツにとって、ヒルバーグさんの考えは受け入れにくかった。だからヒルバーグさんの著書がドイツ語に翻訳されたのは、原著の出版からかなりあとのことだったようです。とはいえ、ヒルバーグさんの考えは少しずつ理解されるようになってきたとのことです。[41]

## 9 まとめ

①「最終解決」とはユダヤ人絶滅のことである。

②SSは収容所にユダヤ人を迎えるとき、演説によりその不安を取り除く。

③最終解決は、過去の反ユダヤ主義から連続しているところがある。

④他方で最終解決は前例のない新しいことであり、官僚的なプロセスで進められる。

⑤ヒトラーから離れたところで、国民ひとりひとりがみずから絶滅に向けて動き出す。

＊1　ラカー編『ホロコースト大事典』前掲、二二四頁。また、ヒルバーグ『ヨーロッパ・ユダヤ人の絶滅（下）』前掲、二五九－二六〇を参照。

＊2　芝『ホロコースト』前掲、一三－一四頁。

＊3　ヒトラーがユダヤ人問題を取り上げた別の理由もある。ドイツは一九三八年に重大な財政危機におちいっていたが、それに対して国民が目を向けることのないように対ユダヤ人戦争を宣伝したともいわれる。芝健介『ヒトラー』岩波新書、二〇二一年、一九六頁、二〇〇頁。

＊4　ヒルバーグ『ヨーロッパ・ユダヤ人の絶滅（下）』前掲、二五九頁。

＊5　次のサルトルの言葉を読むと、ヒトラーをはじめとする反ユダヤ主義者というのは、自分で責任をはたして社会を能動的につくり上げることにおそれを抱いているように思われる。「反ユダヤ主義者は、世の中がうまく出来ていないということを認めるのをこわがる。もし、そうなら、それを改革し、よい世の中を作り出さなければならないから。そして、人間は、自分自身の運命の主人となり、同時に苦しい、果しない責任を課せられることになるからである。そこで、反ユダヤ主義者は、世界のすべての悪を、ユダヤ人の背に負わせてしまう。国家間に戦争が起るのも、現在の形における国家の観念の中に、帝国主義の理念と、利益衝突の観念が含まれているためではない。それは、ユダヤ人が、政府の背後にいて、不和の種をまくからである。階級闘争が起るのも、経済機構が未だ不完全だからではない。単に、ユダヤ人のリーダー、鷲鼻の扇動者が、労働者を誘惑するからである。このように、反ユダヤ主義は、もともと、一種のマニ教なのである。世のなりゆきを、善玉と悪玉との戦によって説明する二元論なのである。そして、この二つの原動力の戦には、なんの手心もない。どうしても、どちらか一方が勝利を占め、他方が無に帰せられなければならない」。ジャン＝ポール・サルトル『ユダヤ人』(1954)、安堂信也訳、岩波新書、一九五六年、四三－四四頁。

＊6　芝『ホロコースト』前掲、ii－iii頁。

＊7　前掲、一〇一－一〇二頁。

＊8　前掲、二六七頁。

＊9　ランズマン『ショアー』前掲、一六四－一六五頁。

＊10　前掲、一六六－一六七頁。

＊11　ヒトラー『わが闘争（上）』前掲、一四七－一四八頁。

＊12　ちなみにヒトラーの演説の特徴は、伝えたい内容をリズムよく言葉にして、無感覚にぼんやりと集まっている聴衆を興奮させることだった。しかしよい演説をおこなうためにはヒトラーも聴衆を必要としており、とりわけ聴衆からの信頼、聴衆との一体感こそが彼の演説に力を与えていたという。高田博行『ヒトラー演説』中公新書、二〇一四年、三六頁、二四一頁。いいかえると、ヒトラーが演説のリズムを生み出すだけではなく、聴衆もまたそのリズムを強化しているのであって、ヒトラーと聴衆は両者ともに、リズムを生み出すと同時にそのリズムに巻き込まれている。なおヒトラーの友人だったアウグスト・クビツェクは、ヒトラーのことを「話さずにはいられない人で、耳を傾けてくれる相手を必要とする

人だった」と回想しているという。イアン・カーショー『ヒトラー（上） 1889-1936 傲慢』（1998）、川喜田敦子訳、白水社、二〇一六年、四八頁。

＊13 Dayan-Rosenman, « *Shoah* : l'écho du silence », *op. cit.*, pp. 265-266.

＊14 ミュラーさんの証言する能力は、自然にそなわったものというよりも、戦後の裁判などをとおして繰り返し語ったことで時間をかけてつくられてきたものではないかという指摘もある。Markus Zisselsberger, « Challenging *Shoah*'s Paradigms of Witnessing and Survival: From Filip Müller to Ruth Elias », in *The Construction of Testimony*, *op. cit.*, p. 340. そこからさらに重要な問いも出てくる。すなわち、ユダヤ人証言者の主体性はどのようにして分節化され遂行されているのかという問題、つまり主体化という問題である。*Ibid.*, p. 364, n. 15.

＊15 ランズマン『ショアー』前掲、一六八頁。

＊16 ヒルバーグ『ヨーロッパ・ユダヤ人の絶滅（上）』前掲、ix頁。

＊17 ランズマン『ショアー』前掲、一七二頁。

＊18 Noah Shenker, « "The dead are not around": Raul Hilberg as Historical Revenant in *Shoah* », in *The Construction of Testimony*, *op. cit.*, p. 123.

＊19 *Ibid.*, p. 118.

＊20 *Ibid.*, pp. 120-122.

＊21 ランズマン『ショアー』前掲、一六八頁。

＊22 前掲、一六九－一七一頁。

＊23 シェインドリン『ユダヤ人の歴史』前掲、二一二－二一四頁。

＊24 聖パウロやムハンマドといった宗教指導者たちも、ルターとまったく同様に、はじめはユダヤ人たちに対して懸命にはたらきかけたもののうまくいかず、結局ユダヤに対する深い憎悪へと向かったという。このことは、諸国家のレベルでも同じかもしれない。つまり、当初はユダヤ人の入植を歓迎していたのにその同化に失敗し、結局は反ユダヤ主義が隆盛していくという図式である。この点については、レオン・ポリアコフ『反ユダヤ主義の歴史（1）』（1955）、菅野賢治訳、筑摩書房、二〇〇五年、二八〇頁を参照。

＊25 民族虐殺はよりよい社会の建設に矛盾しない、そのようにバウマンはいう。「近代的ジェノサイドは目的をもったものである。敵の排除は目的ではない。敵の排除は目的のための手段にすぎない。それは究極的目的に由来する必要性、この道のはるか遠くにある目的地に到達するためにとらなくてはならない一歩なのだ。その目

的とはこれまでとはまったく違った、よりよき社会の建設である。近代的ジェノサイドは社会工学の一部であり、完全なる社会の設計図に適合する社会秩序をもたらすための手段である」。ジグムント・バウマン『近代とホロコースト〔完全版〕』(1989)、森田典正訳、ちくま学芸文庫、二〇二一年、一七七頁。

＊26　Claude Lanzmann, « De l'Holocauste à *Holocauste* ou comment s'en débarrasser » (1979), in *Au sujet de Shoah*, *op. cit.*, p. 428.

＊27　ランズマン『ショアー』前掲、一七一頁。

＊28　前掲、一七一－一七二頁。

＊29　前掲、一七二－一七三頁。

＊30　ナチスの国家保安本部長官であったラインハルト・ハイドリヒは、「最終解決」についての会議を開くために、各部署の長に手紙を送っている。しかしハイドリヒはそこで「最終解決」という言葉の意味を定義しなかったし、殺害という言葉も書かなかったので、「「最終解決」の意味は想像にまかされた」という。ヒルバーグ『ヨーロッパ・ユダヤ人の絶滅（上）』前掲、三〇五頁。手紙の受けとり手は「最終解決」という言葉の意味を推論し、その実行方法をみずから発明していかなくてはならなかったといえる。

＊31　ヒルバーグ『ヨーロッパ・ユダヤ人の絶滅（下）』前掲、二四〇頁。

＊32　その意味で最終解決のプロセスは統一的なものではなく、それぞれの状況において異なっていた。同じナチス・ドイツ支配下の地域であっても、ドイツの支配の程度や、さらには政府や官僚の態度によって殺害されたユダヤ人の割合が異なっていたという。ラカー編『ホロコースト大事典』前掲、二三一－二三二頁、二三六頁。

＊33　前掲、二三七頁。

＊34　Naïr, « *Shoah*, une leçon d'humanité », *op. cit.*, p. 230.

＊35　バウマンによれば、近代において分業が厳正になり、ある仕事とその最終的結果との距離は大きくなる。そのため官僚制のヒエラルキーに属するほとんどの人は、みずからの命令がもたらす結果を完全に予知することなく命令を下すという。バウマン『近代とホロコースト〔完全版〕』前掲、一八九－一九〇頁。

＊36　ラカー編『ホロコースト大事典』前掲、二四〇頁。

＊37　ヒルバーグ『ヨーロッパ・ユダヤ人の絶滅（上）』前掲、三〇九頁。

＊38　芝『ホロコースト』前掲、二五三－二五四頁。

＊39　逆にいえば、ドイツ国民がナチスのすることに反

対していれば、ホロコーストの実行はあやういものとなっただろう。というのも、ナチスはユダヤ人虐殺よりも以前に障害者の抹殺計画を進めていたが、それは大衆の抗議により中止されたからである。ナチスは世論が激変することを何よりもおそれていたといわれている。クノップ『ホロコースト全証言』前掲、三六一頁。

＊40　芝『ホロコースト』前掲、二五四－二五五頁。

＊41　ヒルバーグさんは受けた教育としては歴史家ではなく政治学者である。これはつまり、第二次世界大戦の歴史は、歴史家のみに託されるにはあまりにも深刻な問題だということを示しているという。Pierre Vidal-Naquet, « L'épreuve de l'historien : réflexions sur d'un généraliste » (1988), in *Au sujet de* Shoah, *op. cit.*, p. 275.

# 11 ガス・トラックへの誘導

## 1 被害者と加害者の区別

これまでの回で、ホロコーストをめぐるさまざまな立場があったことがわかります。おおまかにいうと被害者であるユダヤ人、加害者であるナチス、そして傍観者であるポーランド人がいた。それに一般のドイツ人もいて、絶滅について知らされていないけれど、自分の仕事をとおして間接的に絶滅作戦にかかわっていた。だけど普通はもっと単純でわかりやすい図式で考えてしまいがちです。つまり、被害者と加害者という図式、ユダヤ人とナチスのSS（親衛隊）という図式です。だけど実際にはそんなに単純ではない。

それについてプリーモ・レーヴィの文章を見てみます。レーヴィは講義で何度か出てきたユダヤ人生還者、つまり被害者です。だけどレーヴィは被害者と加害者、すなわち犠牲者と迫害者という二つのブロックに単純にわけることはできないと述べています。

**引用1**　私たちが落ちたと感じた《収容所の》世界は確かに恐ろしかったが、また理解不可能でもあった。それはいかなるモデルとも一致せず、敵は周りにいたが、内部にもいた。「私たち」は自分自身の境界を失い、敵対する側は二つではなく、境界線は見分けられず、数多くあり、混乱していて、おそらく無数にあり、個人と個人の間に引かれていたのだ。[*1]

レーヴィはアウシュヴィッツに入れられた当初は、「敵と味方、加害者と被害者にわかれているのだろう」と想像していた。だけど入ってみたらそんなに単純ではなくて、理解できないほど複雑な世界だったといいます。敵と味方はきれいに二つにわかれていない。味方だと思っていたユダヤ人のなかにSSと通じている人がいるし、逆に、SSのなかに虐殺をいやがる人がいる。この人は完全に被害者だとか、あの人は完全に加害者だとか、簡単に決めることはできない。レーヴィはこの状況について、「灰色の領域」とか「あいまいな領域」という言葉をつかっています。[*2] つまり、被害者と加害者といった単純な区分では、ユダヤ人絶滅について理解することはできないわけです。

## 2 『ショア』を見る（映像1）

映像1 『ショア』DVD 1-2、35:51-47:07 (ch. 7)

フランツ・シャリングさんというドイツ人男性で、ナチスの警察官だった人です。彼はポーランドのヘウムノ絶滅収容所ではたらいていた。「ナチスに所属して収容所で勤務していた」と聞くだけで、もう犯罪者なんじゃないかと思ってしまいます。きっとシャリングさん自身も、自分が犯罪者だという意識があったのかもしれません。なぜならシャリングさんは顔を出すのを拒否したみたいで、この場面は隠し撮りになっているからです。第8回でも隠し撮りの映像がありましたが、あのときはSSに所属していた人です。シャリングさんはSSではなく警察官で、立場がちがいます。隠しカメラの映像はやっぱり独特ですね（**写真**）。さらにランズマンは、隠し撮りのために車を駐車するシーンを見せたり、車内の機材を見せたりして、あえて隠し撮りであることを強調します。その独特の雰囲気はやはり注目してしまいます。

## 3　ナチス警察官の視点

シャリングさんの話の内容を信じるなら、彼は絶滅に直接的にはかかわっていないような、その場に偶然居合わせてしまったというような、そんな印象を受けます。シャリングさんは、ナチスの防護警察、ドイツ語でいうと「シュッツポリツァイ（シュポ）」という身分だったそうです。以前の勤務地では、見回りばかりさせられてつまらなかった。だから刺激を求めて異動を申し出た。勤務地は知らないけど、退屈するよりはいいだろうと考えた。これが本当かどうかはわかりませんが、そのように考えたというのは理解できます。そしてヘウムノにある「館」と呼ばれるところに着く。だけどシャリングさんは、そこがなんなのかわからない。守秘義務のサインをさせられる。そのあと謎の言葉を聞かされます。

フランツ・シャリング（左）とランズマン（右）
(DVD1-2, 0:39:38)

**引用2**　〘フランツ・シャリング（ドイツ人男性、元ドイツ防護警察官、ドイツ語）：〙皆が署名を終わると、〈ユダヤ人問題の最終解決〉と、教えられたんです。でも、何のことか、まだわかりませんでしたね。何もかも、普通のように見えましたし、知らなかったんですから。〘ランズマン：〙ああ！　だれかがそう言ったわけですね……。〘シャリング：〙この土地で行なわれていることを、教えてくれたんですよ。〘ランズマン：〙だれかが言ったんですね？「それは〈最終解決〉だ」と。「あなた方が担当するのは、〈最終解決〉だ」と。〘シャリング：〙そうです。でも、その意味は、さっぱりわからなかった。何しろ、一度も聞いたことのない言葉だったもんでね！　それから、説明してくれましたよ。[*3]

ここでシャリングさんは、絶滅収容所にきてはじめて「最終解決」という言葉を聞いたんだといっています。「自分はそれまで知らなかったんだ」ということを強調しようとして、両手を胸にもっていくしぐさをしています。本当に知らなかったのか、それ以前に知っていたのではないか、そういう疑問もあるかもしれませんが、この部分だけでは判断できません。そのあとシャリングさんは、ユダヤ人がどんなふうに殺されていくのかを語っていました。ヘウムノの絶滅収容所では、ガス室ではなく、ガス・トラックがつかわれていた。シラミの駆除をするからといってユダヤ人を走らせて、部屋で衣服を脱がせる。裸にさせる。また走らせてトラックに乗せる。[*4]

**引用3**　〘ランズマン：〙ユダヤ人は、自分から進んで、トラックに乗り込んで行きましたか？〘シャリング：〙いや、殴られてです。棒でもって、手当たりしだいにです。そこで、事態に気づいたユダヤ人は、もちろん、悲鳴をあげました……。恐ろしい！　恐ろしい光景でした！[*5]

車内モニターの小さな映像なので、シャリングさんがどんな表情だったのか、残念ながらわかりません。だけどシャリングさんは結局そこで勤務しつづけたようです。戦争から何十年たってもおそろしい光景だった、だけど当時は勤務することができたわけです。そのあとシャリングさんは、トラックのなかにガスを引き込む方法について話します。ここで印象的なのは、「私はそれについては知らない」と何度か答えているところです。

**引用4**　〘シャリング：〙〘ガス・トラックを〙運転したのは、皆SSですよ。〘ランズマン：〙大勢でしたか？〘シャリング：〙何人いたか、知りませんね。〘ランズマン：〙二人、三人、五人……、それとも一〇人くらい？〘シャリング：〙いや、そんなに多くはなかった。二人か三人でしょう。詳しくはわかりませんが。たしか、トラックは二台しかなかった……。大きいのが一台と、少し小さいのが一台だったようです。はっきりとは言えませんけれど。〘ランズマン：〙なるほど。運転手は、運転席に乗り込んだんですね？〘シャリング：〙そう、後部のドアを閉めたあと、運転席に乗り込んで、エンジンをかけました。〘ランズマン：〙アクセルを踏み込んでいました？　それとも……。〘シャリング：〙そいつは知らない、知りませんね。〘ランズマン：〙でも、たとえば、エンジンの音は聞こえたでしょ？〘シャリング：〙ええ、エンジンがかかると、館の門の所からも、聞こえました。〘ランズマン：〙で、音としては、強い方でした？〘シャリング：〙ごく普通のエンジン音ですね。〘ランズマン：〙エンジンがかかってからも、トラックは停まったままでしたか？〘シャリング：〙ええ、停まってました。〘ランズマン：〙そうか……。〘シャリング：〙それから、走り出します。我々が正門まで戻ってから、門を開けると、トラックは森の方に走り去って行きました。〘ランズマン：〙なかの人たちは、もう死んでいたのですか？〘シャリング：〙そいつは知りませんでした。静かでした。もう何も聞こえませんでした[*6]。

この証言によると、シャリングさんは、殺戮《さつりく》の様子についておおよそは見ていたけれど、くわしいことは知らない。運転手の人数、アクセルを踏んだのかどうか、ユダヤ人はいつ死んだのか、そういったことはわからないといっています。でもランズマンが聞き直すと、思い出して答えています。はじめから自分で思い出そうとはしないわけです。シャリングさんはまずは「知らない」と答えることが多い。

ちなみにシャリングさんがガス・トラックのことを話しているとき、画面が真っ白になります。おそらく画面手前右側にいた女性、たぶんシャリングさんの奥さんだと思いますが、その人がソファから立ち上がったので、同じソファにおいてあった隠しカメラが動いたのかもしれません。このあたりの映像の乱れを見ると、スリリングな様子がうかがえておもしろく感じます。

## 4　『ショア』を見る（映像2）

映像2　『ショア』DVD 1-2、47:07-59:08 (ch. 8-9)

二人が証言していました。まず、ヘウムノ絶滅収容所を生き延びたユダヤ人男性、ポドフレブニクさんです。この人は第3回にも出てきた。最初の画面は車から撮影したヘウムノの風景で、小さな村のようです。かつて「館」と呼ばれた絶滅施設の現在の様子も映されます。そのあとポドフレブニクさんの顔が映し出されますが、その表情は少しわらっているようにも見えました。そのあとに登場したのはドイツ人女性、ミヒェルゾーンさんです。彼女は、ヘウムノにあったドイツ人小学校の教師の奥さんです。

## 5　ユダヤ人の視点とドイツ人の視点

ポドフレブニクさんは先ほどのシャリングさんと同じ施設にいたわけですが、シャリングさんとはちがって被害者であるユダヤ人です。館と呼ばれていたその施設では、おそろしい事態が起こっていた。残されているのは大量の服と靴ばかりで、人の姿が見えない。ポドフレブニクさんは、ガス・トラックに乗せられることはなく、残された服を集めるという仕事をさせられた。彼はユダヤ人が殺される場面を語ります。

**引用5**　〘ランズマン：〙人々がどんなふうに死んでいったか、その時に、わかりましたか？〘モルデハイ・ポドフレブニク（ユダヤ人男性、ヘウムノ収容所からの生還者、イディッシュ語）：〙ええ、わかりました。第一に、そういう噂が流れていましたからね。また、外へ出たとき、有蓋のトラックを見たこともありました。ですから、すでに知っていたわけです。

『ランズマン：』わかったんですね？　トラックの役割が……。トラック自体のなかで、人々をガス殺《さつ》していたことを。『ポドフレブニク：』そうです。あの人たちの悲鳴を耳にしたし、その叫び声が、だんだん弱くなっていくのも、耳にしたのですから。おまけに、そのあと、トラックが森のほうへ発進するのも、見たんですからね。*7

このときのポドフレブニクさんの表情は複雑なものです。第3回でも見たように、ポドフレブニクさんはユダヤ人虐殺について語りながら、ちょっとだけわらっているように見えます。しかしたんにわらっているだけではなくて、わらっているのだけど、そのなかにどこかむなしさがあるようでもあります。ひとつの表情に落ち着かない、あるいは表情が行き場を失っている、そういうふうにも見えます。

そのあとにミヒェルゾーン夫人が語っていました。口のかたちが少しななめになっていて、またその口のまわりにたくさんのしわがあります。話すときの口の動きも特徴的に見えます。ミヒェルゾーンさんはドイツに住んでいたけど、植民地に移住する人を募集していたので、一旗あげようと考えてヘウムノに移ってきたといっていました。ナチスというわけではないので、一般のドイツ人というところでしょうか。思い切ってきたはいいけど、期待していたのとまったくちがうものだった。

ミヒェルゾーンさんは、ポーランドの移住先の第一印象について、「未開、未開、未開」「もっと悪い、未開以前の状態でした」といっています。*8 地域にはトイレがひとつしかなくて、話にならなかったといいます。そのときミヒェルゾーンさんはわらっています。このわらいは、さっき見たポドフレブニクさんのわらいとはちがっていて、単純なわらいのように見えます。そこにはむなしさのようなものはなくて、たんに「ばからしい」「ひどいものだ」と感じているようです。そうしてヘウムノの絶滅施設である〈館〉について話しはじめます。

**引用6**　『ミヒェルゾーン（ドイツ人女性、ヘウムノのドイツ人小学校の元教師夫人、ドイツ語）：』〈館〉は、教会と接していて、丈の高い柵が、二つの建物の回りを囲んでいました。『ランズマン：』お宅から、教会までの距離は、何メートルぐらいでした？〘ミヒェルゾーン：〙ちょうど正面、五〇メートルですね。〘ランズマン：〙例のガス・トラックが見えましたか？〘ミヒェルゾーン：〙いいえ、見えませんでした。いや、見えました、外側だけはね！　通りをしょっちゅう、行き来してましたからね。でも、中を覗いたことはありません……、なかにいたユダヤ人は、見てませんよ！　外側だけですよ。ユダヤ人の到着と、積み込み……、つまり、乗るところは見てましたが。[*9]

外からは見たけど、なかを見たことはないし、なかにいたユダヤ人を見たことはない。ミヒェルゾーンさんはそのことを強調しています。それはそうですよね。「なかを見た」ということは、そのトラックに乗せられたということで、つまりそれは「殺された」ということです。ここには、ユダヤ人が殺されたことを知っていながらも知らないという姿勢、見ているのに見ていないという姿勢があります。これは前回出てきた両義的な知覚ですね。興味深いことに、このあとミヒェルゾーンさんはいいまちがいをして、「館に押し込められたのはポーランド人だ」といいます。

**引用7**　〘ランズマン：〙つまり、廃墟と化していた〈館〉が……、〘ミヒェルゾーン：〙……ポーランド人の一時の宿や、シラミの駆除なんかに使われたわけです。〘ランズマン：〙ユダヤ人の、じゃないんですか！〘ミヒェルゾーン：〙そうでした、ユダヤ人のです。〘ランズマン：〙どうして、〈ユダヤ人〉じゃなくて、〈ポーランド人〉と言うんです？〘ミヒェルゾーン：〙ああ！　よく、ごっちゃになっちゃいましてね。〘ランズマン：〙しかし、ユダヤ人とポーランド人の間には、違いがあるのでは？〘ミヒェルゾーン：〙ああ、ありますよ。そりゃあ、確かにあります！〘ランズマン：〙どんな違いです？〘ミヒェルゾーン：〙ええと……、そうですね。ポーランド人は、皆殺しに遭いませんでしたが、ユダヤ人は、あいました。これが、違いです。外から見た違いは、ないんじゃないですか？〘ランズマン：〙じゃあ、内面の違いは？〘ミヒェルゾーン：〙それは、判断できませんね。私は、心理学や人類学には、そんなに強くありませんもの……。

ユダヤ人とポーランド人の違い、そうねえ……、とにかく、お互いに憎み合っていたことね。[*10]

ランズマンはすかさずミヒェルゾーンさんに、「なぜいいまちがいをしたのか」とせまります。ミヒェルゾーンさんはあまりそれについて話したくないように見える。ポーランド人とユダヤ人がどのようにちがっているのか、それを問い直そうとするランズマンの姿勢と、それを考えないでおこうとするミヒェルゾーンさんの姿勢は対照的です。ミヒェルゾーンさんは、「ユダヤ人とポーランド人はおたがいに憎んでいた」とつけ加えます。この発言によって、彼女がユダヤ人とポーランド人を似たものだと考えていることがわかります。それに、前のところで、「この土地は未開だった、未開よりひどいものだった」といっていたことを合わせると、ユダヤ人とポーランド人はもともとこの未開に住んでいて憎み合っていたということになります。となると、どちらの人種にしても、ひどい土地に住んでいた野蛮な人たちであり、文明に開かれたドイツ人よりもレベルの低い人たちだということになってきます。ミヒェルゾーンさんにとって、ユダヤ人とポーランド人は、ドイツ人に劣るという意味で同じような人たちだということであり、だからこそ彼女は、「ユダヤ人」というべきところを、「ポーランド人」といいまちがいをしたのかもしれません。

ポーランド人とユダヤ人のちがいについて、ポーランドの「連帯」に参加していたある人は、次のように述べています。「ナチス支配下でポーランド人とユダヤ人のちがいはなんだったのか。ただたんにこういうことだ。私『ポーランド人』は路面電車でプールに行きゲットーを横断し、壁の向こう側で死んでいく人々を見た。ランズマンは、そのとき私を見ていたユダヤ人の目にカメラをおいた」。[*11] つまりミヒェルゾーンさんがいうように、ポーランド人は殺されなかったがユダヤ人は殺された、まさにこれがちがいだということです。しかしこの人はさらに考えを進めて、次のようにいいます。「ユダヤ人はユダヤ人であったために死刑を宣告された。いいかえれば、人間が人間であったために死刑を宣告されたということである。このことは人間性＝人類の歴史を根本的に変えてしまった」。[*12] この人は、人間が人間であるために殺害されることのおそろしさを見ています。しかしミヒェルゾーンさんはというと、そのことに目を向けていない。なぜならポーランド人とユダヤ人は、ドイツ人である彼女とはちがって、未開の土地で憎み合う野蛮な人たちだからです。ユダヤ人はユダヤ人だったから殺されたわけですが、しかしそのことは彼女自身にはあまり関係がない。というのも彼女はユダヤ人ではないし、それと嫌い合うポーランド人でもなく、その両者から離れたところにいる、いわば高貴なドイツ人だからです。彼女からすると、ユダヤ人がユダヤ人であるために殺害されたといっても、それはユダヤ人だけにかかわることであって、たしかにそのことは残念ではあるけど、だからといって彼女にはそれほど問題ではない。いいかえると、人間が人間であるために殺害されてしまったという人類史上の大問題ではないということです。

## 6　あいまいな領域

**映像1**と**映像2**で登場した人たちはみんなヘウムノの絶滅施設について語っていますが、その立場は以下のようにまったくちがっています。

①ドイツ人のナチス警察官
②被害者であるユダヤ人
③施設を外から見ていたドイツ人

①ナチス警察官のシャリングさんは、自分は絶滅の具体的な方法についてよく知らないとしばしば主張していました。まるでSSの行為と自分は関係がなかったかのようにも聞こえます。シャリングさんがそのように強調するとき、あせっているようにも見えます。さらに隠し撮りの映像は、証言者がカメラから隠れたがっているという姿勢をいやがおうにも強調します。

とはいえシャリングさんは、以前に出てきたSS隊員と比べると、直接危害を加えていたとはいいにくい立場にいる。もちろんナチスの人間だから被害者ではない。そしてナチスの警察官として収容所に勤務しているわけだから、傍観者というわけでもない。加害者に近い。とはいえ、ユダヤ人に暴力をふるってはいないかもしれない。だけどユダヤ人の立場から見れば、絶滅収容所で制服を着てはたらいていたというのは、やはり凶悪な犯罪者のように感じられたかもしれない。このようにシャリングさんは位置づけにくい立場にいるわけです。もしかするとナチスに所属していた人たちの多くは、シャリングさんのようだったのかもしれません。つまり、被害者でも傍観者でもないし、かといって加害者とも決めつけることのできない、そういうあいまいな領域の人だったのではないかと思います。

③三人目に登場したミヒェルゾーンさんは、絶滅施設を外から見ていた傍観者です。ユダヤ人とポーランド人のちがいはどこか、同じところはどこか、というランズマンの問いに対して、あまり話をしたくなさそうな様子でした。一言でいうと、「私にはそんなことは関係ないし、よくわからない」という感じです。[*13]

だけどそこには加害者の立場に近いものも感じとることができます。ランズマンはあるインタビューで、ミヒェルゾーンさんを含めたドイツ人について次のように述べています。「彼らは起きていたことをよく知っているんです、目撃者でもないのに。彼らは意識していたのです。ユダヤ人のほうはというと、その知の形式あるいは非知の形式は、まったくちがうものです[*14]」。当時起こっていたことについて、ドイツ人がどんなふうに知っていたかということと、ユダヤ人がまったくちがっていた。ドイツ人は一般の人々であってもちゃんとわかっていた、裸にされ、トラックに押し込まれ、ガスで殺されることをわかっていた。それに対してユダヤ人はというと、もちろんおかしな事態が起きていることはわかっていても、やはり一縷の望みを抱いていたのであり、施設に連れてこられ、そこで中庭の様子を見て、服や靴だけが大量に残されているのに仲間がだれもいないのを見て、ようやく何が起きているのかがわかった。こう考えると、一般のドイツ人が「自分は傍観者だ」といくら主張したとしても、何が起きているのかを知っていたという点からすると、加害者とそんなに変わらないということになります。

そして注目すべきことに、証言でも傍観者と加害者は似てくる。つまり両者ともに、「プロセスと結果のあいだのちがいをもち出しつづけ、そのものとしての絶滅に自分がかかわっていないようにする[*15]」ということです。シャリングさんもミヒェルゾーンさんも、「私は絶滅そのものにはかかわっていない」と主張します。戦後には、おそらく大多数のドイツ人がそんなふうにいったのだろうと思います。「私は施設にいたが直接手を下していない」「私はトラックのアクセルを踏んでいない」「私は施設のすぐそばにいたが直接かかわっていない」。ミヒェルゾーンさんは、「私はトラックの外は見たけど、なかは見なかった」と強調していました。ここにもあいまいな領域があるように思えます。つまり、傍観者と加害者はほとんど同じになってしまうわけです。

②では、二人目のポドフレブニクさんはどうでしょうか？　彼はユダヤ人であり、被害者です。シャリングさんやミヒェルゾーンさんの立場とは根本的にちがいます。ポドフレブニクさんはユダヤ人特別労働班員として、同じユダヤ人が残した大量の服や靴を集めるという仕事をしていたようです。もちろんそうするしか生き延びる方法がなかったし、そうしていたとしても殺される運命にあった。実際ヘウムノでは何十万人もユダヤ人が移送されてきたのですが、生き残ったのは二人だけです。ポドフレブニクさんはまったくの被害者です。

しかしこの回の最初に紹介したように、アウシュヴィッツから生還したユダヤ人であるレーヴィは、「収容所は灰色の領域、あいまいな領域であった」と述べています。レーヴィによると、SSはユダヤ人特別労働班員のことを、それもとりわけ長くはたらいていた労働班員のことを、自分と同じようなものとみなしたということです。次のレーヴィの文章を見てみましょう。長いですが重要なものです。

**引用8**　『ユダヤ人特別労働班に』採用したばかりのメンバーには、SSは、ありとあらゆる囚人に、そして特にユダヤ人に見せていた、侮辱的な、冷然とした態度を取っていた。彼らは軽蔑すべき存在で、ドイツの敵、従って生きる価値のない存在である、という考えが心の中に刻まれていた。最も好意的に見ても、彼らは衰弱して死ぬまで働かせるべき存在であった。だがSSは特別労働班の古参の囚人にはこのように振る舞わなかった。彼らにはある程度仲間のような意識を持っていた。もはや自分たちと同様に非人間的で、同じ馬車に縛りつけられており、押し付けの共犯関係の汚れた絆で結ばれていると感じていた。ニスリ『特別労働班のひとり』は「仕事」の休止時間に、SSとSK（特別労働班）の間でサッカーの試合が行われたのを見た、と語っている。それはSSの焼却炉警備隊の代表者と、特別労働班の代表者との試合であった。その試合にはSSの他の兵士たちと、特別労働班の残りのものたちが立ち会っていた。彼らはどちらかに味方し、賭けをし、拍手喝采し、選手たちを応援した。まるで試合が地獄の入り口ではなく、村の野原で行われているかのように。／こうしたことは他の範疇の囚人とは起こらなかったし、考えられもしなかった。しかし彼らとは、「焼却炉の烏たち」とは、SSは対等か、ほとんど対等のような関係で、競技場で戦えた。この停戦の背後には、ある悪魔的笑いを読み取ることができる。事は成った、我々は成功した、おまえたちはもはや別の人種ではない、反－人種、千年帝国の第一の敵ではない。おまえたちはもはや偶像を拒否する民ではない。我々はおまえたちを抱擁し、腐敗させ、我々とともに底まで引きずっていった。おまえたちは我々と同じだ、誇り高きおまえたちよ。我々と同じように、おまえたち自身の血で汚れている。おまえたちもまた、我々と同じように、カインと同じように、兄弟を殺した。さあ、来るがいい、一緒に試合をしよう。[*16]

同じ仲間としてサッカーをして楽しもう。これはおそろしい誘いです。もちろん「SSとサッカーをするなんていやだ」という人もいたと思いますし、「この誘いを断ったら殺害されるから仕方なく試合をする」という人もいたと思います。それに、SSとユダヤ人特別労働班員が対等になるのはサッカーの時間だけだったでしょうし、さらにその時間にしても、ユダヤ人はSSに極度に気をつかってゲームをしただろうと思います。しかしナチスから見れば、「ユダヤ人だって私たちと同じだ」ということになります。サッカーをいっしょにするということは、加害者と被害者というそれまでの根本的な区分が、一時的であるとはいえなくなってしまうということです。つまり、被害者であるユダヤ人と加害者であるSSは、どちらもあいまいな領域に引き入れられてしまうわけです。レーヴィによると収容所という世界において、自分自身に忠実で、首尾一貫していて、一枚岩的な人間というのは存在しない。そうではなくてむしろ、「ありとあらゆる論理に反して、慈悲と獣性は同じ人間の中で、同時に共存し得る」[*17]ということです。

**映像2**に出てきたポドフレブニクさんは、自分と同じユダヤ人たちがガス・トラックで大量殺害されるという話をするとき、わらっているような、むなしさがあるような、そういう表情をしていました。この表情は、たんに被害者としての顔つきではないのかもしれません。もしかするとこんなふうに考えているかもしれません。「自分は加害者だったかもしれない。収容所での命令に逆らえば殺されるので、仕方なくしたがった。でも仕方ないとはいえ、やはり命令にしたがったのは本当である。もしかすると自分のなかにはナチスと同じ獣性があったのかもしれない。自分は被害者であるが、加害者としての部分があったかもしれない」。さらにこう思っているかもしれません。「自分は傍観者だったのではないか。ユダヤ人として仲間とともに連れてこられたにもかかわらず、ユダヤ人として殺されることはなく、その後ナチスに使用されていたとはいえ、ナチスの人間というわけではなかった。自分は被害者ではなく傍観者だったのかもしれない」。こうしてポドフレブニクさんは、まったくの被害者であるにもかかわらず、自分のことを加害者だと思い、あるいは傍観者だと思っているかもしれないわけです。

もちろん現実的なレベルでいえば、シャリングさん、ミヒェルゾーンさん、ポドフレブニクさんは異なった立場にいます。そしてランズマンはそれぞれを、加害者、傍観者、被害者として明確に示しており、そのちがいを強調しています[*18]。だけど潜在的なレベルでいうと、三人は同じだといえるかもしれない。もちろんこんなふうにいったからといって、シャリングさんに責任がまったくなかったとか、逆にポドフレブニクさんに悪いところがあったとか、そういうことをいいたいのではありません。絶滅のプロセスにおいては、不可解であいまいな領域が広がっていたということです。レーヴィは著書の最後に、次のように述べています。

**引用9**　彼らは、素質的には、私たちと同じような人間だった。彼らは普通の人間で、頭脳的にも、その意地悪さも普通だった。例外を除けば、彼らは怪物ではなく、私たちと同じ顔を持っていた。ただ彼らは悪い教育を受けていた。《略》彼らはその程度の差こそあれ、全員に責任があったのは言うまでもないが、彼らの責任の背後には、大多数のドイツ人たちの責任があることも明確にしなければならない。彼らは初めは、知的怠惰さ、近視眼的な計算、愚かさ、国民的誇りなどから、ヒトラー伍長の「美しい言葉」を受け入れ、幸運と、良心を欠いた破廉恥さが有利に働く限り、彼について行った。そして彼の破滅で足をすくわれ、死と窮乏と後悔に苦しめられることになった。[*19]

この引用における「彼ら」を「シャリング」として読んでください。そして「私たち」を「ポドフレブニク」として、また「大多数のドイツ人たち」を「ミヒェルゾーン」として読んでください。そうすると灰色の領域、あいまいな領域がすべての人をつつみ込んでいることがわかってきます。だれもがこの同じ絶滅のリズムに巻き込まれ、だれもがそのリズムをそれぞれの仕方でつくり直していったということです。[*20]

映画『ショア』の映像では、三人の身ぶりや話し方や表情はまったく異なっていますが、レーヴィにしたがうなら、みんな同じ普通の人間だということになります。ちがっているのはむしろ身体的なものです。これはなかなか理解しにくいところかもしれません。というのも、一般的に「ユダヤ人虐殺」というと、残酷な心をもつナチスの人間、純粋無垢であるユダヤ人、無関心な精神をもつ傍観者というふうに、三者は「精神」という点で異なるというふうに考えてしまいそうになるからです。だけど、三者において異なるのは精神とか心ではなく、身体をとおして経験したこと、身体によって伝えようとしていることです。つまり、彼らのあいだのちがいをあげるとすれば、まさに身体だということです。彼らは身体がちがっているからこそ、『ショア』の映像でも、身ぶりや話し方や表情がちがう。そこに「残酷な心」とか「無関心な精神」を見る必要はない。重要なのは、どのように身体的経験がちがっているのか、どのような身ぶりや表情で語っているのかということです。[*21]

## 7 『ショア』を見る（映像3）

映像3 『ショア』DVD 1-2, 59:08-1:01:02 (ch. 10)

監督のランズマンがヘウムノから近いグラブフという町にいて、ある建物の前で手紙を読み上げていました（**写真**）。その建物はもともとシナゴーグ、つまりユダヤ教の会堂だった。ランズマンが読んでいたのは、ラビ、すなわちユダヤ教の指導者が書いた手紙です。見たところグラブフという町はあまり大きくはなさそうです。通り過ぎている人たちも多くありませんし、自転車の音はしたものの、自動車の音とかは聞こえませんでした。

## 8 狂ったように踊る

ランズマンが読んでいたのは、ユダヤ人のラビであるヤーコプ・シュールマンという人が書いた手紙です。近くに住むユダヤ人たちが次々と殺されていき、さらには自分も間もなく殺されるだろうということを、別の町にいる友人に書いています。

ヤーコプ・シュールマンの手紙を読むランズマン（DVD1-2, 0:59:35）

**引用10** 『ヤーコプ・シュールマン（グラブフのラビ）の手紙：』今では、すべてを知っています。偶然にも救われた目撃者をわが家に迎え、彼からいっさいを聞いたのです。ドンビエの近くの、ヘウムノという場所で、彼らは虐殺され、死者は皆、近くのジェシュフの森に埋められます。ユダヤ人を殺すのに、二通りのやり方があります。銃撃による方法と、ガスによる方法です。数日前から、ウッジからも何千というユダヤ人が連行され、彼らも、同じ目に遭っています。気のふれた人間が、書いていることと、考えないでください。ああ、何ということでしょう！　これは、悲しくも、恐ろしい真実なのです。[22]

最後のところには、「気のふれた人間が、書いていることと、考えないでください」というふうにあります。ここでいいたいのは、「これは絵空事ではない、本当のことなんだ」ということです。それは裏を返してみれば、虐殺がすでに遂行されているにもかかわらず、ユダヤ人がそのことを信じていないということです。ユダヤ人にしてみれば、「たしかにナチスは私たちを迫害しているが、私たち全員を殺すだなんて、そんなばかな話はない」と思う。たしかにそんなこと普通はしないです。だからユダヤ人自身も信じることができなかった。この手紙のつづきには、引用符がつけられている次の文があります。

**引用11**　《シュールマンの手紙：》〝ああ、恐ろしや。人よ、汝の衣を脱げ。頭を灰で覆って、街を走れ。そして、狂ったように踊るのだ〟。[23]

この引用の出典は、残念ながら私にはわかりません。[24]ここからわかることは、頭に灰をかぶり、街を駆け回り、狂ったように踊るという様子、これがユダヤ人の大量殺害をあらわしているということです。これはまさしく絶滅のリズムのことをいっているように思えます。ユダヤ人はリズムに巻き込まれ、そして自分もそのリズムに合わせて狂ったように踊る。もちろんこのリズムにかかわっているのはユダヤ人だけではなく、加害者も傍観者も巻き込まれています。今回の映像で見てきた人たちをあげると、シャリングさん、ポドフレブニクさん、ミヒェルゾーンさん、リズムに乗って踊っているということです。もちろんこれは文字どおりの理解というよりもメタファー的な理解、隠喩的な理解です。彼らが実際に踊っていたわけではありません。とはいえ大量殺戮という巨大なリズムに取り込まれ、そのリズムと一体化しているかのようにみんなが行動したのではないかと思います。

この虐殺のリズムはあいまいな領域であり、ここではときに役割が入れ替わることもあります。つまりシャリングさんは加害者のようですが、話を聞くと、たんに見ていただけとも考えられます。ポドフレブニクさんは被害者ですが、もしかするとほかのユダヤ人を見捨てて、ナチスの利益のためにはたらいた加害者のように見えるかもしれない。ミヒェルゾーンさんはまわりで見ていただけの傍観者ですが、話を聞いてみると、ポーランド人とユダヤ人はドイツ人である自分よりも劣っているという考えがあり、それは加害者の意識と似ているように思えます。こうして立場はくるくると入れ替わる。それはまるで、あらゆる人が混じり合って熱狂的なダンスを踊っているかのようです。

ダンスというと、第7回の**映像2**、ベルリンのカフェ「ウィーン」での踊りのシーンがありました。ここでは、老人の男女がエレガントな服で踊っていました。踊り場には二人だけです。男女はゆかいな音楽に合わせて、ともにこやかに、くるくるとまわっています。ドイツ人かどうかはわかりません。名前も出てこないので、だれだかわかりません。だれだかわからないふたりの男女が踊っている。これを私たちの考えに引きつけてみましょう。踊っているのがだれだかわからないということは、逆にいうなら、だれであってもよいということです。つまり、だれであっても、そこにあるリズムに巻き込まれることがあり、そのリズムに合わせてダンスをすることがある。ショアのリズムに乗ってしまうのは、だれもが同じだということです。ランズマンがそのようにいっているわけではありませんが、私としてはそう考えることも可能ではないかと思います。

## 9　まとめ

①ショアにかんしては被害者・加害者・傍観者をはっきり区別することはできない。
②そこには灰色の領域、あいまいな領域がある。
③被害者・加害者・傍観者は現実的にはちがうが、潜在的には同じである。
④三者のあいだのちがいは、精神ではなく身体である。
⑤だれもが絶滅のリズムに巻き込まれ、そのリズムに合わせて狂ったように踊る。

＊1　レーヴィ『溺れるものと救われるもの』前掲、四四頁。
＊2　前掲、五〇頁、七一頁。
＊3　ランズマン『ショアー』前掲、一七七―一七八頁。
＊4　ラカー編『ホロコースト大事典』前掲、三二〇頁。
＊5　ランズマン『ショアー』前掲、一八〇頁。
＊6　前掲、一八二―一八三頁。
＊7　前掲、一八六頁。
＊8　前掲、一八八頁。
＊9　前掲、一九〇頁。
＊10　前掲、一九〇―一九一頁。
＊11　Jacek Kuroń, « On a condamné à mort les Juifs parce qu'ils étaient juifs » (1985), in *Au sujet de Shoah*, *op. cit.*, pp. 355-356.
＊12　*Ibid.*, p. 355.
＊13　ミヒェルゾーンさんは別のところで、鎖をつけて歩いているユダヤ人特別労働班員について、「できれば、だれだって、あれとは、関わりをもちたくありませんでした」といっている。ランズマン『ショアー』前掲、二一一頁。映像で彼女の表情と身ぶりを見ると、ユダヤ人労働班については自分から遠ざけたかったという様子がうかがえる。ただし、ユダヤ人労働班員であったスレブニクさんが当時歌っていた歌の歌詞を聞かせると、ミヒェルゾーンさんは思わず口を出して、そのつづきを歌っている。前掲、二一四頁。ミヒェルゾーンさんはユダヤ人にはできるだけかかわらないようにしていたが、そのころの歌は身体のなかに刻み込まれ、数十年たっても残っているようである。
＊14　Lanzmann, « Les non-lieux de la mémoire », *op. cit.*, p. 405.
＊15　Maniglier, « Lanzmann philosophe », *op. cit.*, p. 102.
＊16　レーヴィ『溺れるものと救われるもの』前掲、六六―六七頁。
＊17　前掲、六九頁。
＊18　ランズマンはレーヴィのいう「灰色の領域」についてまったく意識していないという指摘がある。ラカプラ「ランズマンの『ショアー』」前掲、二四六頁。
＊19　レーヴィ『溺れるものと救われるもの』前掲、二六八―二六九頁。
＊20　ある歴史学者がいうには、「実際には「ユダヤ人」という全体がないのと同様に、「国家社会主義ドイツ」という全体といったものもない」。Vidal-Naquet, « L'épreuve de l'historien », *op. cit.*, p. 273. 特殊な人間が

集まってナチスを形成し、それが虐殺を引き起こしたというわけではない。シャリングさんやミヒェルゾーンさんはほかと変わらない普通の人であったが、それら普通の人たちこそがひとつのリズムのなかでさまざまな関係を結び合い、そこからそのリズムはさらなる勢いをもっていったわけである。

＊21　ＳＳとユダヤ人特別労働班がおたがいの立場を忘れるような瞬間があることについては、別の生還者も述べている。彼は、食料と酒を盗んで居場所に戻ろうとすると、ＳＳのジドウが酒に酔った様子であらわれたという。「突然、ジドウが私に、「カッツァップ、ここへ来い、這いつくばれ」と言う。私は従った。彼のところへ行くと、私の背中に乗り、だだっ子のように鞭を振り降ろし、どなる。「もっと早く、もっと早く！」と。彼は野生の雄馬にまたがる有名な騎手を思い描いていたようだ。災難だ。馬は私なのだ。／私は騎手を乗せたまま囚人が座っているところを回った。ウクライナ兵や班長が拍手喝采をした。私が滑って地面に倒れると、勇猛な騎手は空中をころがり、私の傍らにパタッと落ちる。両腕を広げ、短い脚はぶざまな姿をさらした。私は大笑いし、ジドウも同様に大笑いした。頭上には松が密生した湿った緑色の一区画に皆休んでいたが、一瞬われわれはお互いの立場を忘れていた」。ヴィレンベルク『トレブリンカ叛乱』前掲、九五‐九六頁。ここでも身体的経験が重要である。ユダヤ人特別労働班員がＳＳの遊びに巻き込まれるとき、心のなかでは「災難だ」と思っているとしても、結局は「大笑い」するという身体的動作が起こることで、ＳＳとの絶対的なへだたりが一時的にくずれ去った。すなわち身体的なものが状況を決めているように見える。

＊22　ランズマン『ショアー』前掲、一九二頁。

＊23　前掲、一九三頁。

＊24　ある研究者によると、この手紙を読むシーンでは、ランズマンがイディッシュ語の原文をフランス語翻訳で読み上げており、そのことによって犠牲者の証言を救っている一方で、その言語を消去してしまってもいるという。Glowacka, « "Traduttore traditore" », *op. cit.*, p. 163.

# 12 ユダヤ人のイメージ

## 1　ポーランド人とユダヤ人

第10回で、ヒトラーだけでなく一般の人々のあいだにも反ユダヤの考えがあったことを見ました。ヨーロッパでは伝統的にキリスト教が広まっていたので、キリスト教とユダヤ教の関係がうまくいかないということがありました。この反ユダヤ主義というのは、日本に住んでいる私たちにはなかなかわかりにくいです。反ユダヤ主義とはどんなものなのでしょうか？

**引用1**　私は、随分大勢の人に、その反ユダヤ主義の理由を訊ねてみた。大部分の人は、ただ、伝統的にユダヤ人に帰せられている欠点を列挙するにすぎなかった。「私は、ユダヤ人が大嫌いだ。彼等は、功利的で、わるだくみにたけて、ねちねちして、執念深く、気が利かず、その上まだまだ……」*1

これは二〇世紀フランスの哲学者ジャン＝ポール・サルトルの文章です。反ユダヤ主義がドイツだけではなくフランスにも広がっていたことがわかりますね。

今回はユダヤ人のイメージを見ていきます。とりわけポーランドの人たちがユダヤ人に対してどんなイメージをもっていたのか。ポーランドは、ヨーロッパのなかでユダヤ人がもっとも多くいた国です。第二次世界大戦のはじまるころ、世界全体でユダヤ人は一五〇〇万人ほどいたといわれています。そのうちポーランドに住んでいたのはおよそ三三五万人です。戦争によって一五〇〇万人の四〇パーセント、つまり六〇〇万人が死んでしまいます。ポーランドには三三五万人のユダヤ人がいましたが、そのうち三〇〇万人が戦争で死んでしまった。一〇人のうち九人死んだということです。[*2] ポーランド人にとって、まわりにいたユダヤ人はほとんど殺されてしまったわけです。ではポーランド人はユダヤ人に対してどういうイメージをもっていたのでしょうか？

**引用2**　すでに大戦以前から、両者『ユダヤ人とポーランド人』の関係は、長い時間をかけて確実に悪化してきていた。〔略〕急速に力を伸ばしたナショナリストの諸グループは、ユダヤ人の市民権の撤廃を強く求め、ポーランド社会からユダヤ人を徹底的に排除するために戦った。〔略〕市民文化は、『周辺のロシアやオーストリアやプロイセンの侵略を受けて』国家機構の制度化が遅れたことによって、とくにポーランドでは脆弱であったので、民族的・宗教的なさまざまの相違を超越することができなかった。制度上は市民であっても、ユダヤ人は、ポーランド社会ではその他の市民と同じ権利や正統性を有さない異邦人と見なされた。ナショナリストの観点からすれば、彼らはポーランドにいるだけで、ナショナル・アイデンティティを危険にさらす存在であった。[*3]

ユダヤ人とポーランド人の関係は悪くなってきていたといわれています。それに関連してポーランドの市民文化は遅れていた。なぜかというと、ポーランドは東側にロシア、南にはオーストリア、西にはプロイセン、つまりドイツがあって、強い国に囲まれているんです。なので、周辺の国々から侵略されることが多かった。侵入どころか勝手に分割されてしまうこともあった。そのため国の制度をととのえるのが遅れてしまい、固有の文化を確立するのもむずかしかったということです。だから、民族や宗教のちがいを乗り越えて理解し合うことがなかなかできなかった。[*4]

ポーランド人はどんなふうにユダヤ人をあつかったのか。たとえばユダヤ人は大学で差別を受けます。ポーランドでは大学に入学できるユダヤ人学生数の定員があった。つまり、どんなに頭がよくても上限を超えると入学できなかったみたいです。さらに、ユダヤ人が大学に入学できたとしてもまたそのあとに問題があって、たとえば右翼の学生組織が、大学の教室でユダヤ人の学生の席を区別するように要求したりします。それに抵抗するユダヤ人学生は暴行を受けて、教室の左側の席に押しやられる。暴行した学生のほうは、ほかのポーランド人学生からも教授たちからも好意的に見られていたといいます。そう考えると、なんだか国全体がユダヤ人に対していじめをおこなっているように見えます。[*5]

このように見てくると、ポーランド人はユダヤ人に対して非常に冷たいように思えます。だけどポーランド人からすると、冷たくせざるをえない状況でもあった。ナチス・ドイツはポーランド人をかなり抑圧的な仕方で支配していたからです。ドイツはポーランドにおいてちゃんとした学校教育も自助活動も認めることはなく、ポーランド人が少しでもドイツの占領に抵抗するような姿勢を見つけると死刑にしたといわれています。[*6] つまり、ドイツの恐怖支配の対象は、ユダヤ人だけではなくポーランド人も含まれていたということです。[*7] そのように恐怖が支配していたなかで、ポーランド人がユダヤ人を助けるというのは、とてもむずかしかったということも理解できます。

絶滅収容所での虐殺がはじまると、多くのポーランド人たちはユダヤ人に対してあわれみを感じたようです。多くの人は、「たしかにあまり好きじゃないけれど、虐殺というのはさすがにちょっとかわいそう」と思っていた。だけど、やっぱりあんまり好きじゃない、その気持ちはそんなに変わらない。結局ポーランド人は、ドイツとユダヤのあいだの戦争には自分は関係ないとみなすことで、ゲットーの存在とかユダヤ人への暴力という問題と折り合いをつけていたようです。[*8] ポーランドの住民たちは、ユダヤ人が絶滅収容所に送られたことは知っており、それはたしかにおかしい、そんなのかわいそうだと思っている。だけど自分が危険をおかしてまで助けるかというと、そんなにユダヤ人と親しいわけじゃない。彼らは自分たちにはあまり関係ないと考えて、見て見ぬふりをするわけです。

## 2 『ショア』を見る

この部分では、ポーランドのグラブフという町の住民にインタビューしています。グラブフは昔ユダヤ人も住んでいたんですが、ナチスによってヘウムノ絶滅収容所に連れ去られ、殺されてしまった。ちなみに映像で話している人はみんなポーランド語を話しますが、ランズマンはわからないので通訳をつけています。

映像1 『ショア』DVD 1-2、1:01:02-1:19:35（ch. 11-23）

最初に、女性が家のなかから窓のカーテンをちょっと開けてこっちをうかがっていました。こちらを疑って不審に思っているようにも見えます（**写真**）。ランズマンが人々にユダヤ人のことを聞いてみると、ユダヤ人はポーランド人よりも裕福だったといわれていました。またランズマンは、ユダヤ人がいなくなってさびしいかどうか聞いていました。さびしいという答えもあれば、別にさびしくないという答えもあった。いずれにしても、みんなの答え方を見ると、四〇年も前のことを思い出して話すというような感じではなかった。むしろちょっと前のことのように、たいていすらすらと答えてくれていました。もちろんなかには、昔だからよく覚えていないという人もいましたが。

窓からうかがうグラブフの住民たち（DVD1-2, 1:01:14）

## 3　ポーランド人にとってのユダヤ人

映像では、家の軒先でポーランド人夫婦と話すシーンがありました。その夫婦とランズマン、そしてポーランド語通訳の女性が近くに集まって、なかよく会話しているように見えました。ランズマンが夫婦に向けて「いい家ですね」と伝えると、夫婦は少しうれしそうにわらっていました。

**引用3**　〘ランズマン：〙とても立派な家に住んでるじゃないですか。やはり、この家が立派だと思ってますか？　お二人も同じですか？〘グラブフのある夫婦（ポーランド人、ポーランド語、今回以下同様）：〙ええ、そのとおりよ。〘ランズマン：〙ねえ、何ですか、この家の扉の飾りは？　何を表わしてるんですか？〘夫婦：〙昔はよく、こんな彫刻を、こしらえたものだよ。〘ランズマン：〙こんなふうに、飾りをつけたのは、お二人ですか？〘夫婦：〙いえいえ、これもやっぱりユダヤ人よ。〘ランズマン：〙やっぱり、ユダヤ人、ね。〘夫婦：〙この扉は、少なくとも百年は経ってるな。〘ランズマン：〙ほう、百年もね。ユダヤ人の家だったんですか？〘夫婦：〙そうよ。このあたりの家にはみな、ユダヤ人がいたのよ。〘ランズマン：〙広場の家はすべて、ユダヤ人の家だったわけですか？〘夫婦：〙そうだね、表側の家、通りに面した家は、全部、ユダヤ人が住んでいた。〘ランズマン：〙じゃあ、ポーランド人が住んでたのは、どこなんです？〘夫婦：〙裏庭ですよ、便所があった所よ。[*9]

家からユダヤ人がいなくなって、この夫婦が住むようになった。夫婦はうれしそうだけど、ユダヤ人からすれば家を勝手に占拠されたということです。つまりポーランド人たちは、ユダヤ人移送という状況に乗っかって、ユダヤ人の住居をえたわけです。[*10]この夫婦のところに、もとの家の持ち主であるユダヤ人は戻ってこなかったようですが、もし戻ってきたらどのように対応したのでしょうか？　ユダヤ人が戻ってきたほかの例を調べてみると、残念なことに、ポーランド人の多くはユダヤ人に家を返すことはしなかったようです。「ポーランドでは、離散していた生存者は、自分の財産や家が他人の手に渡っているのを知った。これらのユダヤ人の多くは、労働収容所から解放されたか、潜伏先から出てきたのだが、「まだ、生きていたのか」と声をかけられた」[*11]。「かれら《ユダヤ人》の住居はもとのままであっても、見知らぬ別の家族、時にはかつての隣人が住みついていて、帰ってきたユダヤ人を歓迎するどころではありません。多くの場合、かれが生きて戻ってきたことを意外に思い、かれが自分の家、住居とその所有物を返すよう求めるのでは、と怖れるのです。もしかれがそう求めても、その報いは殺されることでした。戦後の国の地方機関、自治体の代表たちは、帰ってきたユダヤ人に対してかれを自分の地域に受け入れようとは思わないのが通例です[*12]」。そう考えると、**引用3**の夫婦に対しても、「立派な家でよかったですね」とはいえない気もちになります。この夫婦は次のようにもいっていました。

**引用4** 《夫婦：》当時、ユダヤ人のなかに、長老が一人いたんだが、その長老が金《きん》を集めて、警官に渡してた。差し出す金が尽きてしまうと、ユダヤ人は全員、カトリック教会に、閉じ込められた。《ランズマン：》金は、大量にありましたか？《夫婦：》うん、ユダヤ人は、持っていた。それに、とても見事な燭台も、持っていたね。[*13]

ここではユダヤ人が金持ちだったといわれています。ユダヤ人は町の教会に集められて、もっている金品をナチスに渡す、それがなくなるとヘウムノの絶滅収容所に連れられてしまったようです。

**引用5** 《グラブフの男性A：》たいていは、皮なめし屋だった。ひげを生やしてたね、それから、何ていうか、……もみあげのところに巻き毛があってさ。いずれにしても、連中は、身綺麗じゃなかった。《ランズマン：》身綺麗じゃなかった、ですって？《男性A：》《笑いながら》そう、おまけに、臭ったしね。《ランズマン：》臭った？《男性A：》そうさ。《ランズマン：》それは、なぜです？《男性A：》皮をなめしていたからよ、皮は臭うだろ？[*14]

ユダヤ人たちは清潔ではなくてくさかったといわれています。話している男性は思わずわらってしまったようで、ユダヤ人を小ばかにしているように聞こえます。

**引用6**　《グラブフの婦人たち：》《笑いながら》ポーランドの男は、ユダヤ女と寝たがってばかりいてね。《ランズマン：》じゃあ、ユダヤ女がいなくなって、ポーランド女性も、今じゃ安心だね？［通訳に］えっ？　そちらの奥さんは何と言ったの？［通訳の説明］私ぐらいの歳の女だって、昔は、男と寝るのが好きだった、そう言ってます。《ランズマン：》すると、ユダヤ女は、ライバルだったんだね？《婦人たち：》ポーランドの男ときたら、小柄のユダヤ女が好きでね。まるで目がなかったわ！《ランズマン：》じゃ、ポーランドの男は、小柄なユダヤ女がいなくなって、さびしいのかな？《婦人たち：》もちろんよ、あんなに美しい女たちだもの！　きまってるでしょ！《ランズマン：》なぜ？　どこが、そんなに美しかったわけ？《婦人たち：》《盛り上がって何人かが同時に話す》それはね、美しかったのはね、何もしないからよ。ポーランドの女たちは、働いてたのに。ユダヤ女はね、何もしないで、ただ、美容のことばっかり考えてさ、着飾っちゃって……。《ランズマン：》ああ、ユダヤ女は、働かなかったんだ！《婦人たち：》ぜんぜんよ。《ランズマン：》どうしてです？《婦人たち：》金持ちだったからね。ポーランド人は、金持ちのユダヤ女に仕えなけりゃならなかったのよ。《ランズマン：》［通訳に］今、〝資本《カピタル》〟という言葉が聞こえたけど……。［通訳の説明］ええと……、つまり、ユダヤ人の手に資本《カピタル》があった、……と言ってます。《ランズマン：》［通訳に］なるほど……。でも、その言葉を訳さなかったね。奥さんにもう一度、質問しなおして。すると、資本《カピタル》は、ユダヤ人が握っていた、というわけだね？《婦人たち：》ユダヤ人が握ってたのは、ポーランド全土よ。[*15]

何人かの女性が感情のおもむくままに、わらいながら話していました。映像では、右側にいた女性が大きな声で話していました（**写真**）。ユダヤ人女性はきれいだっ

グラブフの住民たち（DVD1-2, 1:11:42）

たから、ポーランドの男たちはいっしょに寝たがっていたとか、ユダヤ人女性ははたらかずに美容のことばかり考えていたといわれています。このポーランドの女性は、ユダヤ人女性を直接責めているわけではないですが、あまりいい感じのことはいっていませんね。ねたんでいるというか、嫉妬しているというか、そういう感じです。このしゃべり方も四〇年も前のこととは思えない。むしろ、今もまだねたんでいるように聞こえる。過去のことにはなっておらず、まだ現在もつづいているように思えます。

こうしたポーランド人について、ランズマンは次のようにいっています。「憎悪はとどまっていなければならない。そうでなければ彼らは存続できないし、生きることができない」[*16]。戦争のさなかポーランド人は、ユダヤ人が死ぬために移送されることをわかっていながら、移送を放っておいた。そうしたポーランド人が生きていくためには、戦争が終わって何十年たったとしても、ユダヤ人のことをわらっていなければならない、そのわらいのなかに憎悪がなければならない、そのようにランズマンはいいます。たしかにこの映像のポーランド人たちはわらっており、ユダヤ人に対する憎さが現在もまだ残っているかのように見えます。次の引用を見てください。

**引用7**　〖ランズマン：〗当地から、ユダヤ人がいなくなって、あなた方は満足ですか。それとも、悲しい気持？〖グラブフの男性Ａ：〗いなくなったからって、別に困りはしないさ、どっちみちね。でも、あんたも知ってるだろうけど、戦前、ポーランドの全産業は、ユダヤ人と、それにドイツ人が握っていたんだ。〖ランズマン：〗けれど、あなた方は、ユダヤ人に好感をもっていたんでしょ、全体としては？〖グラブフの男性Ａ：〗ポーランド人としては、うん、そうねえ……。ユダヤ人がとても感じがよかったとは、言えないね。

第一に、正直じゃなかったからね。〘ランズマン：〙正直じゃなかった、って！　グラブフの生活は、ユダヤ人がいた時のほうが今より、楽しかった？〘男性A：〙〘答えるのに時間をおいて〙とは、言えませんな。〘ランズマン：〙言えないんだね。ユダヤ人が正直でなかったと言うのは、なぜです？〘男性A：〙そりゃあね、ポーランド人を搾取していたからだよ。何よりもそれで、暮らしを成り立たせていたんだからね。〘ランズマン：〙搾取してたって、どんなふうにですか？〘男性A：〙値段をつりあげてさ。[*17]

ユダヤ人は正直ではなかった、ポーランド人をだましてお金をかせいだといわれています。これがユダヤ人のイメージです。**引用1**と同じです。ユダヤ人がいなくなっても別に困らない、これが正直なところなんだろうなと思います。この**引用7**のすぐあとのシーンでは、あるポーランド人が、ユダヤ人の肉屋では「牛肉はとても安かった」といっています。[*18]となると、この**引用7**でいわれていることとは矛盾しますよね。ユダヤ人の印象というのは、人によってけっこうちがうのかもしれません。

次は、別のポーランド人男性です。

**引用8**　〘ランズマン：〙ユダヤ人がいなくなって、さびしいですか？〘グラブフの男性B：〙うん、さびしいね。とびきり美人の、ユダヤ女がいたからねえ。まあ、若い時には、いいもんだったよ。[*19]

この男性は、ユダヤ人がいなくなってさびしいといいます。まあ、ユダヤ人にやさしくしたいという理由ではないようですが。次は、**引用6**の女性たちの発言です。

**引用9**　〘ランズマン：〙ユダヤ人がここにいなくなって、さびしいと思いますか、それとも、かえってよかったと思います？〘グラブフの婦人たち：〙そんなこと、答えられるわけないでしょ？　私はね、無学な人間なんですから。だいたい、今の暮らしのことしか頭にないわよ。今は、ふところ具合はけっこういいわ。〘ランズマン：〙昔より、いい暮らしなんですね？〘婦人たち：〙戦前は、ジャガイモを掘らなきゃならなかったけど、今は卵の店をやっていられる。だから、ずっとよくなったわね……。〘ランズマン：〙でも、それは、ユダヤ人がいなくなったからかな？ それとも、社会主義のおかげかな？〘婦人たち：〙どっちでもいいじゃない。今の暮らしがいいから、それで満足なのよ。[20]

この女性は、やっぱり画面の右側にいた人の発言ですけど、ユダヤ人がいなくなってもそんなにさびしくないようです。というかそこまで興味がないのかもしれない。この人にとっては、ユダヤ人が殺されたのはたしかにかわいそうだけど、自分は暮らしにそんなに困っていないし、別にそれでいいということです。次は、**引用3**と**引用4**のポーランド人夫婦の言葉です。

**引用10**〘ランズマン：〙そんなふうに〘ユダヤ人の〙同級生をなくして、ご主人はどんな思いを味わいました？〘夫婦：〙今でもやっぱり、つらい気持ですよ。〘ランズマン：〙そうですか。お二人は、ユダヤ人がいなくなって、さびしい思いをしているんですね？〘夫婦：〙もちろんだよ！ いいユダヤ人たちだったからね。[21]

この人は、ユダヤ人の友達が連れていかれたことを思い出すと今でもつらいといっています。この人のように「さびしい」と答えるポーランド人は、映像を見るかぎりでは少ないです。町にはけっこう前からユダヤ人が住んでいたみたいですが、友だちがいなくなってさびしいというような人はそんなに多くないようです。

## 4 変わらないポーランド

**映像1**についてランズマンは次のように述べています。

**引用11**〘ランズマン：〙この一連のシーンは正真正銘のウェスタンです。木造の家、戸口の敷居に腰をおろした連中、カーテンの影からこちらを眺めている女たち。そしてカメラと撮影チームがそこに到着する……いささか私も、責任を問いただしに戻ってきた正義の味方のように見えたでしょうね。彼らはそんなふうに生きてきたわけです。〔略〕ポーランドの農民による中世的なキリスト教の古くからある反ユダヤ主義が爆発します。かりに私が冒頭であのシーンを編集していたら、事態は少しずつ発見されてゆかねばならなかったにもかかわらず、この映画は物議をかもす、暴力的で、攻撃的なものになっていたことでしょう。[*22]

ランズマンによると、このシーンにはポーランドの反ユダヤ主義があらわれている。ポーランド人は悪者のように描かれているというわけです。たしかにポーランド人の言葉や身ぶりは、あたたかいものとはいいにくい。ランズマンはこのシーンを映画のはじめに配置するのではなく、中盤にもってきています。映画の最初のシーンはというと、大人になったユダヤ人生還者が収容所跡地をひとりで静かに歩き、おだやかに歌っている、そういうシーンでした。ランズマンはポーランドに反ユダヤ主義があることを見せたかったけれど、あくまで段階を追って見せたかったということです。

**引用11**でランズマンは、「このシーンをはじめにもってきていたとしたら映画は攻撃的なものとして見られただろう」といっていますが、『ショア』はすでに大きな論議を巻き起こしています。とりわけこの映画を見たポーランド人は、「ランズマンの目的はわれわれポーランドを攻撃することなんだ」というふうに受けとりました。ポーランド人たちによると、この映画は、まったくもって客観的ではないとのことです。[*23]もしポーランドのことをよく知らない観客が『ショア』を見たら、「ポーランド人はユダヤ人の運命に無関心だったんだ」という感情をもつと思います。私自身も「ポーランド人は冷たかったんだな」って感じました。たしかにそれは実質的にはまちがいではないみたいですが、それにしても、いい落としているところがあるといわれています。[*24]たしかに数は多くないけれど、ユダヤ人を助けようとしたポーランド人がいたのは事実です。ユダヤ人を支援したばかりに、死刑にされてしまったというポーランド人もいました。[*25]だけど『ショア』は、ポーランド人がユダヤ人をかくまったという例をひとつも出していない。[*26]ポーランド人からしたら、ドイツの恐怖政治があったこと、そのなかでもユダヤ人を助けた勇敢な人間がいたこと、そうした話にまったくふれずに反ユダヤ的な姿勢ばかり映されているのを見て、「いやいや、おれたちだってすごく大変だったんだ」と思い、ランズマンの表現を認めることができなかったのかもしれません。[*27]

こうしてポーランド人にとって『ショア』は反ポーランド的な映画に見えたわけですが、ランズマンの目的はポーランドを批判することではなかった。ランズマンが目指すのはむしろ、ポーランドにおいて絶滅を進めることができたのはどのようにしてなのか、そしてそれはどんな状況においてなのかをたしかめることです。[*28] それをたしかめていくなかで、ポーランドにはユダヤ人をめぐってある種の特別な身ぶり、ある種の特別な話し方があった、これが重要なことです。ランズマンはポーランドを非難したいわけではない。[*29] ランズマンにとって重要なのは、ポーランド人の責任を問うことでなく、ポーランドにおいて絶滅が可能となった条件を探ることです。ポーランド人の身ぶりや話し方はユダヤ人を排除するまではいかないけれど、自分と同じものとしては認めようとしない、そういう姿勢です。ランズマンはそこに、ユダヤ人絶滅につながる要素を見ています。もちろん、このランズマンの思考に対する批判もあります。つまり、ポーランド人のなかに反ユダヤともいえそうな姿勢があるとはいえ、そのことと絶滅のプロセスとは区別して考えなければいけないのではないかという意見もあります。[*30]

ランズマンは、ポーランドだからこそ絶滅がなされたんだ、ポーランドにこそ絶滅の条件があるんだと考えています。そしてその条件は戦争当時だけにあったのではなく、今現在も変わらずに残されているということです。つまりこの映画は、「今日のポーランド農民、その価値、その話し方、その環境、そしてもちろんそのユダヤ人との関係についての映画」であるということです。[*31]『ショア』は昔のことについての映画ではなく、現在にかんする映画だということです。ポーランド人とユダヤ人をめぐって現在へとつづいている複雑な関係、これをランズマンは考えています。逆にいうと、この映画にはアクチュアルな問題が映し出されている、そのことに気づいたからこそポーランド人たちはこの映画を受け入れたくなかったのかもしれません。

ランズマンがポーランドにいって驚いたことは、何も変わっていないことだったといわれています。[*32] つまり地名が変わっていないし、ユダヤ人が以前に住んでいたところも変わっていない。インタビューしたポーランドの農民たちは、ホロコーストがまるで現在のことであるかのように語っている。先ほどの**映像1**では、自分の住んでいる建物は昔からあったもので、もともとユダヤ人のものだといわれていました。ユダヤ人に対するイメージにしても、昔から変わっていない。つまりポーランド人としては、たしかにユダヤ人が殺されたのはかわいそうだけど、それでもやっぱりユダヤ人というのは「お金を隠しもっている」「あまり清潔じゃない」「自分ではたらかない」、そういったイメージがあって、それは戦争が終わってもずっと変わらない。ユダヤ人は虐殺されていなくなった。しかし何も変わっていない。

そういう意味で、ポーランドは過去と現在が同じようにあらわれてくる場所だといえます。この映画は一九八〇年ころに撮影されたもので、戦争が終わってから三五年たっているんですが、何も変わっていない。ユダヤ人に対する距離感がずっと残っている。ポーランドの住民は、殺されたユダヤ人を考えるとたしかにいい気もちはしない、だけど自分がやったわけじゃない、ドイツ人が勝手にやったんだというような感じです。ユダヤ人虐殺には反対だけど、すごく反対するかというとそうではない。いなくなっても別に困りはしない。

ポーランドにはこういう人たちがたくさんいた。だからナチスはポーランドに絶滅収容所をつくることができた。そうランズマンは考えます。もしも多くのポーランドの住民が強く反対していたら、さすがにナチスも絶滅収容所をつくって殺しつづけることはできなかっただろうと思います。でもポーランド人はナチスの行為を見て見ぬふりをすることができてしまったわけです。

## 5　鏡の関係

ランズマンによると、ポーランド人にとってユダヤ人は他者である、それも絶対的な他者であると同時に親しい他者でもある、そういわれています。なんだかわかりにくいですね。ランズマンの三つの言葉を確認してみましょう。

**引用12**　反ユダヤ主義はきわめて自発的な仕方で、いわばきわめて無邪気な仕方であらわれつづけた。《略》ポーランド人にとってユダヤ人は〈絶対的他者〉（Autre Absolu）であると同時に、親しい〈他者〉（Autre familier）である。あまりに絶対的な他者なので、窒息しつつあるユダヤ人の子供の涙を、人間の涙として見ることができるかどうか、わからないほどである――ひとりの農夫が「それでもやっぱり人間だったんだから！」と疑いながらも認めたのは、長く考え込んだあと、ソクラテス風に何度も問いかけられたあとのことでしかなかった。絶対的他者であるだけではなく親しい他者なのであって、つねに彼らと生きてきながら、彼らの絶滅を願いつづけてきたので、それを受け入れることができたのである。[*33]

**引用13**　《ランズマン：》ユダヤ人は彼らにとって二重の意味で他者なのです。ユダヤ人は絶対的他者であり、あまりにもよそものだしあまりにも人間と異なるものなので、平然とこの驚くべきシーンに居合わせることができます。そのことで彼らの心は動かないのです。そして同時に、ユダヤ人はもっとも親しい他者でもあります。彼らはユダヤ人の話をするし、小さいころはユダヤ人といっしょに学校にいっていたのです。[*34]

**引用14**　《聞き手：》それゆえ殺されたのが同じ人ではなく他者であるためには、憎悪が保持されなければならないということですか？《ランズマン：》もちろんです。[*35]

ポーランド人にとってユダヤ人は絶対的他者であり、かつ親しい他者である。どちらでもあるといわれています。あるときはいっしょに学校にいき、握手したりおたがい体を押し合ったりして、自分たちポーランド人とほとんど同じ人間です。それはつまり、慣れ親しんだ他人です。だけどユダヤ人は皮なめしのようなくさい仕事をしたり、逆に仕事もせずに着飾ったりするという点からすれば、自分たちポーランド人とはまったくちがった人間でもあります。すなわち、絶対的な他人だということです。このように、ポーランド人にとってユダヤ人は親しい他者でもあれば、絶対的な他者でもある。その二つの他者のイメージは揺れ動いています。二つの他者はまるでリズムをなしており、親しく思えるときもあれば、憎らしく感じることもある。これを、他者イメージのリズムといえるかもしれません。

ユダヤ人が絶対的他者のイメージとなるか、または親しい他者のイメージになるか、どちらになるのかというのは、ポーランド人がユダヤ人とどのように接するのかによって異なります。それは身体的なレベルでのかかわりによります。いっしょに学んだり遊んだりするような身体的なかかわりがあるなら親しくなりますよね。でもユダヤ人からくさいにおいがするとか化粧ばかりしているとかいうような身体的なかかわりしかないというのであれば、なんとなく受け入れがたいものとなります。まずは身体的な経験があって、そこから親しい他者のイメージとしてのユダヤ人が出てきたり、反対に絶対的他者のイメージとしてのユダヤ人が出てきたりするということです。いいかえると、ユダヤ人が絶対的他者であると同時に親しい他者であることを可能にしているのは、身体のレベルでの関係だということです。そしてあえていうならば、この身体的な経験もまたリズムをなしているのかもしれません。すなわち、身体的経験のリズムが他者イメージのリズムへとつながっているということです。

この考えを進めていくと、ポーランド人こそがユダヤ人をつくっているということにもなります。まさしくサルトルが次のようにいっています。

**引用15**　ユダヤ人とは、他の人々が、ユダヤ人と考えている人間である。これが、単純な真理であり、ここから出発すべきなのである。〔略〕反ユダヤ主義者が、ユダヤ人を作るのである。[*36]

ユダヤ人ははじめからユダヤ人だったというわけではなくて、まわりの人々が彼らと身体のレベルでかかわり合うなかで、「ユダヤ人」のイメージがつくられてくるということです。その当人がつくるのではなく、そのまわりにいる人たちがその人をつくり上げる。そしていつの間にか、**引用1**にあったように、ユダヤ人というのは「功利的で、わるだくみにたけて、ねちねちして、執念深く、気が利かず」といった印象になってしまう。その印象はまた人々に浸透して、「ユダヤ人」というイメージをさらに強化していく。こうしてまわりにいるポーランド人こそがユダヤ人を生み出したというふうにもいえます[*37]。

さらにいえば、ポーランド人とユダヤ人のあいだには一種の鏡のような関係があるようにも思えます。つまりポーランド人はユダヤ人という鏡をとおして、自分のふるまいをつくり上げているということです。目の前にいる存在を親しい他人のように思うのか、まったく関係のない他人のように感じるのか、それによって行動が変わってきますし、さらには行動だけではなくて自分の存在そのものも変わってきます。一方では、ポーランド人はみずからの生命を危険にさらしてユダヤ人を救っていますし、他方では、この機を見逃さずにユダヤ人の財産を自分のものにしています[*38]。このようにポーランド人の態度は、高潔なものであるかと思えば卑劣なものでもあって、そのちがいは対照的です[*39]。ホロコーストという極限の状況にあるために、ポーランド人の態度は、ユダヤ人という同一のものにかかわっているにもかかわらず、まったく異なったものになっています。ポーランド人をめぐる環境に合わせて、ユダヤ人は家族や仲間であり、他人であり、よそ者であり、そして敵対者でもある[*40]。そのユダヤ人のイメージはまるで、そのときのポーランド人自身の状況をあらわしているかのようです。

このようにユダヤ人というのは、ポーランド人がどのような状態にいるのかということを、鏡のようにポーランド人自身に向けて映し出しているように思えます。つまり、他人であるユダヤ人への態度こそが、自分自身のことをもっともよくわからせてくれるということです。いいかえると、自分というものは自分自身から生まれてくるわけではなくて、むしろ、他人に対する態度をとおしてこそ見えてくるということです。こうしてポーランド人とユダヤ人のあいだには、自分と他人をめぐる鏡のような関係があります。さらにいえば、この鏡の関係というのは、ポーランド人とユダヤ人のあいだにかぎられるものではないだろうと思います。おそらくあらゆる対人関係は、こうした鏡のような自分と他人の関係となっているのではないかなと思います[*41]。

**引用6**とか**引用9**で発言していた女性たちを思い出してみましょう。彼女たちは集まって、群衆のなかで話していました。また、自分は無学だからあまりよくわからないといっていました。これはサルトルの考えにつながります。

**引用16** 反ユダヤ主義者は、自惚れない。彼は自分を、中位の、ごく普通の人間、とるに足りない人間と考えている。《略》しかし、このとるに足らないということを、彼が恥じていると思ってはならない。それどころか、それが大いに気に入っているのである。《略》彼は、群衆の中のひとりなのである。《略》「わたしは、ユダヤ人が嫌いだ」という言葉は、グループを作って言われる言葉である。それを口にすることは、ある伝統に、ある共同体、とるに足らぬ人々の伝統と共同体に結びつくことなのである。[*42]

この引用では「反ユダヤ主義」といわれていますが、今日見た映像の女性は、さすがに「ユダヤ人が嫌いだ」とまではいっていません。なので「反ユダヤ主義」といえるほどの強い憎しみがあるかというとちょっとあやしいんですが、でも、ユダヤ人に対して悪いイメージがあるのはたしかです。映像の女性は、**引用16**にあるように、自分のことをごく普通の人間、とるに足りない人間だと思っているようで、「自分には学問がないからよくわからない」と発言していました。しかも、それをちょっと得意気に話していました。そして、**引用16**にあるとおり、彼女は群衆のなかのひとりとして話していたし、ポーランド人の伝統的な共同体に結びついているように見えます。[*43]

こういう人、身近にもいそうですね。たとえば教室でいじめがあるようなときに、いっしょになっていじめるというわけではないんだけど、助けるというわけでもなくて、その他大勢のひとりになろうとする。自分はそんなに関係ないから、いじめられている人がいなくなっても気にしない。もしかすると私自身がそういう人かもしれません。反ユダヤ主義というと遠いことのように思えるけど、実は身近なところに似ていることが起こっているように思えます。

## 6　まとめ

①ヨーロッパには広く反ユダヤ主義があった。
②ポーランド人は虐殺にはあわれみを感じたが、ユダヤ人への距離感は変わらない。
③ポーランド人はユダヤ人に対してさまざまな感情をもっている。
④ポーランドは虐殺のあとも変化せず、過去と現在が同じようにあらわれる場所である。
⑤ポーランド人とユダヤ人は鏡の関係にある。

＊1　サルトル『ユダヤ人』前掲、六頁。ちなみにランズマンはサルトルのユダヤ人論をむさぼるように読み、一字一句を自分が生きているように感じたという。ランズマン『パタゴニアの野兎（上）』前掲、一〇二頁。
＊2　ベンスサン『ショアーの歴史』前掲、一三二－一三四頁。
＊3　ラカー編『ホロコースト大事典』前掲、五四五－五四六頁。
＊4　一九三〇年代後半のポーランドで反ユダヤ主義の気分が高まった理由として、自分の国家をもたなかった民族に特徴的な貧しさと民族主義があったこと、そして隣国からの脅威に直面していたことなどがあげられている。ティフ編著『ポーランドのユダヤ人』前掲、二五〇頁。
＊5　ラカー編『ホロコースト大事典』前掲、五四五頁。ティフ編著『ポーランドのユダヤ人』前掲、一〇七頁。
＊6　前掲、二〇三－二〇四頁。ユダヤ人もポーランド人も大量殺害の被害者となったといわれている。前掲、一一八頁。
＊7　前掲、二四七頁。
＊8　ラカー編『ホロコースト大事典』前掲、五四九頁。
＊9　ランズマン『ショアー』前掲、一九五－一九六頁。
＊10　ヒルバーグ『ヨーロッパ・ユダヤ人の絶滅（下）』前掲、二八四頁。
＊11　前掲、三六〇頁。
＊12　ティフ編著『ポーランドのユダヤ人』前掲、二七八頁。
＊13　ランズマン『ショアー』前掲、一九八頁。
＊14　前掲、二〇一－二〇二頁。

＊15　前掲、二〇二－二〇三頁。

＊16　Lanzmann, « Les non-lieux de la mémoire », *op. cit.*, p. 395.

＊17　ランズマン『ショアー』前掲、二〇四－二〇五頁。

＊18　前掲、二〇六頁。

＊19　前掲、二〇七頁。

＊20　前掲、二〇八頁。

＊21　前掲、二〇九頁。

＊22　ランズマン「場処と言葉」前掲、八八－八九頁。

＊23　Abraham Brumberg « Shoah et le lieu du crime. L'oubli de la Pologne » (1985), in *Au sujet de* Shoah, *op. cit.*, p. 302.

＊24　Ascherson, « La controverse autour de *Shoah* », *op. cit.*, pp. 317-318. ポーランド政府は『ショア』が公開されたとき、ランズマンと彼の映画が「いんちきな反ポーランド的運動」であると批判した。*Ibid.*, p. 310. だがランズマンは次のように述べている。「私は『ショア』を反ポーランド映画ととらえたことはない。登場する農民のなかには、もちろん唾棄すべき手合いもいたが、好感どころか敬意を抱かせる人たちもいた。ポーランドの反ユダヤ主義は私の発明ではない。トレブリンカやヘウムノの村人たちが発した恐ろしい言葉は、決して私が言わせたものではなく、ごく自然に彼らの口から出てきたものである」。ランズマン『パタゴニアの野兎（下）』前掲、二六四頁。

＊25　ティフ編著『ポーランドのユダヤ人』前掲、二七〇頁。

＊26　Garton Ash, « The life of Death », *op. cit.*, p. 143.

＊27　『ショア』公開後、ポーランドの多くの書籍や新聞は、ポーランド国軍がユダヤ人の抵抗を助けるためにあらゆることをしたと主張しつづけたが、実のところ大きな助力にはなってはいなかったという。Brumberg, « Shoah et le lieu du crime », *op. cit.*, pp. 305-306. ポーランド政府は当初『ショア』を批判したものの、テレビで部分的に公開したり、いくつかの会場で完全版を公開するようになり、それによって『ショア』は、ナチス・ドイツ統治下のポーランド人のユダヤ人に対する態度の問題について考えさせてくれる貴重な機会となった。とはいえポーランドが自分の過去に直面することになったきっかけは一九八五年の『ショア』公開だけではなく、一九八〇年にはじまる「連帯」の時期にすでに変化が起きていたことにも注意しておくべきである。Ascherson, « La controverse autour de *Shoah* », *op. cit.*, pp. 311-312.

＊28　Brumberg « Shoah et le lieu du crime », *op. cit.*, p.

303.
＊29　ポーランド人のなかにも、『ショア』は反ポーランド的なものではないと考える姿勢は存在している。Kuroń, « On a condamné à mort les juifs parce qu'ils étaient juifs », *op. cit.*, p. 355.
＊30　Jean-Charles Szurek, « *Shoah* : de la question juive à la question polonaise », in *Au sujet de* Shoah, *op. cit.*, p. 370.
＊31　*Ibid.*, p. 364.
＊32　鵜飼・高橋・岩崎「徹底討議／『ショアー』の衝撃」前掲、九二頁。
＊33　Claude Lanzmann, « J'ai enquêté en Pologne » (1978), in *Au sujet de* Shoah, *op. cit.*, pp. 296-297.
＊34　Lanzmann, « Les non-lieux de la mémoire », *op. cit.*, pp. 395-396.
＊35　*Ibid.*, p. 396.
＊36　サルトル『ユダヤ人』前掲、八二頁。
＊37　ランズマンはのちにサルトルに反論して、ユダヤ人は存在するために反ユダヤ主義を待っていたわけではなかったこと、ユダヤ人は独自の歴史を生きてきた歴史的主体としての民族であったことを伝えたという。ランズマン『パタゴニアの野兎（上）』前掲、二八一頁。またランズマンは、サルトルがユダヤ人社会の特殊性を理解しておらず、個々のユダヤ人についても具体的に描写できていないと批判している。Juliette Simont, « Un homme sans intériorité », in *Claude Lanzmann, un voyant dans le siècle*, *op. cit.*, p. 34.
＊38　ティフ編著『ポーランドのユダヤ人』前掲、二五七頁。こうした事態はヨーロッパのほぼ全域で繰り返されたという。
＊39　前掲、二七二頁。
＊40　前掲、二五二頁。
＊41　『ショア』のアウトテークでは、ユダヤ人があまりに受け身で臆病だったと強く非難するポーランド人の話が多いという。だがこうしたユダヤ的臆病にかんする言説は、まさにポーランド人自身の投影であり、自分がドイツ支配に対して何も抵抗できなかったという無力さから生まれている。Glowacka, « "Traduttore traditore" », *op. cit.*, pp. 151-152.
＊42　サルトル『ユダヤ人』前掲、二二一頁。
＊43　これに対して情報化や流通が進められる近代という時代はユダヤ的だといえる。なぜならそれはキリスト教の固定化した世界観からの脱却の時代であり、人々が都市のなかで根なし草のように流動化する時代だからで

ある。そこに伝統から断ち切られた自由が生まれる。西谷『夜の鼓動にふれる』前掲、二四一頁。こうした近代は、『ショア』に見られるポーランドの様子とは対極的である。群衆をなして伝統的な共同体に身をゆだねているポーランド人たちは「近代的社会組織が理解出来ないので、原始的共同体が突然再現し、その溶解度にまで達する危機の時代に、ノスタルジーを持つのである」。サルトル『ユダヤ人』前掲、三一頁。

# 13 ユダヤ人生還者を囲んで

## 1　キリスト教共同体とユダヤ人

前回、ポーランド人がユダヤ人に対して、全体としてはあまりいい感情をもっていないことを見ました。今回もポーランドについて見ていきますが、とくに宗教的側面を取り上げます。ポーランドではカトリックを信仰している人の割合がとても高く、キリスト教の伝統的共同体が強い影響力をもっているそうです。とくに小さい村だとキリスト教会の行事は大事らしい。ポーランドのキリスト教共同体は、ユダヤ人に対して好意的ではないといわれています。ではキリスト教徒がユダヤ人を嫌う理由は何か。それは、ユダヤ人がキリストを殺したという伝説があるからです。でもそれは事実ではありません。キリストを殺したのはローマ人なのですが、ユダヤ人だという話が広まってしまいます。それがヨーロッパの反ユダヤ主義の出発点です。

**引用1**　ユダヤ人とは、近代国家のうちに、完全に同化され得るにもかかわらず、各国家の方が同化することを望まない人間として定義されるのである。それは、彼が、キリストの殺害者だからである。(原注、ここですぐにも言っておかなくてはならないのは、それが、ユダヤ人の流浪を利用して、キリスト教が宣伝のために作り上げた伝説にすぎないことである。十字架が、ローマの刑罰であることも、キリストが、政治的扇動者として、ローマ人によって、処刑されたことも明白である。）自分達の殺したものが神としてあがめられている社会の中に生きることを強いられたものの、堪えがたい立場というものを人々は考えて見たことがあったろうか。もともと、ユダヤ人は人殺しか、あるいはせいぜい人殺しの息子というわけである。そして息子といっても、責任ということを、前論理的な形において考えるような共同体の中では、人殺し自身と全く同様に扱われることとなる。[*1]

ユダヤ人がキリストを殺したという話は、宣伝のためにつくり上げた伝説だといわれています。[*2] そして、ユダヤ人は人殺しと同様にあつかわれるようになったといいます。キリスト教徒としては、「昔ユダヤ人はキリストを殺したんだ、だから今のユダヤ人も人殺しなんだ」ということです。ユダヤ人としては伝説が消えることを望みますが、逆にこの伝説は、うそであるにもかかわらず、殉教の歴史としてポーランドで広まります。そして、ポーランドが国家的な危機におちいったときに引き合いに出されます。たとえばポーランドは、ロシア、プロイセン、オーストリアによって占領されるという危機に巻き込まれますが、そんなときキリストの殉教の話が出てくる。

**引用2**　ポーランドにおいて殉教史的な神話は、一九世紀末あたり、三つの支配権力に対する失敗した国家的反乱がはじまるころにわき起こった。この支配的な物語は、国家的コミュニティの「脅威となる他者」の排除に基礎づけられていた。この脅威となる他者は、ポーランドの歴史においてはユダヤというよそものによって典型とされた形象である。[*3]

ポーランド人は危機におちいると、周囲の支配に抵抗しようとして、自分たちを勇気づけ他者を排除するような物語を主張します。そのとき自分とはちがう人々、すなわちポーランド人でない人たち、カトリック教徒でない人たちを追い出そうとしはじめます。自分の国が危ないわけですから、自分の民族や宗教を守り他者を排除するということは理解できます。だけど不思議なことに、他者として攻撃されるのは、ポーランドを占領する人たちではない。むしろほとんど危険ではないユダヤ人がやり玉にあげられます。ポーランドにとって本当に脅威なのはまわりの大国です。なのにユダヤ人こそが脅威なんだという話になってしまう。[*4]

ユダヤ人は自分の民族の国をもたず、いろんな国にばらばらに住んでいました。なかでもポーランドに多くのユダヤ人が住んでいた。キリスト教に改宗する人もいたけど、ユダヤ教を信じつづける人もいた。おそらくポーランド人は、大きな問題がなければ、他人が別の宗教を信じていたってそれほど気にならなかったはずです。だけど自分の国がなくなるかもしれないというときには、人は危機感をもち他人を批判するようになる。自分のまわりにいるのに自分とはちがう顔つきをしている人、ちがう風習をもつ人、しかも、攻撃してもあまり反撃されるおそれのないような弱い立場にある人、そういう人をやり玉にあげるのだろうと思います。こうして批判されるべき対象としてのユダヤ人ができ上がります。[*5] ユダヤ人にはキリスト殺害の罪と責任があるというこのイメージは、ずっとつづいていくことになります。

## 2 『ショア』を見る（映像1）

ポーランドのヘウムノという村で撮影されています。ヘウムノは前回見たグラブフという町の近くです。

映像1 『ショア』DVD 1-2、1:24:40-1:41:16 (ch. 26)

ユダヤ人生還者シモン・スレブニクさんが出ています。彼は第2回でも出ました。スレブニクさんは虐殺のころ一三歳の少年でしたが、三五年ぶりにヘウムノに戻ってきたわけです。教会の前でのインタビューでは、スレブニクさんを囲んで、ヘウムノの住民が語っていた。ランズマンがフランス語で質問し、通訳がポーランド語にして、ヘウムノの人々が答える。それを通訳がフランス語にします。はじめはみんな再会を喜んでいました。しかし教会の行列が出てきてシーンが変わり、カンタロフスキさんというメガネをかけた男性が前に出てきて話しはじめたあたりから、ちょっと雰囲気が変わってきます。

## 3 ユダヤ人虐殺の理由

このシーンは二つにわけられます。教会の行列がはじまる前の前半と、それが終わったあとの後半です。前半では、ヘウムノに住む人々がスレブニクさんを囲んで、話はおだやかに進んでいるように思えます。

**引用3** 〘ランズマン：〙スレブニクと再会して、みんな、満足してるのですか？〘ヘウムノの村人たち（ポーランド人、ポーランド語）：〙そりゃあ、もう。みんな、たいへんな喜びようだよ。〘ランズマン：〙なぜ？〘村人たち：〙だって、再会できたんですもの、こんな嬉しいことはないわ。あの人がくぐり抜けてきた体験のことを、私たち、よく知ってますからね。今、こうやって元気でいる姿を見て、ほんとうに安心したわ。〘ランズマン：〙みんな、喜んでいるんだね？〘村人たち：〙ええ。〘ランズマン：〙どうして、村中の人が彼を憶えているのかね？〘村人たち：〙今でも、よく憶えているのはね、足首に鎖をつけられたまま、歩いていたし、川で、歌ってたからですよ。あの頃、彼はとっても若く、すごく痩せていたわ。片足を棺桶に突っ込んでる、そんな感じでした。[*6]

このように前半の部分では、スレブニクさんも村の人々もうれしそうでした。そのためか人々は興奮して話し合っています。スレブニクさんはポーランド語を話せるみたいで、村の人の話を聞いてわらっていたときがありました。ヘウムノの人たちはスレブニクさんのことをいうのに pan Szymek という言葉をつかっているらしく、これは大人というよりも子どもに向けて呼びかけるようなニュアンスだといわれています。そう考えると、村の人々にとってスレブニクさんは、過去のままの歌う少年として存在しているわけです。[*7]

ちなみに映像では、シーンが進むにつれて、まわりのポーランド人の数がだんだん増えていきました。はじめ八人くらいでしたが、映像の終わりには二〇人以上集まっているように見えます。映像の撮影の日は「聖母降誕祭」という教会の行事があったようで、その行事にきた人たちが、ランズマンの撮影に興味をもってカメラの前に集まってきたみたいです。キリスト教のイベントがあるからか、ヘウムノの人たちはうきうきしながらしゃべっているようにも見えます。

ですからランズマンがフランス語で質問をして、その質問を通訳がポーランド語にすると、多くの人が同時に答えます。だけど通訳はみんなの答えを伝えることはできません。たくさんの答えのなかから妥当なものを選んでフランス語にすることになります。ランズマンはその通訳のフランス語を聞いて、また次の質問をします。

そのうちに教会の行列がきて、撮影は一時中断します。教会の行列のあと撮影が再開されて後半のシーンになります。しかし、ヘウムノの人たちは前半ではスレブニクさんに同情的であったのに対して、後半に入るとユダヤ人に対して冷たいような話し方になります。ランズマン自身、次のように述べています。

**引用4**　《ランズマン：》シーンは二重です。第一部では、彼ら《ポーランド人》が彼《スレブニク》を見て、彼と再び出会い、彼のことをわかっています。彼らは彼のことを語り、ひとりのおばあさんは、自分はこの子を解放してくれるようにとドイツ人に頼んだんだといっています。彼は存在しています。そして教会から出てくる行列によって、シーンは突然カットされます。行列のあと、まったくちがうものとなる。彼はもはや存在しません。彼らは彼のことを忘れてしまったのです。彼は彼らの真ん中にいるのに、彼らは彼のことを忘れてしまったのです。行列は古くからの反ユダヤ主義的なステレオタイプ、キリストの死などを再び活発にしてしまったわけです。そして彼はもう存在しません。彼らは彼と出会わない。そして彼自身は彼自身にとって不在なのです。[*8]

教会の行列の前と後で、何かが変わってしまった。行列がくる前にはスレブニクさんはそこにいて、まわりの人も彼を認識しながら話していた。だけど行列がきたあとには、スレブニクさんがそこにいるにもかかわらず、まわりの人はもはや彼がいないものとして語っているということです。

私はここにリズムの変化があるように思います。インタビューをしていると鐘の音が聞こえてきて、たくさんの人が教会から出てくる（**写真**）。ランズマンもスレブニクさんもポーランド人たちも、少しずつうしろの様子に注意を向けはじめる。質問をつづけることができなくなる。教会からの行列の雰囲気、人々の流れがだんだんと押しよせてくる。ある程度をすぎると、もはや行列の流れに逆らうことはできなくなる。仕方ないのでインタビューをやめる。

ヘウムノの聖母降誕祭の行列（DVD1-2, 1:32:49）

これは、キリスト教の行列というリズムがなだれ込んできて、ランズマンのインタビューを押し流していくということです。いいかえると、インタビューのリズムが、キリスト教の大きなリズムに巻き込まれていくということです。そのあとの後半のシーンになると、ポーランド人たちは、ユダヤ人にとってつらく感じられる内容を語り出します。それはまるでインタビューのリズムが変えられてしまったかのようにも思われます*9。

ランズマンは行列がやってくるところを映画のなかで残しています。つまり、行列のリズムがインタビューを飲み込んでいく様子を、ランズマンはあえて私たちに見せているということです。この部分があるからこそ、前後のシーンが対照的に見えてきます。ここにはやはり、映画におけるリズムの変化があるように感じられます。リズムの変化が起こったあと、どのような話があったのか見てみましょう。

**引用5** 〘ランズマン：〙ユダヤ人がいなくなって、さびしいと思ってますか?〘村人たち：〙もちろんじゃありませんか。私たちも、ユダヤ人と同じように泣いたもんですわ。私［この男性はこの教会のオルガン奏者、カンタロフスキ］なんかはね、食べ物を、パンやキュウリをあげてたもんだよ。〘スレブニクも笑う》《ランズマン：》あなた方の考えでは、ユダヤ人の身に、あのことが起こったのは、どうしてですか？《村人たち：》彼らが一番金持ちだったからだよ。ポーランド人の中にも、ほんとの話、殺された人がずいぶんいたんだ。司祭さんとか。[*10]

引用のうしろのあたりでは、ユダヤ人が虐殺された理由は、ユダヤ人たちが一番金持ちだったからだといわれています。だけど、金持ちだから民族全体が殺されてしまうなんていうのは理由にならないように思えます。引用の最後では、ユダヤ人だけじゃなくてポーランド人も殺されたんだといわれており、「われわれポーランド人も被害者なんだ」という気もちがあるようです。カンタロフスキさんはややうしろのほうにいましたが、どうしても主張したいことがあるようで、まわりをかきわけて出てきます。そして次のようにいいます。

**引用6**《カンタロフスキ：》ある友だちから聞いたことを、お話ししよう。《略》《ユダヤ人が、広場に集められたとき》ラビ《ユダヤ教の宗教的指導者》は次のように語ったんだ。今からずっとずっと昔、ほとんど二〇〇〇年前のことだ。ユダヤ人は、ぜんぜん罪もないのに、キリストに死刑を言い渡した。その時、つまり、死刑を宣告した時に、ユダヤ人はこう叫んだのだ。「その血の責任は、われわれとわれわれの子孫の上にかかってもよい」「「マタイによる福音書」二七章二五節」と。《ランズマン：》うん、うん。《カンタロフスキ：》それから、ラビは、さらにこう言った。「おそらく、今、その瞬間がやってきたのだ、その血がわれらの頭上に降り掛かるところなのだ。それなら、じたばたせずに、出かけようじゃないか。言われるとおりにしよう、さあ、出発するんだ！」《言い終わってカンタロフスキがスレブニクのほうを振り返ると、スレブニクはうなずいてまわりの人と話す[*11]》

ここでは、ユダヤ人が虐殺された別の理由がいわれています。ユダヤ人はキリストを死刑にした、その呪いがユダヤ人の責任として残っている、このことがユダヤ人虐殺、ホロコーストの原因だといっています。この部分で印象的なのは、カンタロフスキさんがいそいでこちらにきて話をしたがっていたということです。つまり、ユダヤ人にはキリストを殺した責任があることを早く伝えたいというわけです。

**引用7**《ランズマン：》すると、あなたの考えでは、ユダヤ人はキリストの死をつぐなったことになるんですね？《カンタロフスキ：》私は……、私は、そうは思っていない。キリストが復讐を求めたなんて、考えてもいないね。そうさ、これは、私の意見じゃないんだ。そう言ったのは、ラビなんだからね！《ランズマン：》ああ、ラビがそう言ったんだ！《カンタロフスキ：》すべては神様のご意思だった。それだけのことさ。《ランズマン：》うん、うん……。［通訳に］その女性は、何と言ったの？《村人の女性：》それから、ポンティオ・ピラト［第五代ユダヤ総督］は手を洗い、「この血について、わたしには責任がない。おまえたちが自分で始末するがよい」［「マタイによる福音書」二七章二四節］と言って、バラバを釈放したんですよ。［盗賊のバラバを釈放するかわりにイエスが処刑された］けれども、ユダヤ人は叫びました。「その血の責任は、われわれとわれわれの子孫の上にかかってもよい」とね。これが話の結末でしょ。すべて、ご存知のとおりですよ！*12

カンタロフスキさんは、「これは私の意見じゃない、ユダヤ人であるラビがいったんだ」といっています。自分の意見じゃないといっているものの、心のなかではおそらくその意見に賛成している、つまりユダヤ人にも責任があると考えている、だからいそいで前に出てきて伝えているわけです。カンタロフスキさんの話では少しおかしいと思えるところがあります。**引用7**のはじめのほうでは、「キリストが復讐を求めたなんて考えてもいない」といっていますが、そのあとのところでは、「すべては神のご意思だった」といっている。これだと、キリストはユダヤ人に復讐する意思があったのか、それともなかったのか、よくわからない。しかしカンタロフスキさんとしては矛盾を感じてはいないようで、ユダヤ人がキリストを殺したことに原因があると考えているように見えます。

この話を聞いているときスレブニクさんはどう思って

シモン・スレブニクとヘウムノの住民たち
(DVD1-2, 1:42:02)

いるのでしょうか？ 映像を見ると、スレブニクさんは両腕を組んで、なんともいえない顔をしています。わらっているような、怒っているような、あるいは悲しんでいるようにも見えます。だけど何も口には出さず黙っています（**写真**）。このときカメラはスレブニクさんの顔をクローズアップします。その顔には漠然と楽しんでいるような様子、苦痛、あきらめといったものが同時に読みとれる、そう指摘している人もいます。[*13] では、このときのスレブニクさんについて、ランズマンはどう考えているのでしょうか？

**引用8** 《ランズマン：》彼は恐怖ではち切れています。《略》彼はその役割をはたしています。彼は彼らがいっていることをすべて理解しています。通訳は人々の言葉を本当には翻訳していません。たとえば彼らは Jidki、つまりフランス語の youpin 《ユダヤ人への軽蔑的な呼称》といっています。通訳の女性は、ポーランドのよきカトリック教徒として、Jidi、つまりフランス語の juif 《ユダヤ人への一般的な呼称》というふうに翻訳しています。彼は全部理解しています。で、彼に何ができるのでしょうか？ 怒りで爆発する？ そうはしません。／この映画においては、だれもがだれにも出会いません。このことが映画の構造全体を取り巻いています。ユダヤ人はナチスにもポーランド人にも出会わないですし、もしそうした出会いがないのなら、本当の意味で出会いはないということです。[*14]

ここでは「出会い」が問題になっています。第6回でも取り上げた問題です。**映像1**の前半では、スレブニクさんはヘウムノの人々と出会っていたように思えます。おたがいに目を合わせて言葉を交わしていました。ヘウムノの人たちは、スレブニクさんがそこにいることをわかっているような、そういう身ぶりと言葉で表現していました。だけど教会から行列がやってきたあとには、その出会いが押し流されてしまったかのように感じられます。カンタロフスキさんは、はじめユダヤ人を助けたかのようなことをいいますが、話を進めるうちに、目の前にいるユダヤ人であるスレブニクさんのことから話題がそれていき、友だちから聞いたというユダヤ人のラビの話をします。その身ぶりと言葉は、もっぱらランズマンとカメラに向けられています。スレブニクさんがそこにいることは忘れられているかのようです。スレブニクさんはというと、自分の存在を忘れられたまま、自分たちユダヤ人への軽蔑的な呼び方を聞きつづけており、しかもホロコーストという出来事について、自分たちにもある程度責任があるかのようなニュアンスの話を聞かされているわけです。ランズマンはこのような事態を指して、「本当の意味で出会いはない」というわけです。

## 4　理解不可能な出来事を理解しようとする

カンタロフスキさんの話からわかるように、ポーランドの人々はホロコーストのことを簡単な理由によって理解しようとしています。ホロコーストはそうそう簡単には理解できない出来事ですが、キリスト教の神話を理由として理解してしまう。ここにポーランドの特徴、土着のキリスト教徒の特徴があります。ショシャナ・フェルマンという人は次のように述べています。

**引用9**　集団の全員に語りかける権威を帯びているように見える教会歌手『カンタロフスキ』の声をとおして、そして反ユダヤ主義の原型的ステレオタイプとキリストの磔刑にかんするキリスト教の物語を神話的媒介にして、ポーランド人たちはホロコーストに、奇妙な理解可能性を、そしてホロコーストと知の安易でいて根本的な両立可能性を付与している。[*15]

ユダヤ人がキリストを殺したというのは神話であって、歴史としてはまちがっています。だけどポーランドでは重要な物語として伝わっており、そこから反ユダヤ主義的な態度が生まれてくる。問題なのは、歴史的にまちがいである神話を媒介にして、ポーランド人たちがホロコーストに「奇妙な理解可能性」を与えているということです。ホロコーストの理由は単純なものではなく、それを解明するためには、ユダヤ人に対してどういうイメージがつくられてきたのか、そのイメージは時代や場所によってどんなふうにちがうのか、そういうことをこまかく見ていく必要がある。しかしポーランド人は、歴史的に根拠のないキリスト教の物語をあてはめて説明してしまう。知っていることをいそいで語り出して、それで理解できたかのように満足する。つまり、理解するのがむずかしいこと、あるいは理解できないかもしれないようなことを簡単に理解してしまうわけです。[*16] さらに語ることができないようなことを安易に語ってしまうということです。

　それに対して生き残ったユダヤ人であるシモン・スレブニクさんはというと、簡単に理解したり安易に語ったりということをしません。

**引用10**　この映画の戦略は、偽証に挑みかかることではなく、偽証の内部から、そして偽証の周辺から、沈黙をして語らしめることである。〔略〕何よりも、この映画の核心に存するスレブニクの沈黙、教会の前の、おしゃべりでひどく興奮し自己満足しきったポーランド人の群衆のただなかでの、スレブニクのあの沈黙に語らせること、である。[*17]

ホロコーストは理解できない出来事、語ることのむずかしい出来事なのに、ポーランド人は安易に話して理解したつもりになってしまう。それに対してスレブニクさんは語らない。腕を組み、なんともいえない表情で、沈黙する。簡単に理解しないわけです。つまり理解できないこと、言葉にはできないことを、そのまま理解できないこと、そのまま言葉にできないこととしてとらえている。ホロコーストは理解できないものとして伝えるしかないし、語ることのできないものとして語るしかないということです。

ランズマンが強調しているのは、ポーランドの反ユダヤ的な傾向は昔も今も変わらずあるということです。戦争が終わって何十年もたっているのに、戦争のころの思考と変わっていない。ポーランドでは時間がたっておらず、時間がまるでないかのようである。そのことをランズマンは、「幻覚を起こさせる非時間性（hallucinante intemporalité）、むしろ無‐時間性（a-temporalité）」[18]というふうにいっています。たしかに**映像1**を見ていると、ポーランドは昔も今も、他人の不幸に対してずっと無関心なんだなというイメージをもちます。とくにユダヤ人への態度が変わっていないことについてはほかの人も述べています。たとえば一九八二年に、ポーランドのカトリック神父が教会の演説で、ユダヤ人がキリストを殺したことを取り上げて、ユダヤ人はそのために裁きにかけられるだろうと話しているといいます。[19]それに、二〇二〇年に出版された本でも、ポーランドでの反ユダヤ主義について指摘されています。すなわち、現在ポーランドでは反ユダヤ的態度よりも、反イスラムや反移民の感情が強くなっているようにも見える、だけど実は「ユダヤ人」という言葉は今でも、ポーランドの外国人嫌いの心象においてよそものを典型的に示しているといいます。[20]

もちろんポーランドの一般の人々がもっている反ユダヤ主義と、ナチスが掲げる反ユダヤ主義というのはまったくちがいます。ポーランドにあったユダヤ人社会はうまくポーランドに統合されていたといいます。[21]つまり、ポーランドはある程度ユダヤ人の同化を認めてくれたわけです。だけどナチスはちがいます。ナチスはこんなふうにいいます。「ユダヤ人は永遠の敵である、たとえばオランダとは休戦条約を結ぶことができたが、ユダヤ人はオランダ人とはちがう、ユダヤ人は、われわれが休戦条約を結ぶこともできないし、和解することもできないような敵なのだ[22]」。ですからナチスにとってユダヤ人は徹底的に排除されなければならない。[23]このようにポーランド人一般の反ユダヤ主義とナチスの反ユダヤ主義はかなりちがうことがわかります。とはいえポーランドの反ユダヤ主義は、結局ナチスの反ユダヤ主義におおいつくされてしまいます。ポーランドはナチスの反ユダヤ主義のリズムに飲み込まれ、そしてユダヤ人虐殺を見ているのに見ていない、そういうリズムを自分でも生み出してしまったということです。

ポーランド人は理解できない出来事を理解しようとしてしまうわけですが、その姿勢はもしかすると、ランズマン自身にもいうことができるかもしれません。というのもランズマンは、ポーランドをある特定の仕方で理解しようとしているからです。今回の教会のシーンでは、ポーランドは反ユダヤ主義をそなえたままずっと変わらない、そういうイメージを与えられています。このときポーランド人は進歩の遅れた人たち、エキゾチックな他者だということになりますし、それに合わせてポーランドは空虚で変化のない土地だということになります。[*24] いいかえるとランズマンは、カンタロフスキさんの話をわざと取り上げることで、やや軽蔑的な仕方でポーランドを理解しようとしているように思えます。ポーランドというのは、ランズマンの目には、いなかで何も変わらないところとしてあらわれているようです。そう考えると、ポーランド人がショアを安易に理解してしまおうとしている、それとまったく同じように、ランズマンもまたポーランドを簡単に理解してしまおうとしている、そんなふうにも考えられます。

ランズマンが特定の仕方でポーランドを理解しようとする姿勢は、インタビューの進め方にもあらわれています。すなわちランズマンはフランス語によってインタビューを進めていて、ポーランド語でのやりとりのほとんどすべてを消し去ってしまっているということです。スレブニクさんはヘウムノの人たちとポーランド語で話しているし、ヘウムノの人たちだって、「知っていた」「いや、知らなかった」という声があったり、まちがいをおたがいに指摘したりしています。だけどそうした複雑なやりとりはほとんどフランス語にはなりません。

**引用11**　ポーランド人証言者とのインタビューでは、ランズマンがフランス語を課しており、それが語りのなりゆきを支配するための手段となっている。しかし監督の指示をすり抜けているのは、背景の声としていっせいに聞こえるさまざまな言葉であり、それらはポーランド語を話す参加者同士の直接のやりとりを含んでいる。しかしそうしたやりとりすべては、ランズマンと通訳とのあいだでなされる単線的なフランス語でのコミュニケーションによって音を消されている。

《略》必然的に翻訳は、これらの言語的交流の複雑さを誤って伝えてしまうし、スレブニクとポーランド人参加者のあいだにときおり見られる友情の瞬間や、この出来事をまとめ上げる生存者の行為主体性といったものも、同じようにおおい隠してしまう。[*25]

ランズマンは通訳をとおしてポーランド人にフランス語を押しつけている、そして話の進みゆきをコントロールしようとしているといわれています。ヘウムノの人たちはおたがいに矛盾することをいろいろ話している。ポーランド人にとってもショアという出来事についてのさまざまな見方があって、ひとつの単純な理解におさまるわけではないということです。カンタロフスキさんのような神話的な理解はたしかにひとつの理解の仕方ではあるけど、それでみんなが納得しているかどうかというのはわからない。ポーランド人のあいだには、さまざまな理解の可能性があるかもしれない。しかしポーランド語でのややこしい交流は、通訳によってフランス語で単純に説明されてしまう。このとき、理解しにくいものが理解しやすいものに変わってしまいます。もっというと、理解不可能な出来事が理解可能なものとして提示されてしまうということです。

さらには、フランス語による理解を優先させることによって、スレブニクさんの立場も変わってきます。つまり、スレブニクさんとヘウムノの人たちとのあいだのポーランド語での交流がすっかり消え去ってしまうということです。

**引用12** ポーランド人証言者とホロコースト生存者シモン・スレブニクのあいだの多様な価値をもつ交流において浮かび上がるのは、共同証言すること（co-witnessing）という複雑な出来事であり、それはポーランド人の証言を制御そして抑制さえしようとするランズマンの努力から逃れるものである。それは、個人的な証言や記憶の行為という点には位置づけられない間主観的で関係的な空間（intersubjective, relational space）において生じる。[*26]

ここに「共同証言」とか「間主観的で関係的な空間」という言葉がありますが、こういったものはフランス語でのコミュニケーションによってかき消されてしまいます。通訳はスレブニクさんとヘウムノの人たちのポーランド語でのやりとりすべてをフランス語にすることはできません。ポーランド語での交流のなかから、取捨選択してフランス語にします。その場合、カンタロフスキさんのように声の大きな人の答えとか、理解しやすい答えといったものが伝えられることになります。

このようにフランス語での理解を優先させるということは、ランズマンの理解しやすいポーランド人らしさを見せることにつながります。そしてそれは、ユダヤ人生存者であるスレブニクさんとポーランドの人々が共同で証言する可能性を奪うということでもあります。ここにはスレブニクさんとポーランド人のあいだの出会いがあるかもしれないのに、ランズマンは出会いがないものとして理解している。そうなると、それぞれの主体がかかわり合う空間、関係し合う空間というものを無視することになります。本当なら、たくさんの人たちが同時に話し合うとき、ひとつの単純な理解にいたるとはかぎらないですよね。なのにランズマンの方法は、ひとつの安易な理解へと方向づけてしまう、そういう危険性があるわけです。この意味においても、ランズマンはポーランドというものを簡単に理解しようとしてしまっているといえるかもしれません[*27]。

このように考えると、理解するということのむずかしさ、それも二重のむずかしさが見えてきます。ひとつ目のむずかしさは、ポーランド人の言葉から出てくる問題で、ホロコーストについて理解できるのか、安易な仕方で理解してしまってよいのかという問題です。もうひとつのむずかしさというのは、ランズマンのインタビューの進め方に見られる問題であり、ホロコーストを理解するポーランド人について理解できるのか、もしかするとかたよった姿勢で理解していないのかという問題です。これら二つの問題はどちらも、他者を理解することの困難につながっていきます。本当に他者を理解することができるのかという問題を問うこと、それが『ショア』の大事なところではないかなと思います[*28]。

## 5 『ショア』を見る（映像2）

映像2 『ショア』DVD 1-2、1:46:36-1:52:33 (ch. 28)

この映像では、スレブニクさんがヘウムノ絶滅収容所の跡地を歩きながら語っています。スレブニクさんはゆっくり歩いたり、まわりを見まわしたり、地面の土をつかんだりしていました。土を少し取り上げて感触をたしかめたあと、手を放していました。[*29]

## 6 理解不可能な出来事を理解しない

第2回の**引用11**を見直すと、収容所の体験によって世界が壊されてしまったために、スレブニクさんの語った言葉は切れ切れのものだったといわれています。それにしても「世界が壊される」というのはどういうことなのか？　今回の**映像2**は、世界の破壊について垣間見せてくれているように思えます。

**引用13** 〖シモン・スレブニク（ユダヤ人男性、ヘウムノ収容所からの生還者、ドイツ語）：〗一度、まだ生きてる人たちがいたのを憶えています。焼却炉がすでに満杯だったもので、この人たちを、地面に置きっぱなしにしてあったのです。もぞもぞ動いて、意識をとり戻しかけていました。少したって、ここの炉に投げ込まれた時には、みんな、すっかり息を吹き返していたんです。あの人たちは、きっと、火にあぶられるのを、感じたにちがいありません。われわれがここで炉を建設した時、何のためだろうと、不思議に思いました。あるSS隊員から、「木炭をつくるのさ！　アイロン用にな」、そう言われたのですが、ぼくにはわかりませんでした。焼却炉が完成し、薪《まき》が並べられ、ガソリンをかけて、炎が燃え上がった時、そして、最初のガス・トラックが来た時、その時になって初めて、なぜ炉が掘られたのか、われわれは悟ったのです。[*30]

なんのために炉をつくるのかわからなかった。その後、人を焼くために炉をつくるということがわかる。このときスレブニクさんにとって、それまであった世界がちりぢりになってしまい、それとともに新しい世界がつくり上げられたということです。理解できる世界がなくなり、理解できない世界がたちあらわれてくる。あるいはむしろ、世界というものが新しい理解可能性をもったものとしてあらわれてくる。絶滅収容所という新たな世界に身をおくと、それまであった世界、それまで理解できていた世界のほうこそが、逆に理解できなくなってしまうということです。

映像で見ると、スレブニクさんは何かを探すような様子で、収容所跡地の土を手にします。もしかすると収容所の世界を探しているのかもしれません。それは、そこで作業していたときにはたしかにあった世界だけれども今はもうない世界、今は理解できない世界です。このときスレブニクさんは、ばらばらに壊れていた世界を思い出そうとしているかのようにも思われます。その後スレブニクさんは次のようにいいます。

**引用14**　『スレブニク：』あのことを見ても、何も感じませんでした。つづいて、二回目、三回目のトラック輸送分を片付けても、やっぱり、何も感じませんでした。なにしろ、たったの十三歳です。だいたい、それまでの人生の中で、目にしたものといったら、死人だけ、死体だけだったんです。おそらく、何もわかってなかったのでしょう。もしかして、もう少し年を取っていたら、そうしたら、連中のしていることが理解できたかもしれませんが……。おそらく、そんな……、そんなものだってことが、何もわかってなかったのです。[*31]

そのときは目の前で起きていることが理解できなかったが、もっと年をとっていたら理解できたかもしれないといわれています。ですが私としては、大人であったとしても、起きていることは理解できないのではないかと思います。収容所での出来事というのは、たとえどんな年齢であってもわからないものだと思います。

**引用15**　『スレブニク：』ですから、ここ、ヘウムノに着いた時、ぼくはもう……、あるがまんまで、どうでもよい……。そんな気持になっていたのです。また、こんなふうにも、考えてました。もし生きていられるものなら、欲しいものは、一つしかない。食べるために、パンを五つもらうことだけ……、ほかには何もいらない、と。考えていたのはこんなことで、ほかには、何も考えませんでした。もう一つ、まるで夢のようですが、こう空想していました。もし生きていられるとしても、世界に残るのは、ぼく一人だけだろう。一人の人間も残らず、ぼくだけだろう、一人だけだろう、と。ここから出ていけるとしても、ぼくが、世界に残る唯一人の人間だろう、と。[*32]

スレブニクさんにとって飢えはとても重大なことだったようです。アウトテークの場面では、スレブニクさんは飢えていた記憶について何度も語っているといいます。たとえば「母親について考えたか」という質問に対して、スレブニクさんは、「食べることだけ、一切れのパンのことだけしか考えていないといった人間であれば、だれが母親のことを考えたりするというのでしょうか?」と答えています。[*33] お腹がすいていた、そのことしか頭になかった、そのために、母親が殺されたことの記憶よりも飢えの記憶のほうが上回っているわけです。そのとき母親も父親も、だれもいなくなる。世界には自分のほかにだれもいなくなる。話す相手も気づかうべき相手もいない。自分を見たり聞いたりする相手もいない。それはつまり、他者がいなくなるということです。

考えてみると世界とは私がいるところですが、それと同時に私以外のほかのだれかがいるところであって、そのだれかと私がかかわるところだと思います。世界というのは、私とほかのだれかがいっしょにいるような、そういう共通の場のことだろうと思います。しかしスレブニクさんは自分の空腹のことしか考えられず、母親のことだってどうでもよくなってしまった。そのとき、世界のなかで自分しかいなくなってしまったわけです。だからこそ**引用15**の最後には、「ぼくが、世界に残る、唯一人の人間だろう」といっているわけです。世界のなかでいっしょにいるはずの他人がいなくなってしまったのだから、ある意味で、世界はもはや世界ではなくなってしまった、世界ははじけ飛んでしまったということだと思います。[*34]

スレブニクさんが最後に語っていた言葉、「ぼくが、世界に残る、唯一人の人間だろう」という言葉は、とても不思議な感覚です。みなさん、これがどういう感覚なのか理解できますか？　私にはちょっとわかりません。とても重要であるように思えるのですが、スレブニクさんの感覚を理解することができない。

もしかするとこれは、ホロコーストをすべて理解することはできないということかもしれません。ホロコーストについて、その歴史、原因、プロセス、そういうことすべてを理解し、説明するわけではない。理解できないものを安易に理解するのではない。反対に、理解できないものを理解できないままにとらえる、そういう姿勢です。ランズマンは、あるインタビューで次のように述べています。「家族たちの収容所での殺戮は〔略〕、たとえそのおおまかな理由がわかったとしてもやはり謎として残ります。秘密を守り、想像的なものを働かせる必要があったのです。すべてを説明する必要はないのです」[*35]。第1回で見たように、ランズマンはユダヤ人絶滅をいいあらわす言葉が思い浮かばずに、映画のタイトルをどうすればよいか悩んでいたわけですが、こうしたランズマンの態度は、語ることのできないものをまさしく語ることのできないものとして提示するということなんだと思います。

## 7　まとめ

①キリスト教共同体は、ユダヤ人がキリストを殺したという神話を信じている。
②映像での教会の行列が大きなリズムとしてなだれ込んでくる。
③ポーランド人は神話をもとに、虐殺という理解不可能なことを理解しようとする。
④ランズマンは共同証言や複雑な交流という理解不可能なことを理解しようとする。
⑤ユダヤ人生存者は理解不可能なことを理解しないままにしておく。

＊1　サルトル『ユダヤ人』前掲、七九－八〇頁。
＊2　キリストは自分を救世主と偽った罪で、ローマ人

の総督ポンティオ・ピラトによって、はりつけの刑に処せられた。だがその後キリスト教では、ローマ人の責任に触れた部分が抹消され、キリストの死にかんするユダヤ人のあやまちを強調するために、福音書が書き直された。そして、ユダヤ人が神の息子を殺した張本人とされるようになった。ベーレンバウム『ホロコースト全史』前掲、三二頁。

＊3　Glowacka, « "Traduttore traditore" », *op. cit.*, p. 151.

＊4　小さく弱い国ポーランドにおいて、反ユダヤ主義と外国人嫌いというのは国家意識の重要な要素である。それはロマン主義的なナショナリズムの痛ましい副産物だが、逆にそのおかげでこそ、ポーランド人は自分たちの国民主権の喪失にたえることができたといえる。Brumberg « Shoah et le lieu du crime », *op. cit.*, p. 309.

＊5　サルトルによれば、「ユダヤ人を創造したのは、キリスト教徒であるといっても決して言い過ぎではない。ユダヤ人の同化作用を突然停止させ、その意に反してユダヤ人に、一つの機能を与えたのは外ならぬキリスト教徒である」。サルトル『ユダヤ人』前掲、八一頁。

＊6　ランズマン『ショアー』前掲、二一六頁。

＊7　Glowacka, « "Traduttore traditore" », *op. cit.*, p. 157.
ここには現在と過去の同時性があるかもしれない。

＊8　Lanzmann, « Les non-lieux de la mémoire », *op. cit.*, p. 392.

＊9　想像をふくらませるなら、行列がやってくるこの場面は、ユダヤ人大量虐殺という破滅のリズムがいつの間にか小さな村にやってきて、村の人たちを巻き込んでいく様子にもつながるかもしれない。行列のなかでは、白い服を着た少女たちがタイミングを合わせながら、いっしょにしゃがんで花びらを散らしていたが、はじめはぎこちなくてうまくそろっていなかった。だがつづけていくうちに少女たちは慣れてきて、リズミカルに花をちらすようになっていく。少女たちのこうした変化は、大量殺害のシステムがはじめうまくいかなかったけれども、つづけていくうちにこつがわかって効率的になっていく、そのようなリズムの変化を想像させる。

＊10　ランズマン『ショアー』前掲、二二一－二二二頁。この引用の直前のところで、「ユダヤ人と口をきくことは絶対に禁止されていた」と通訳がポーランド語で話すのを聞いているとき、以下に論じられるカンタロフスキさんとスレブニクさんが同じしぐさをする瞬間がある。両者ともに左手を口からあごにかけてもっていき、その手で少しなでている。もちろん偶然の一致であるが、過去を思い出そうとするときに同じ身ぶりをはからずもし

てしまうということは興味深い。
＊11　前掲、二二二－二二三頁。
＊12　前掲、二二三－二二四頁。
＊13　Ascherson, « La controverse autour de *Shoah* », *op. cit.*, p. 315.
＊14　Lanzmann, « Les non-lieux de la mémoire », *op. cit.*, pp. 392-393. 引用の紅斑部分は第6回引用18で既出。
＊15　フェルマン『声の回帰』前掲、一二九頁。フェルマンによれば、ポーランド人は事件を非歴史化して聖書の予言に結びつけることで、自分たちの責任を逃れようとしているという。
＊16　「歴史の具体性を崩壊させ、作り話への誘惑に屈すること、恐るべき理解不可能な事件を安心できる神話的な、統一性をもった説明へ還元すること、それは実際、すべての解釈図式がむかいがちな傾向である」。前掲、一三二頁。
＊17　前掲、一三二頁。
＊18　Lanzmann, « Les non-lieux de la mémoire », *op. cit.*, p. 394.
＊19　Brumberg, « Shoah et le lieu du crime », *op. cit.*, p. 307.
＊20　Glowacka, « "Traduttore traditore" », *op. cit.*, p. 170, n. 50.
＊21　ラカー編『ホロコースト大事典』前掲、五五一頁。
＊22　ヒルバーグ『ヨーロッパ・ユダヤ人の絶滅（上）』前掲、四三四頁。
＊23　ここには人種としてのユダヤ人という考え方がある。ヨーロッパの人々は地理上の発見によりほかの人種と出会うことで人種概念をつくり上げていたが、一九世紀には人種概念が科学化されていく。つまり生物学によって取り上げられ、やがて進化論と結びつけられる。それとともに、歴史的にいうと宗教的カテゴリーであった「ユダヤ教徒」は、人種的カテゴリーの「ユダヤ人」となっていく。そうなるとユダヤ人はユダヤ人であることから逃れられなくなる。宗教であれば改宗することでたとえばキリスト教徒になれるが、人種となると絶対に変更できないからである。ナチスにとってユダヤ人は人種として敵であり、そのために和解することのできないもの、徹底的に排除されるべきものとなる。西谷『夜の鼓動にふれる』前掲、二三六－二三八頁。
＊24　Glowacka, « "Traduttore traditore" », *op. cit.*, p. 155.
＊25　*Ibid.*, pp. 158-159.
＊26　*Ibid.*, pp. 150-151.
＊27　ここにはランズマンにおける言語のヒエラルキー

があり、とりわけポーランドをさげすむ態度がある。つまりショアを理解するのにあたり、フランス語・英語・ドイツ語・ヘブライ語は重要とみなされているのに対して、ポーランド語はそのものとしてあつかわれずに、別の言語に翻訳され置き換えられてしまう。*Ibid.*, p. 156.
＊28　スレブニクさんというユダヤ人生還者を理解できるのかという問題もある。というのも、ランズマンは**引用8**で、ポーランド人を前にして「彼は恐怖ではち切れていますす」と述べていたけれども、映画本編につかわれなかった映像を見ると、教会のシーンとはまったく異なるスレブニクさんの言動が映されているからである。そのとき彼は受け身的に沈黙しているのではなく、ポーランド人の差別的な言葉に対して問い返している。そこから、**映像1**だけでは見えてこないスレブニクさんの特徴、つまり主体性と勇気があり、証言を生み出す能力があることがわかる。*Ibid.*, p. 153. ランズマンはそれを本編から取り除くことで、スレブニクさんの特定の側面だけを理解しようとしている。
＊29　教会のシーンのあとのスレブニクさんについて、ランズマンは次のように述べる。「それから、彼は独りで林間の空き地にやってきます。これは彼の分身です。彼は自分自身には出会わないのです」。ランズマン「場処と言葉」前掲、九二頁。
＊30　ランズマン『ショアー』前掲、二二八－二二九頁。
＊31　前掲、二二九頁。
＊32　前掲、二三〇頁。
＊33　Glowacka, « "Traduttore traditore" », *op. cit.*, p. 161.
＊34　世界の破壊とスレブニクさんの言葉については第25回でもあらためて考察する。
＊35　ランズマン「場処と言葉」前掲、九三頁。サルトル的に考えると、想像は対象を無として定立し現実に存在しないものを生み出すという意味で創造的であり、それこそが芸術作品の世界を可能にするといえる。木田元ほか編『現象学事典』弘文堂、一九九四年、二八－二九頁。

（エポック2につづく）

# 索　引

## ア　行

アガンベン（Giorgio Agamben）　33, 34, 157
アドルノ（Theodor Adorno）　168
アーレント（Hannah Arendt）　158, 160

## カ　行

カイヨワ（Roger Caillois）　145
カント（Immanuel Kant）　122

## サ　行

サルトル（Jean-Paul Sartre）　209, 233, 247, 249, 250, 252, 273, 275
ソシュール（Ferdinand de Saussure）　8

## タ　行

デリダ（Jacques Derrida）　169
ドゥルーズ（Gilles Deleuze）　127, 134, 136

## ナ　行

ニーチェ（Friedrich Nietzsche）　94, 101

## ハ　行

ハイデガー（Martin Heidegger）　59, 79
バウマン（Zygmunt Bauman）　210, 211
バルト（Roland Barthes）　32, 33
フェルマン（Shoshana Felman）　263, 274
フーコー（Michel Foucault）　101
フッサール（Edmund Husserl）　97, 101, 125
ブルレ（Gisèle Brelet）　163
フロイト（Sigmund Freud）　146, 164, 169
ベルクソン（Henri Bergson）　37
ベンヤミン（Walter Benjamin）　6
ボーヴォワール（Simone de Beauvoir）　40
ホルクハイマー（Max Horkheimer）　168

## マ　行

マニグリエ（Patrice Maniglier）　54, 55, 57
マルティ（Eric Marty）　67, 79, 134, 136
ミルグラム（Stanley Milgram）　167
メショニック（Henri Meschonnic）　17
メルロ＝ポンティ（Maurice Merleau-Ponty）　79, 146, 155, 156

## ラ　行

ライプニッツ（Gottfried Wilhelm Leibniz）　101
ラカプラ（Dominick LaCapra）　96
ラトゥール（Bruno Latour）　59
レーヴィ（Primo Levi）　30, 76, 141-143, 155, 156, 160, 213, 214, 224-227

■著者紹介
山下尚一（やました・しょういち）
1979年栃木県生まれ。筑波大学大学院人文社会科学研究科博士課程修了。博士（文学）。駿河台大学グローバル教育センター准教授。著書に『ジゼール・ブルレ研究――音楽的時間・身体・リズム』（ナカニシヤ出版，2012年），『メルロ＝ポンティ読本』〔共著〕（法政大学出版局，2018年）など。

ショアあるいは破滅のリズム
――現代思想の視角――（エポック1）

2023年2月28日　初版第1刷発行

著　者　山下尚一
発行者　中西　良

発行所　株式会社　ナカニシヤ出版
〒606-8161　京都府左京区一乗寺木ノ本町15
TEL（075）723-0111
FAX（075）723-0095
http：//www.nakanishiya.co.jp/


印刷／製本・モリモト印刷
＊乱丁本・落丁本はお取り替え致します。
ISBN978-4-7795-1707-5　Printed in japan

## バイオグラフィーの哲学
—「私」という制度、そして愛—

入谷秀一

人はいつ、自分について物語ることを始めるのか。古今のバイオグラフィーの構造を検証することを通じて、「自分を愛し語ることを強いられる現代」の一歩先に進む、「自分語り」の系譜学。

二四〇〇円＋税

## 言葉に出会う現在

宮野真生子

九鬼周造を出発点にオリジナルに発展・深化した、恋愛論、押韻論、共食論、母性論等論考に加え、書評・エッセイも多数収録。早逝が惜しまれる著者の珠玉の哲学論考集。

三〇〇〇円＋税

## キリギリスの哲学
—ゲームプレイと理想の人生—

バーナード・スーツ／川谷茂樹・山田貴裕 訳

寓話「アリとキリギリス」の〝主人公〟たるキリギリスが、その弟子達と縦横無尽に繰り広げる、とびきりユニークで超本格の哲学問答！「ゲームの哲学」の名著、待望の初訳。

二六〇〇円＋税

## ベジタリアン哲学者の動物倫理入門

浅野幸治

畜産、動物実験、ペット、動物園、競馬、介助動物など、いま身近にある動物の境遇を倫理的に問いながら、「種差別」を乗り越え、人間をも対象に含み込む「動物倫理」の構築を目指す入門書。

二三〇〇円＋税

＊表示は二〇二三年二月現在の価格です。